知的生きかた文庫

地図で読む日本の歴史

「歴史ミステリー」倶楽部

三笠書房

はじめに　**歴史の「現場」がリアルに浮かび上がる本！**

歴史を知る上で、地図ほど面白い〝教材〟はない。眺めるだけで、言葉の説明だけでは理解しにくかった事柄が、簡単に捉えられる。事件の「全貌」をすぐに把握できる上、当時の様子がリアルに「想像」できる。知らなかった事実を「発見」する楽しみもあるだろう。

邪馬台国、大化の改新から、関ヶ原の戦い、太平洋戦争まで——本書では、日本全図、市街地図、屋敷見取り図、陣形図など、あらゆる「地図」資料を軸に展開。〝見る〟だけでも、歴史の「流れ」が理解できる、新しい歴史本といえる。

取り上げた項目は、学生時代に一度は耳にしたことのある「重要事件」ばかり。たとえば、【壇の浦の戦い】で午前中は優勢だった平氏が、午後になると突然劣勢になったのはなぜか？　【坂本龍馬暗殺】の刺客は、龍馬をどう襲ったのか？——

その意外な答えは、本書の地図で一目瞭然だ。

「歴史の現場」に地図から迫った本書が、日本史を知る面白さを再認識するきっかけとなれば幸いである。

もくじ

はじめに　歴史の「現場」がリアルに浮かび上がる本！　3

1章 【原始・古代】この「国のカタチ」の不思議

【日本人のルーツ】日本人は〝混血〟人種だった!?　14
【邪馬台国《やまたいこく》】謎の邪馬台国を地図で推定する　16
【大和政権の日本統一】日本初の統一政権——その勢力はどこまで及んだ？　18
【磐井《いわい》の乱】九州・筑紫の一豪族が、大和政権に反旗！　20
【仏教の伝来】どんな経路で日本に伝わった？　22
【蘇我《そが》・物部《もののべ》の戦い】朝廷の二大勢力が「仏教」をめぐり対立！　24
【遣唐使】「航路」が何回も変更されたのはなぜ？　26
【大化の改新】改新の詔——「畿内」の勢力圏はこのとき確定した！　28
【白村江《はくそんこう》の戦い】朝鮮半島南部の領地化を目論み、新羅と対立！　30

【壬申《じんしん》の乱】大海人皇子、圧勝の理由を地図で読む　32
【大宝律令の制定】地方行政の実現――日本全土を「畿内・七道」に分割！　34
【平城京遷都】奈良盆地に「碁盤の目」の都市が誕生した理由　36
【藤原広嗣《ふじわらのひろつぐ》の乱】広嗣の反乱軍があっという間に鎮圧されたもう1つの理由　38
【平安遷都】遷都されるのは、平安京で5回目だった⁉　40
【蝦夷《えみし》征討】当時、「蝦夷」といえば、アイヌ民族のことではなく……？　42
【平安仏教の誕生】最澄は1年、空海は2年、それぞれが唐を巡ったルートは？　44
【平将門の乱】制圧した「関東一円」は、こんなに広い！　46
【前九年《ぜんくねん》の役《えき》、後三年《ごさんねん》の役】「源氏」はもともと、〝地方〟の武士団にすぎなかった！　48

2章

【中世】日本全土の「国盗り」物語を地図で読む

【木曾義仲の挙兵】権勢を振るっていた平氏の「転落」の引き金　52
【壇《だん》の浦《うら》の戦い】午前は優勢だった平氏が、午後に劣勢になったのはなぜ？　54

【奥州平定《おうしゅう》】奥州藤原氏滅亡への道　56
【鎌倉幕府の成立】鎌倉を「天然の要塞都市」にした最高の立地条件　58
【承久の乱《じょうきゅう》】尼将軍・政子の檄で動いた19万の軍勢　60
【元寇《げんこう》】二度にわたる元の襲来——どこを攻められ、どう守った？　62
【鎌倉幕府の滅亡】新田義貞は「天然の要塞」をどう攻略したのか　64
【六波羅探題《ろくはらたんだい》攻略】足利尊氏、まさかの裏切り——鎌倉幕府の終焉　66
【南北朝の動乱】「南朝」と「北朝」——そもそもどこのこと？　68
【観応《かんのう》の擾乱《じょうらん》】動乱を長引かせた、足利尊氏・直義「兄弟の確執」　70
【正長《しょうちょう》の徳政一揆】その影響は飛び火し、全国各地で一揆が同時多発！　72
【琉球王国の成立】南海上の琉球王国、その交流地図とは？　74
【嘉吉《かきつ》の乱】家臣による将軍暗殺事件で幕府の権威は失墜　76
【応仁《おうにん》の乱】細川家（勝元）と山名家（宗全）の死闘地図　78
【加賀の一向一揆】守護大名は自害し、本願寺による「自治」が開始　80
【北条早雲の相模平定】〝遅咲き〟の武将、「戦国大名」のさきがけとなる！　82

3章

【近世】歴史の大舞台をつくり上げた「小さな異変」

【キリスト教の伝来】最初の布教地の点と線 86
【桶狭間《おけはざま》の戦い】信長・天下統一への第一歩となった「奇襲作戦」の陣形は？ 90
【川中島の戦い】武田信玄と上杉謙信の名勝負を地形から考える 92
【信長の金ケ崎《かねがさき》撤退】浅井長政の謀反！「挟み撃ち」から逃れる信長の逃走劇 94
【姉川の戦い】姉川を挟んだ決戦！──信長が勝った理由 96
【石山合戦】信長をもっとも苦しめた男・顕如──10年の戦いに決着 98
【長篠の戦い】画期的戦法──3000挺の鉄砲隊をどう配備した？ 100
【本能寺の変】謀反の知らせを聞いた秀吉、備中高松〜山崎間を8日で走破 102
【賤ケ岳《しずがたけ》の戦い】最大の宿敵を破った秀吉の「おびき出しの戦い」 104
【小田原征伐】秀吉、「〝一夜城〟＋水軍」の陣形で北条氏を蹴散らす！ 106
【豊臣秀吉の天下統一】乱世を制し、遂に頂点に上り詰めた天下人に！ 108

【豊臣秀吉の朝鮮出兵】天下統一後、「アジアの盟王」を夢見たが…… 110
【関ヶ原の戦い】東軍が勝った「理由」は地図で一目瞭然！ 112
【朝鮮通信使の来航】日光まで足を運んだ通信使、文化交流に活躍 116
【大坂冬の陣】「難攻不落の城」と「100門の大砲」の戦い 118
【大坂夏の陣】豊臣家の最期――起死回生の作戦、失敗に終わる！ 120
【島原の乱】幕府によるキリスト教徒・大弾圧がはじまった 122
【鎖国令】鎖国体制下、外国と交易したのは「長崎・出島」だけではなかった！ 124
【シャクシャインの蜂起《ほうき》】鎮圧されたアイヌは本格的に幕府の支配下へ 126
【赤穂事件】討ち入り――作戦の全貌を、屋敷の上から覗いてみると…… 128
【藩政改革】幕府の財政危機に、全国の藩主が立ち上がる！ 130
【幕府の北方探査】間宮林蔵による2回の探検……「本当の目的」は？ 132
【大塩平八郎の乱】貧困農民らの蜂起！ 鎮圧後も各地に反乱が飛び火 134

4章

【近代】地図で読む、日本近代国家への「変貌の道」

【ペリー来航】浦賀だけでなく、「江戸城近く」まで迫った黒船！ 138
【桜田門外の変】18人の藩士が井伊直弼側60人の行列を襲撃した現場 140
【薩英戦争】新型アームストロング砲搭載艦隊を退却させた薩摩藩の作戦は？ 142
【天誅組《てんちゅうぐみ》の変】尊王攘夷運動のさきがけ「土佐藩志士の決起」 144
【禁門の変】禁門とは、いったいどこの門のこと？ 146
【池田屋事件】新撰組の襲撃！ 池田屋の間取りまでリサーチした作戦だったが…… 148
【下関戦争】長州藩vs.4カ国連合艦隊――戦闘開始1時間で決着！ 150
【第二次長州征伐】長州藩を四方から取り囲んだ幕府側が敗北したのはなぜ？ 152
【坂本龍馬暗殺】刺客はどうやって、龍馬に襲いかかったか 154
【戊辰《ぼしん》戦争①鳥羽《とば》・伏見《ふしみ》の戦い】
1万5000人の旧幕府軍が、4500人の薩長軍になぜ負けた？ 156

【江戸城無血開城】勝海舟と西郷隆盛の歴史的会談の裏には…… 158
【戊辰戦争②会津戦争】地元民が新政府軍に教えた「防備の手薄なルート」 160
【廃藩置県】はじめの〝線引き〟に対して続出した「不満」って？ 162
【岩倉具視《ともみ》遣外使節団】約2年で12カ国を歴訪した大プロジェクト 164
【地租改正】この改正には、農民を苦しめる〝カラクリ〟があった！ 166
【台湾出兵】戦死者は12名なのに、日本軍の死者が500人を超えたのはなぜ？ 168
【自由民権運動】運動は激化し、日本各地で〝テロ〟が勃発!? 170
【樺太《からふと》・千島《ちしま》交換条約】現代にまで引きずる北方領土問題の〝発端〟 172
【江華島《こうかとう》事件】朝鮮に国交更新を求めるための「強硬な方便」 174
【西南戦争】西郷隆盛を中心とした「最大で最後」の士族の乱！ 176
【竹橋事件】その原因は「近衛兵の給与削減」だった？ 178
【大津事件】ロシア皇太子暗殺未遂事件の「一部始終」を検証！ 180
【日清戦争】眠れる獅子・清に「陸・海」で快勝！ 182
【足尾銅山鉱毒問題】鉱毒の被害は、こんなにも広範囲に広がっていた！ 184

【日露戦争①奉天会戦】日本軍25万、ロシア軍35万の10日間の激戦 186
【日露戦争②日本海海戦】バルチック艦隊を撃破した日本・連合艦隊の戦法 188
【韓国併合】朝鮮総督府を設置し、着実に広がる「日本の領土」 190
【第一次世界大戦①青島出兵】日英同盟を理由に参戦したが、本当の目的は……? 192
【第一次世界大戦②シベリア出兵】シベリア鉄道に沿って進軍した日本の思惑 194
【米騒動】〝大戦景気〟で、米の価格は1年で2倍に! 196
【三・一独立運動】朝鮮全土に広がった「民族自決」の独立運動 198
【関東大震災】東京が近代都市へと発展する契機? 200
【山東出兵】「蔣介石の中国統一」の阻止計画 202
【満州事変】満州国を建国、日本はますます国際社会から孤立する 204
【上海事変】その目的は「満州事変から列強の目を逸らす」こと 206
【二・二六事件】5時間で9カ所を襲撃! 陸軍青年将校によるクーデター 208
【日中戦争】盧溝橋事件をきっかけに、日中〝全面〟戦争に突入! 210
【ノモンハン事件】モンゴルと満州国の「国境」をめぐるソ連との争い 212

【真珠湾攻撃】「トラ、トラ、トラ」は、何を意味している？ 214
【ガダルカナル島の戦い】約3万人の日本兵が命を落とした島 216
【沖縄戦】戦力の差は歴然……3カ月で全土が占領される！ 218
【原爆投下】その一瞬の犠牲者は20万人に達した 220

コラム　三択クイズ「古代」編 50
三択クイズ「中世」編 84
三択クイズ「近世」編 136

参考文献（巻末）

本文図版／アド・クリ
本文DTP／美創

1章【原始・古代】

この「国のカタチ」の不思議

日本人のルーツ（更新世中期～後期）

日本人は〝混血〟人種だった!?

日本人の祖先は、日本がまだユーラシア大陸と陸続きだった200～1万年前に移住してきた旧人だといわれる。彼ら旧人は、猿人、原人と進化してきた人類が、ホモ・サピエンスという現人類に達する1つ前の段階の人々で、人種的には古モンゴロイドと呼ばれる石器人だった。

北は沿海州・樺太《からふと》方面から、西は朝鮮半島経由や東シナ海から、南は台湾・沖縄方面から、狩猟生活の獲物であったナウマン象を追いかけてやってきたのだ。

これに南洋方面からのルートも加えた、計5つのルートからやってきた人々が、大陸から切り離された日本列島に定住し、混血した結果、縄文人が誕生した。

弥生時代になると、朝鮮半島から新モンゴロイドが大挙して渡来、縄文人を辺境の地へ追いやる形で定住し、混血がさらに進んだ。彼らを弥生人と呼ぶが、現在の日本人の遺伝子群の65パーセントがこの弥生人のものとされる。

また、近年の調査により、南米の先住民と日本人が同じ遺伝子を持つことも解明されている。

― 日本人の祖先がやってきたとされる5つのルート ―

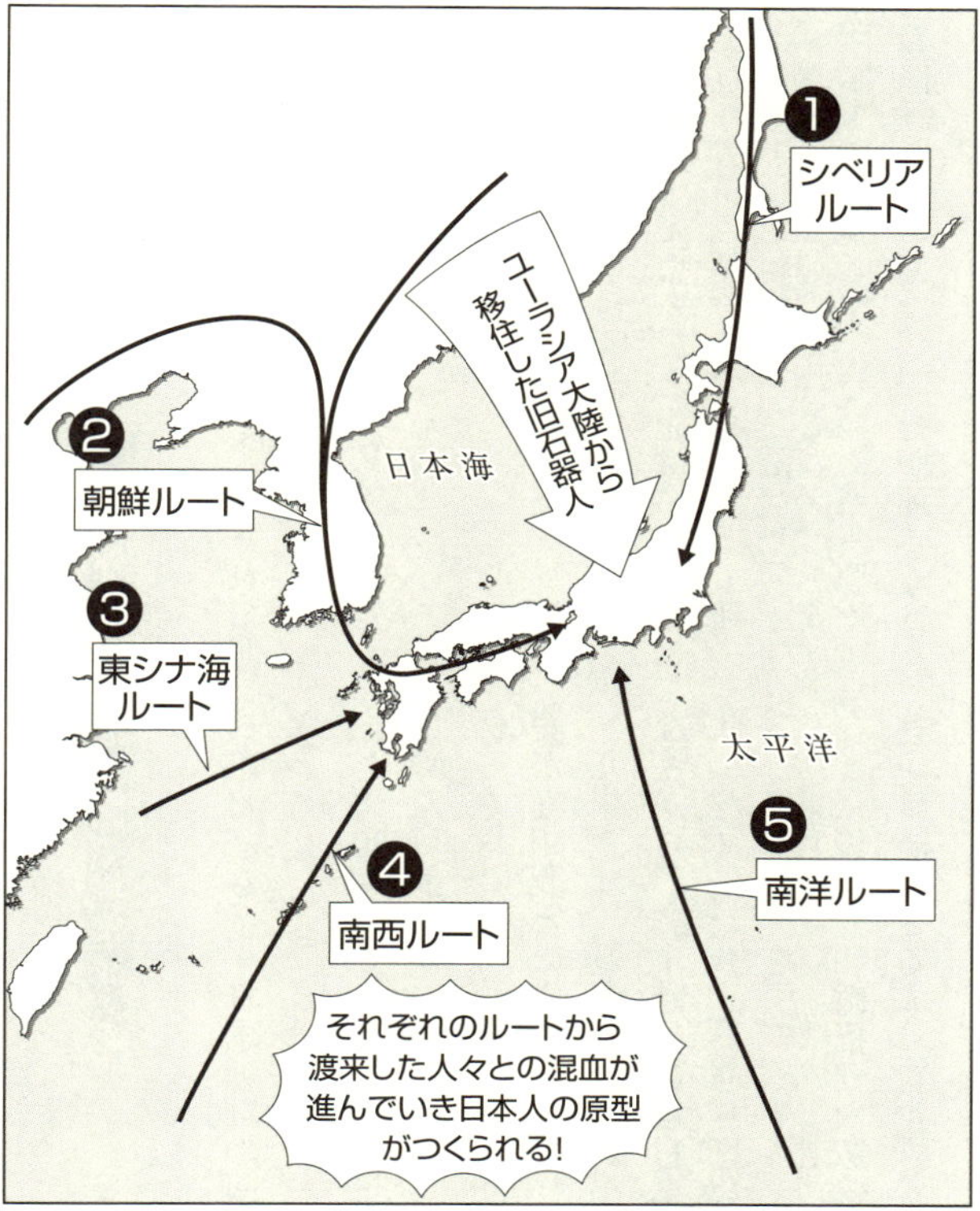
❶
シベリアルート
ユーラシア大陸から移住した旧石器人
❷
朝鮮ルート
日本海
❸
東シナ海ルート
❹
南西ルート
太平洋
❺
南洋ルート
それぞれのルートから渡来した人々との混血が進んでいき日本人の原型がつくられる!

ひとくちメモ　日本列島における旧石器文化は、約4万～3万年前の後期段階のものしか確認できていない。

邪馬台国《やまたいこく》（3世紀）

謎の邪馬台国を地図で推定する

中国の史書『魏志倭人伝』に記されている倭国《わこく》の政権・邪馬台国の所在地があいまいなために、その位置をめぐる論争が巻き起こり、その決着は未だについていない。

239年、三国時代の中国・魏は、使者を送ってきた邪馬台国について、女王が巫女の卑弥呼《ひみこ》であることをはじめ、政体や統治方法、庶民の生活ぶりまでを細かく記録。朝貢《ちょうこう》に対しては、「親魏倭王《しんぎわおう》」の金印贈呈で返礼している。ただ、邪馬台国の位置については、同書が述べる行程をたどると、日本列島の南の海洋上になってしまう。そのため、「方角を勘違いしている」「距離を書き間違えた」といった可能性がいわれ、推定される場所も、左図のように異なる。その代表的な説が九州説と畿内説だ。

九州説は、奴国《なこく》の金印が出土したことなどから、弥生時代には日本でもっとも進んだ文化のあった地と見なされていることによる。一方の畿内説は、古墳の存在と、後に大和政権となる統一政権の所在が確認できることが根拠となっている。

— 魏からの使いの推定ルートから割り出された2つの邪馬台国推定地 —

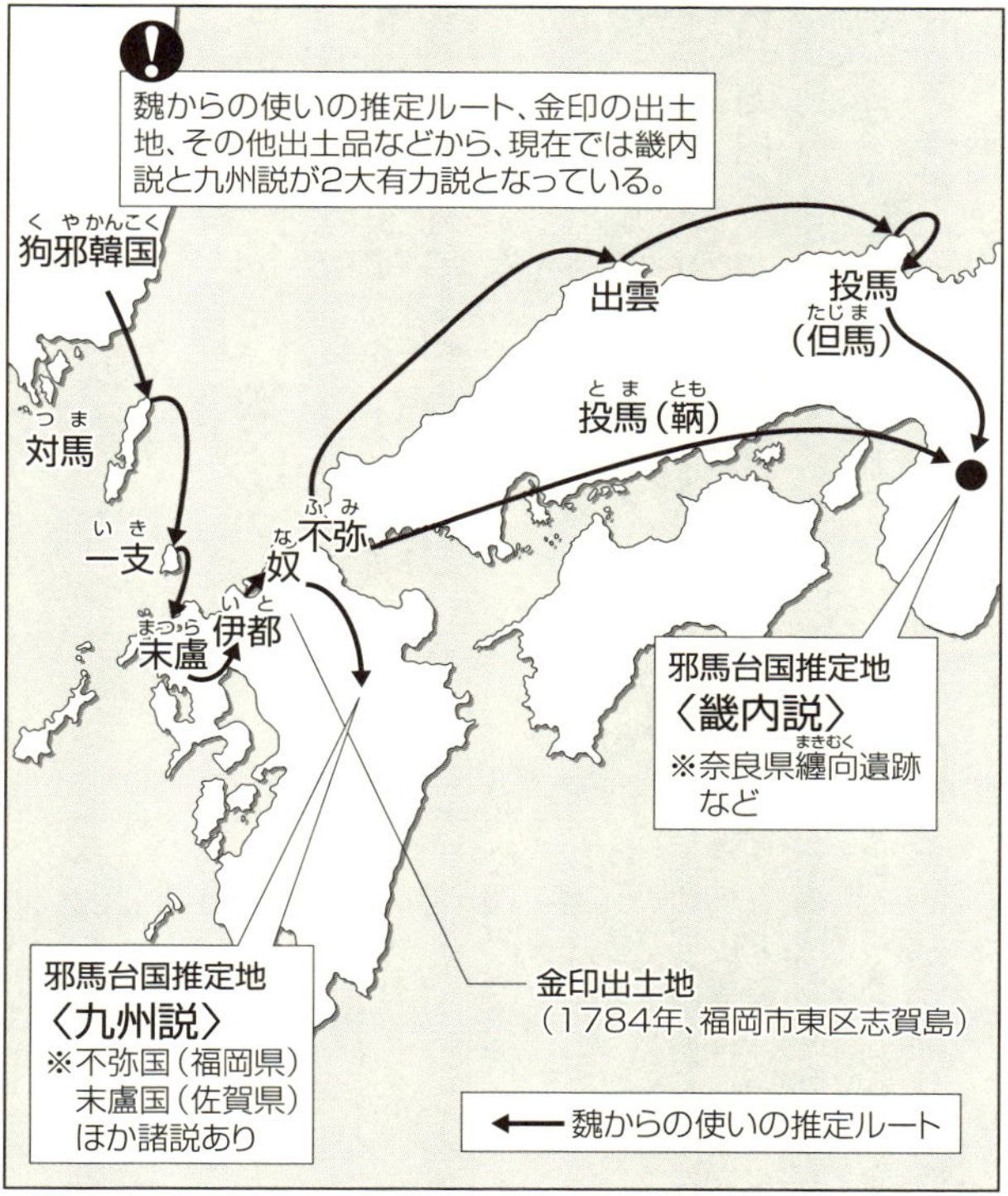

魏からの使いの推定ルート、金印の出土地、その他出土品などから、現在では畿内説と九州説が2大有力説となっている。
狗邪韓国《くやかんこく》
対馬《つま》
一支《いき》
末盧《まつら》
伊都《いと》
奴《な》
不弥《ふみ》
出雲
投馬
（但馬《たじま》）
投馬《とま》（鞆《とも》）
邪馬台国推定地
〈畿内説〉
※奈良県纏向《まきむく》遺跡など
邪馬台国推定地
〈九州説〉
※不弥国（福岡県）
末盧国（佐賀県）
ほか諸説あり
金印出土地
（1784年、福岡市東区志賀島）
← 魏からの使いの推定ルート

ひとくちメモ

九州説、畿内説以外にも四国説や東北説など全国各地に邪馬台国推定地がある！

大和政権の日本統一（3世紀後半）

日本初の統一政権——その勢力はどこまで及んだ？

日本で初めて統一政権を建てたのは、大和地方（現在の奈良県）を治めていた大王《おおきみ》の国家だとされている。大和政権と呼ばれるこの国家は、最初は諸豪族が大王のもとに結集した連合国家だった。

この政権が、しだいに周辺地域を武力征圧して、中央集権国家が成立したと考えられているが、それを実証できる史料は少ない。中国の史書にも、大和政権が誕生したころから5世紀末に至るまでの日本に関する記述はなく、確認できないというのが実情だ。

そんななか、日本の史書『古事記』『日本書紀』に描かれるヤマトタケルノミコトの行動が、5世紀ごろの大和政権拡大の様子をわずかにうかがわせている。彼が、九州や関東・東北に遠征しているのが、大和政権の拡大と軌を一にしていると考えられるのだ。

また、大和地方で造営されはじめた前方後円墳が、図示したように4世紀ごろには西域や東域へ広まったことからも、空白の4世紀に大和政権が全国に支配を拡大していたことを読み取れる。

― 4世紀ごろにはすでに西日本を支配していた大和政権 ―

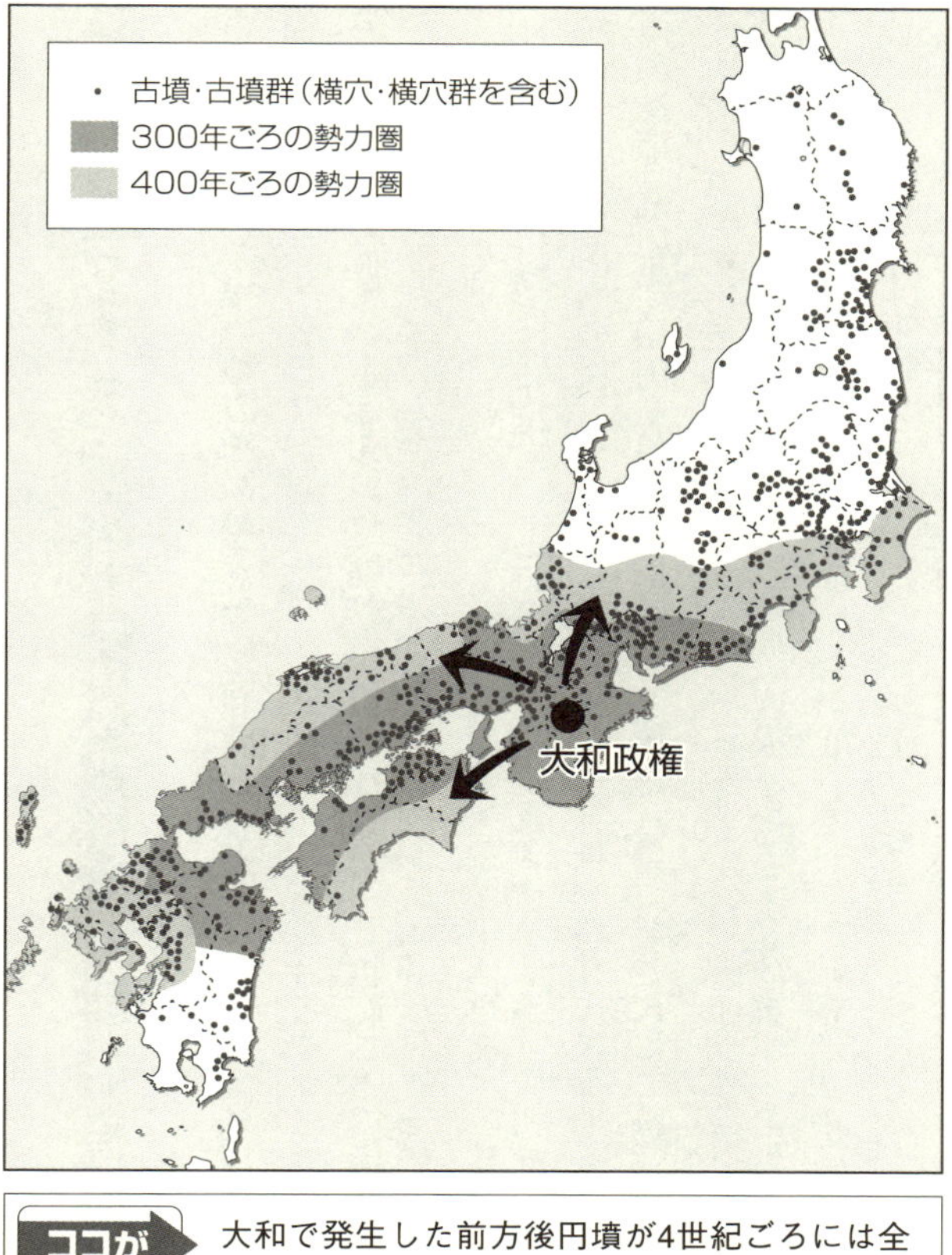
・ 古墳・古墳群（横穴・横穴群を含む）
300年ごろの勢力圏
400年ごろの勢力圏
大和政権

ココがポイント！

大和で発生した前方後円墳が4世紀ごろには全国に広まっているため、大和の支配は各地に及んでいたと考えられている！

磐井《いわい》の乱（527年）

九州・筑紫の一豪族が、大和政権に反旗！

大和政権は、統一後の地方を治めるために国造《くにのみやつこ》を置いたが、たいていはその地の豪族の子孫を任命した。磐井氏もその一人で、筑紫と呼ばれていた今の北九州一帯を支配していた。

6世紀ごろ、大和政権は九州を平定し、その勢いで朝鮮半島への侵攻を試み、半島南部の伽耶《かや》（伽羅《から》）諸国を勢力下に置くまでになっていた。そうなると、次の標的は、半島東部の国・新羅《しらぎ》である。新羅は大和政権の攻撃回避のため、政権の搾取に不満を抱く磐井氏と手を結ぶ。大和政権の派兵は、新羅が伽耶国を侵略しようとしたからだが、『日本書紀』は、これを「新羅王は磐井氏に貢ぎ物をして、新羅に向かう大和政権軍を破ってほしいと頼んだ」と伝えている。

この貢ぎ物とは当時の朝鮮半島との交易の占有権を磐井氏に与えることだったといわれる。磐井氏は一時、南九州、東九州に出兵して支配下に置くが、物部麁鹿火《もののべのあらかい》率いる大和政権軍に討たれ、反乱は終止符を打つ。政権崩壊の危機といえる反乱だった。

― 新羅と結んで独立しようとした筑紫国造磐井 ―

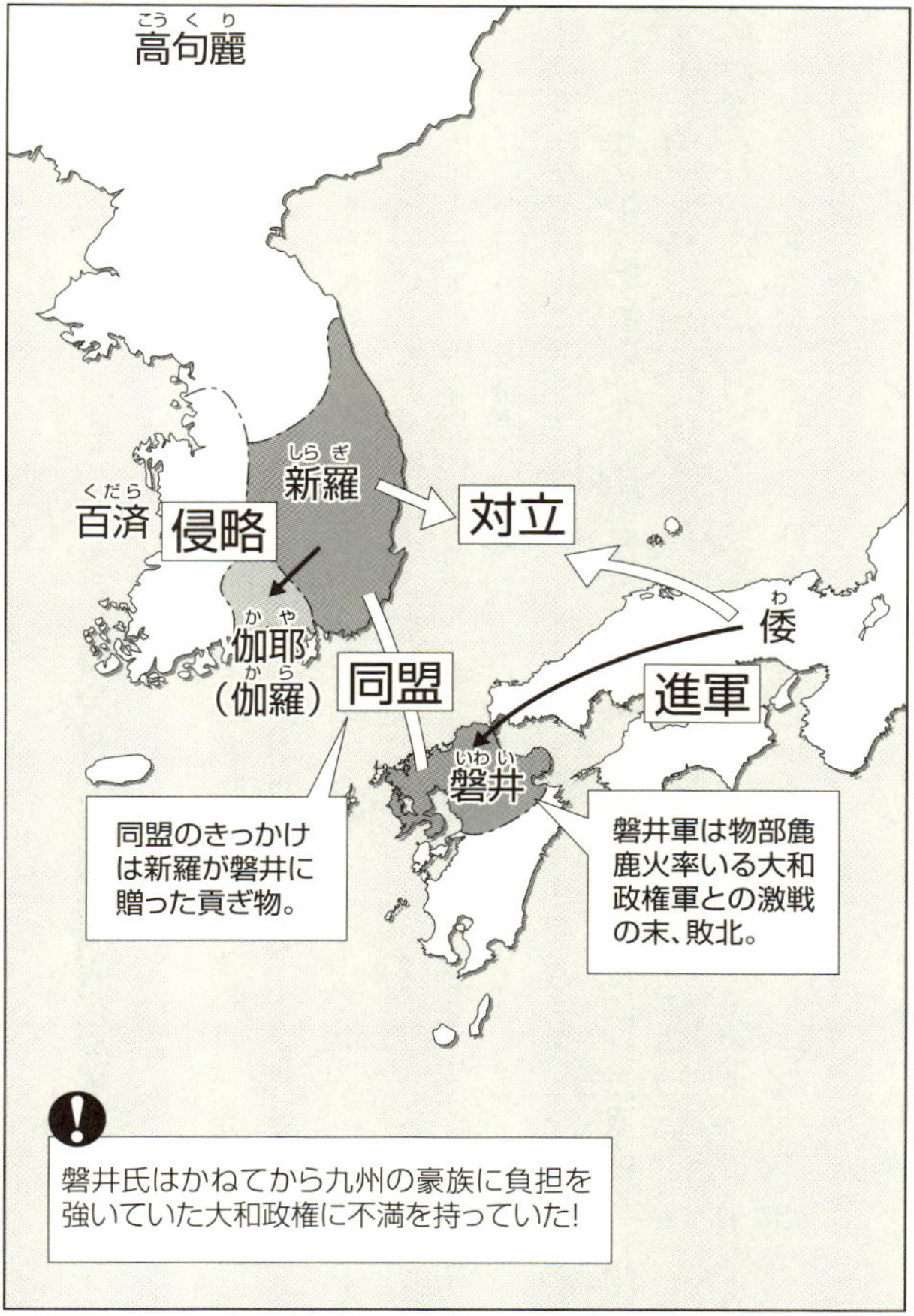

仏教の伝来（538年）

どんな経路で日本に伝わった？

大和政権が中央集権国家として政権を強固にしていく過程で、大きな影響を与えたのが、仏教の伝来だ。

インドに興《おこ》った仏教は、図のように中央アジア、中国を経て朝鮮半島の国々に伝わり、これらの国からの帰化人によって、日本にもたらされている。伝来の年を公式に538年とするのは、欽明《きんめい》天皇の治世下、朝鮮半島の百済《くだら》王朝から仏像や経典が贈られたことに基づく。異説に552年伝来説もあるが、これは『日本書紀』の記述によるものである。


仏教伝来時、日本には八百万《やおよろず》の神々の信仰があった。異国の宗教は新しい文明として受け入れられるまで、受容派と拒絶派で争いが見られるものの、やがて仏教による鎮護国家思想が生まれ国家権力の確立に役立つことになった。

その権力固めに重要な役割を果たしたのが、仏教に深く帰依《きえ》した聖徳太子だ。彼の建立《こんりゅう》した寺院のほか、経典に伴ってもたらされた天文学や薬学も、外来の文明として日本に根づくことになったのである。

— インドから1000年かけて日本に伝わった仏教 —

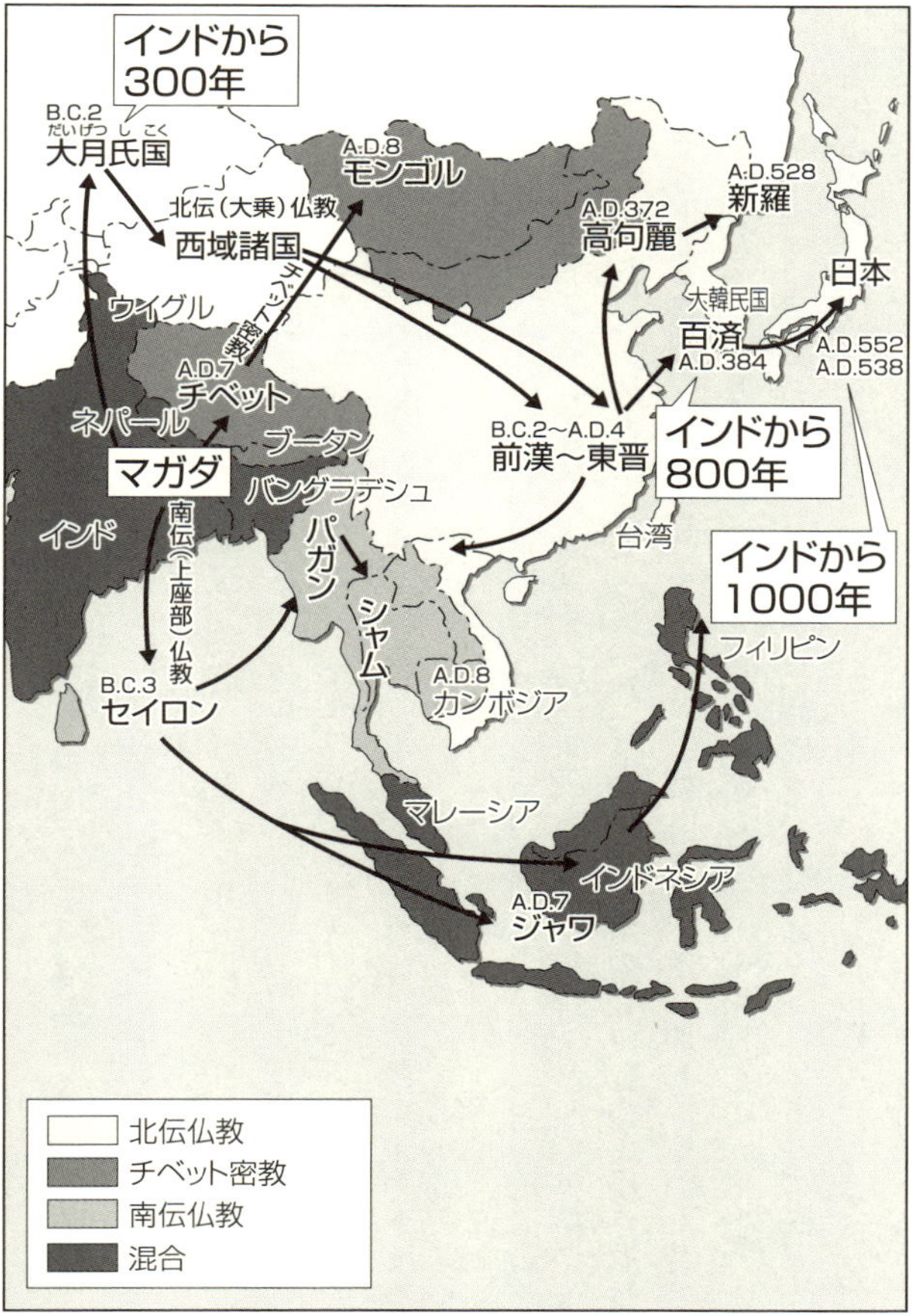

蘇我《そが》・物部《もののべ》の戦い（587年）

朝廷の二大勢力が「仏教」をめぐり対立！

　仏教が日本に伝わると、これを積極的に取り入れようとする蘇我氏と、日本古来の自然崇拝に基づく信仰を大切にしようとする物部氏が対立しはじめた。

　物部氏は大和政権誕生以来の名門氏族で軍事力を司《つかさど》る家系、蘇我氏は渡来人《とらいじん》のもたらす文明を利用しながら天皇の外戚になることで勢力を得た一族だ。つまり、朝廷における守旧派と革新派が、仏教を巡って対立することになったのだ。

　こうして朝廷内の二大勢力の間に緊張が高まるなか、物部守屋が後継天皇を巡って謀反《むほん》を計画していることを知った蘇我馬子は、皇族や豪族を味方につけて、守屋討伐軍を組織した。第1軍は馬子自らが率い、第2軍は大伴《おおとも》氏を主力とする部隊で、図のように二手に分かれて進んだ。数の上では勝る馬子勢力だったが、守屋軍の本拠地・阿都《あと》で激しい抵抗にあい、その後衣摺《きずり》で激しい戦いを繰り返した。この時、第1軍に加わっていた若き日の聖徳太子が、木の枝を彫って造った仏に願をかけたことで、ようやく馬子軍が勝利したと『日本書紀』は伝えている。

― 二手に分かれて進軍した守屋討伐軍 ―

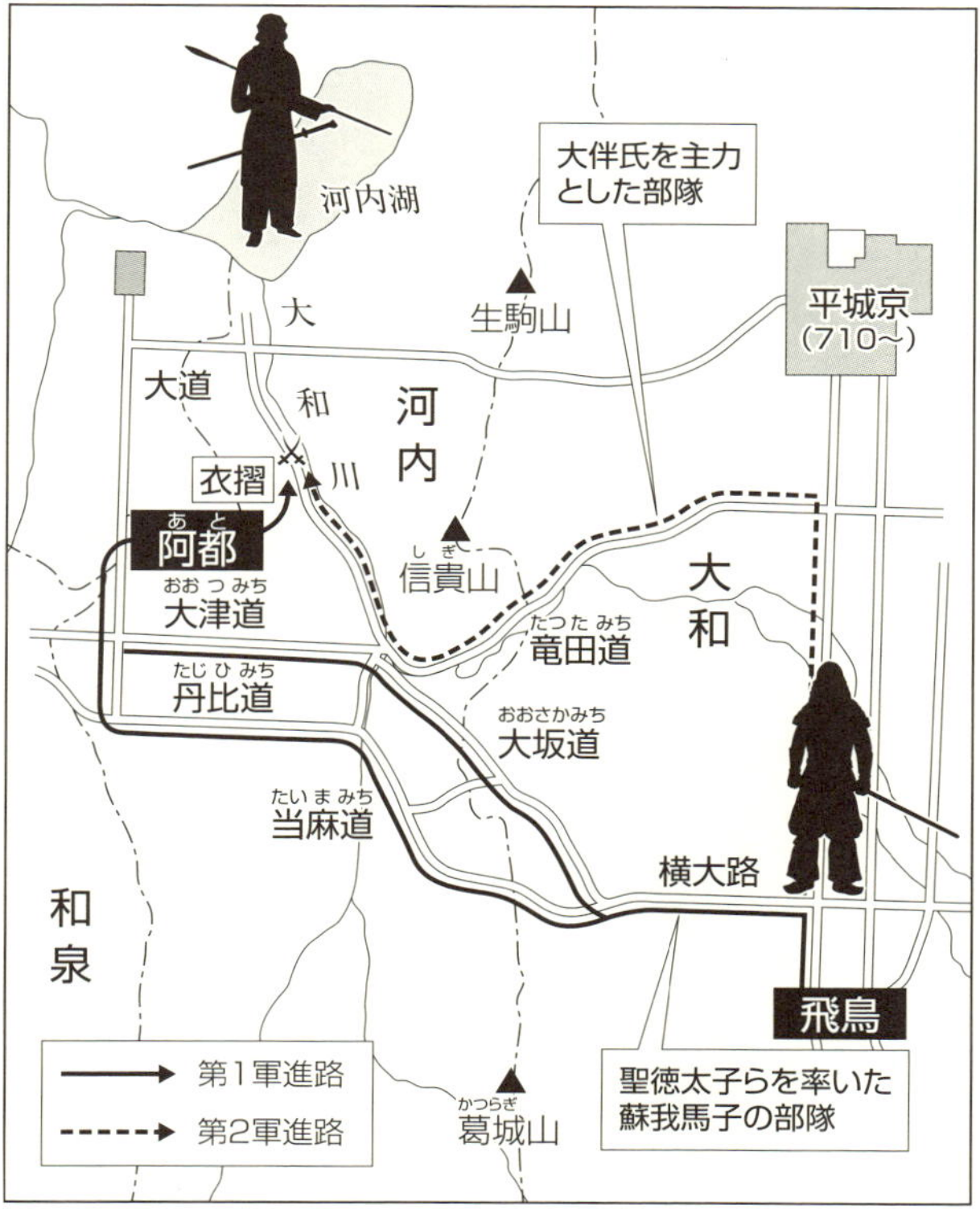
河内湖
大伴氏を主力
とした部隊
平城京
(710〜)
生駒山
大
和
川
大道
河
内
衣摺
阿都《あと》
信貴山《しぎ》
大
和
大津道《おおつみち》
竜田道《たつたみち》
丹比道《たじひみち》
大坂道《おおさかみち》
当麻道《たいまみち》
横大路
和
泉
飛鳥
第1軍進路
第2軍進路
葛城山《かつらぎ》
聖徳太子らを率いた
蘇我馬子の部隊

ひとくちメモ

近年の発掘調査の結果から、廃仏派といわれる物部氏も実は仏教を受容していたといわれている！

遣唐使（630年〜）

「航路」が何回も変更されたのはなぜ？

紀元前1世紀ごろから、日本と中国王朝との交流が行なわれていたことが、中国の史書からわかっている。まだ日本が小国分立の時代で、諸国が中国王朝に朝貢することで、自らの権力を確かなものにしようとしていたのだ。

しかし、国内が政治的統一をみたこともあり、対等な国家としての外交に変えようと、聖徳太子が遣隋使《けんずいし》を派遣した。隋にしてみれば、日本など海の向こうの野蛮な民族でしかなかったのだが、朝鮮半島での勢力争いを含めて東アジア外交をおろそかにはできず、朝廷へ返礼使を送ってきたりした。

派遣された遣隋使は中国で学び、新しい知識や技術を身につけて帰国し、日本の国力を高めることに寄与した。

こうした外交は隋の滅亡後も遣唐使という形に変えて、約250年間に20回も繰り返され、日本の独立国家としての地位を確かなものにした。

ただ、大陸へ渡る航路は、朝鮮半島の国家情勢により、図のように何度も変更されている。

― 時代によって変わった遣唐使の航路 ―

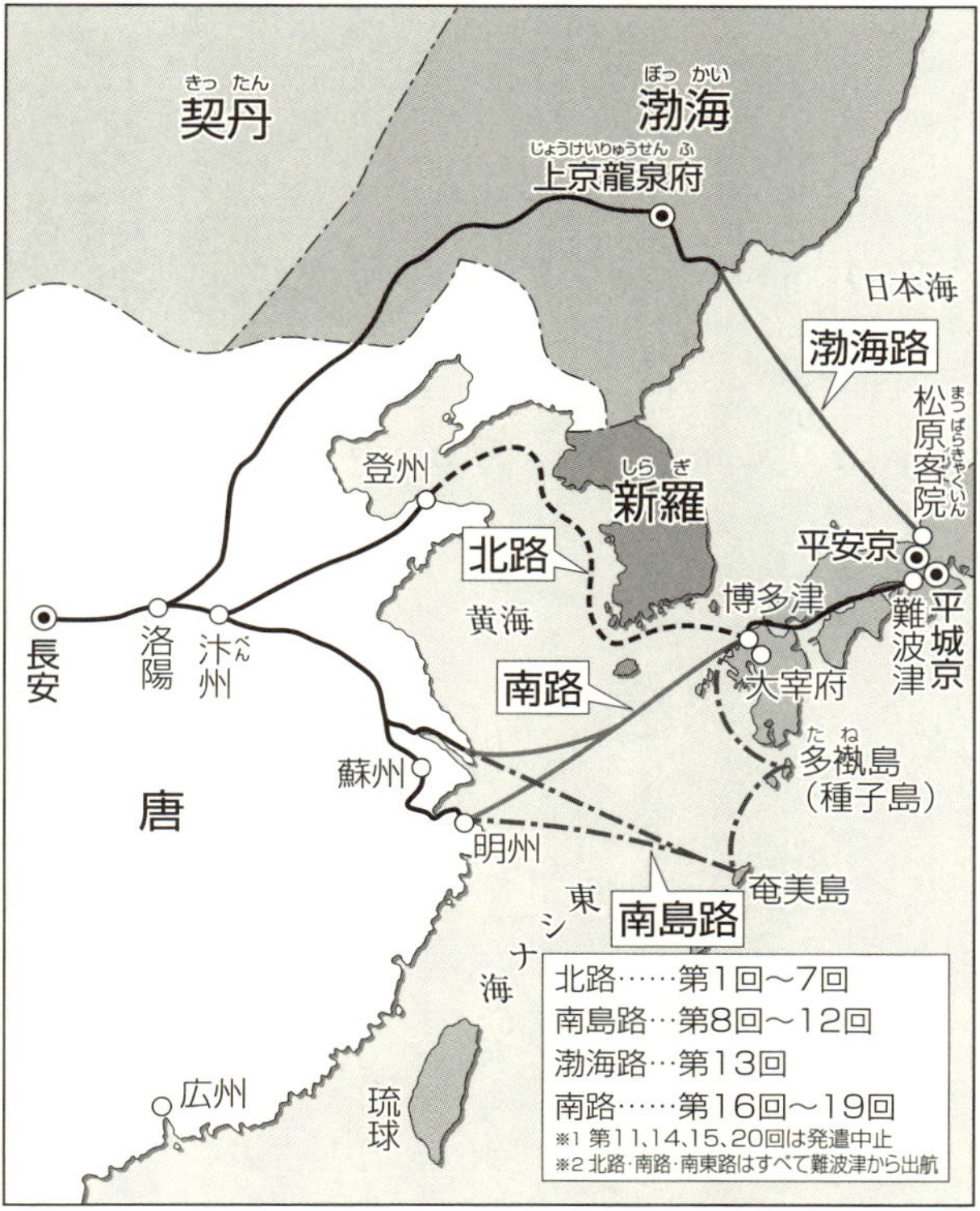

契丹《きったん》
渤海《ぼっかい》
上京龍泉府《じょうけいりゅうせんふ》
日本海
渤海路
松原客院《まつばらきゃくいん》
平安京
平城京
難波津
新羅《しらぎ》
北路
登州
黄海
博多津
大宰府
南路
長安
洛陽
汴州《べん》
蘇州
明州
唐
多褹島《たね》
（種子島）
奄美島
南島路
東シナ海
広州
琉球
北路……第1回～7回
南島路…第8回～12回
渤海路…第13回
南路……第16回～19回
※1 第11、14、15、20回は発遣中止
※2 北路・南路・南東路はすべて難波津から出航

ひとくちメモ

第8回以降遣唐使が北路を通らなくなったのは、敵対する新羅が朝鮮半島を統一したため。

大化の改新（645年）

改新の詔――「畿内」の勢力圏はこのとき確定した！

　仏教論争で物部氏という政敵を破った蘇我氏だが、馬子の孫・入鹿《いるか》の代になると専横政治が目に余るようになった。ことに舒明《じょめい》天皇の死後、後継候補だった聖徳太子の子・山背大兄王《やましろのおおえのおう》に謀反の疑いをかけて自害させたことで、多くの貴族・豪族の反感を買うのである。

　舒明天皇の子・中大兄皇子《なかのおおえのおうじ》は、この蘇我氏の専横を阻止しようとクーデターを企て、中臣鎌足《なかとみのかまたり》と謀《はか》って蘇我入鹿を暗殺した。これが、645年6月の「乙巳《いっし》の変」。2人は入鹿の父・蝦夷《えみし》も、屋敷を攻めて自害に追い込み、蘇我一族の当主一家は滅亡した。

　クーデターに成功した中大兄皇子と中臣鎌足は、翌年1月には「改新の詔《みことのり》」を出し、新しい国家体制を発表。それは、中国唐王朝にならった中央集権の律令国家を目指したものだ。

　たとえば、公地公民を原則として、地方まで行政区画をはっきりさせた。この時、朝廷の勢力圏として難波宮を中心に畿内の範囲を決め、地方からの税を徴収することも決めた。

―「改新の詔」における畿内の範囲 ―

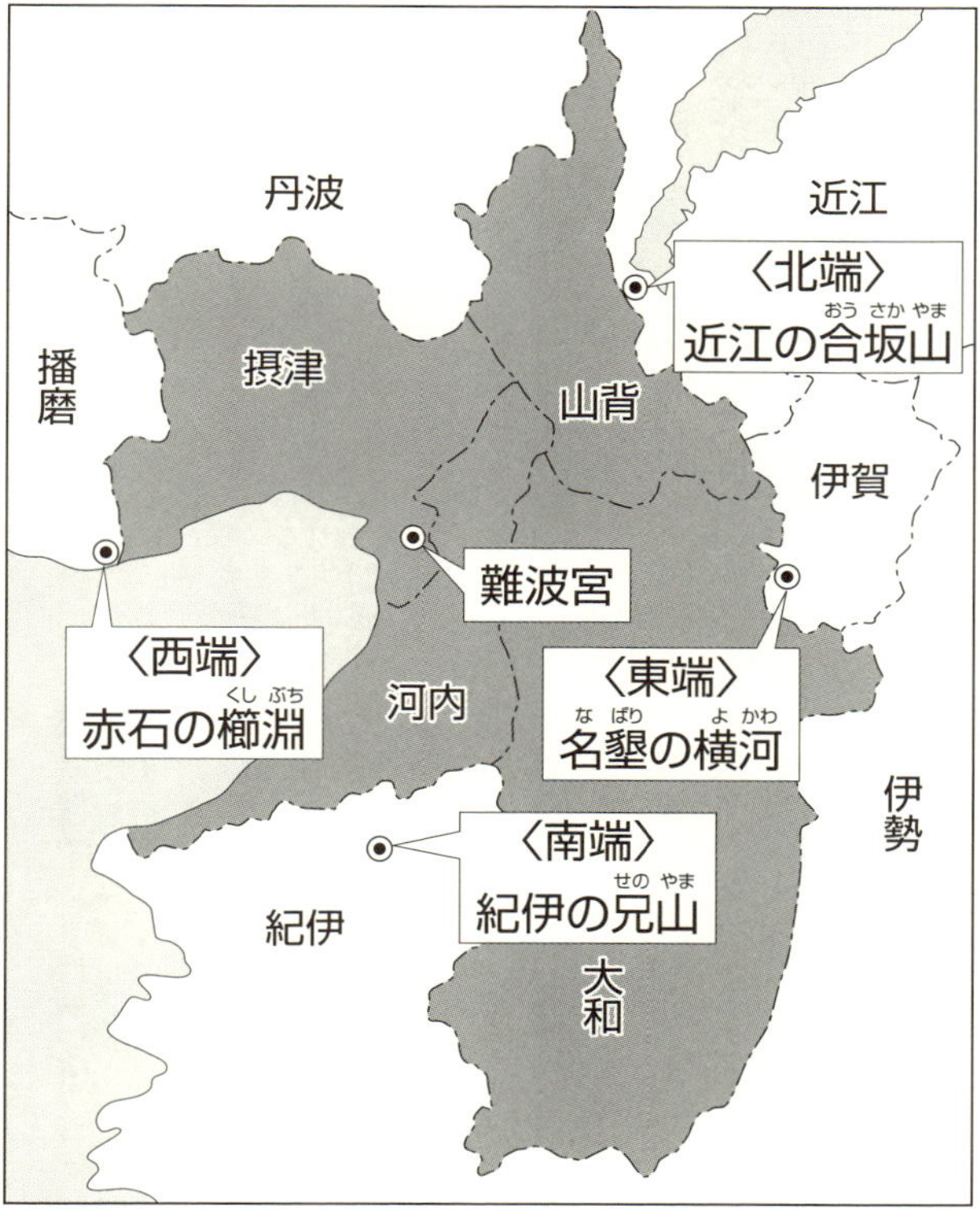
丹波
近江
〈北端〉
近江の合坂山《おうさかやま》
播磨
摂津
山背
伊賀
難波宮
〈西端〉
赤石の櫛淵《くしぶち》
河内
〈東端〉
名墾《なばり》の横河《よかわ》
伊勢
〈南端〉
紀伊の兄山《せのやま》
紀伊
大和

ココがポイント!

朝廷は難波宮を中心とした畿内の範囲を決めることにより、朝廷の勢力圏を確定する。

白村江《はくそんこう》の戦い（663年）

朝鮮半島南部の領地化を目論み、新羅と対立！

大化の改新で中大兄皇子は皇太子の座についたが、すぐには天皇に即位していない。なぜなら、ちょうどそのころ朝鮮半島で勢力争いをしていた新羅と百済の戦いが起こったからで、皇子は百済への援軍の指揮に追われていたからだ。

7世紀半ばの朝鮮半島は、北で高句麗が勢力を誇り、南では新羅が唐の力を借りて内紛の絶えない百済を征服して、これに対抗しようとしていた。新羅・唐連合軍に攻められた百済王は、皇子を人質として日本に差し出す代わりに、援軍を求めてきたのだ。

中大兄皇子は、東北遠征などで活躍した阿倍比羅夫《あべのひらふ》を大将に選び、662年に半島派兵を命じている。これは単純に百済に援軍を送るというより、うまくいけば半島南部に大和政権の領地を持てるという欲もあったといわれている。

しかし、そのころの日本の国力は唐に比べてかなり劣るもので、援軍は翌年の白村江での4度の海戦にすべて敗北する。百済軍の本拠地・周留城《するじょう》は落城し、その後百済は滅亡した。

― 百済に援軍を派遣するも敗れた日本 ―

高句麗
日本軍の進路
唐軍の進路
新羅軍の進路
新羅
百済
周留城《するじょう》
慶州
白村江
金田城
長門城
大津宮
難波津
屋島城
高安城
那之津
椽城
怡土城
大野城
大宰府
水城《みずき》
阿倍比羅夫《あべのひらふ》隊の軍勢は兵員5000人、兵船170隻。
新羅・唐に圧力をかけられていた百済は、自国の皇子を人質に送った大和政権に援軍を求めた。

ひとくちメモ

百済は内紛の勃発や白村江の戦いの敗北により滅亡し、のちに新羅が朝鮮半島を統一した！

壬申《じんしん》の乱（672年）

大海人皇子、圧勝の理由を地図で読む

白村江の戦いに敗れて国力増強が急務と悟った中大兄皇子は、即位して天智《てんじ》天皇となり、律令国家の整備に励んだ。都を近江大津宮に定め、自分の弟・大海人《おおあまの》皇子《おうじ》を皇太子として補佐させたが、やがて息子の大友皇子《おおとものおうじ》を朝廷内で重用しはじめ、後継天皇にしようと目論《もくろ》む。

大海人皇子はそれを察して吉野へ隠棲するが、天智天皇が没すると反乱の兵を挙げた。大友皇子が自分を討伐する企てを知ってから、大海人皇子が挙兵したともいわれるが、大海人皇子の最初の行動は吉野を出て伊勢へ向かうものだった。

さらに先発隊として美濃に兵士を集めさせ、大津宮の東側の不破関《ふわのせき》・鈴鹿関の2箇所の交通の要衝を固めた。このような大海人皇子の迅速な進軍のために大友皇子は東国への援軍要請ができなくなる。朝廷内にあった反天智天皇勢力も挙兵し、大友皇子はわずか1カ月で敗れ去った。大海人皇子は、やがて天武天皇となって、天智天皇の目指した中央集権国家の整備を受け継ぎ、朝廷の力をゆるぎないものにしていった。

― 要衝をおさえられ包囲された大友皇子 ―

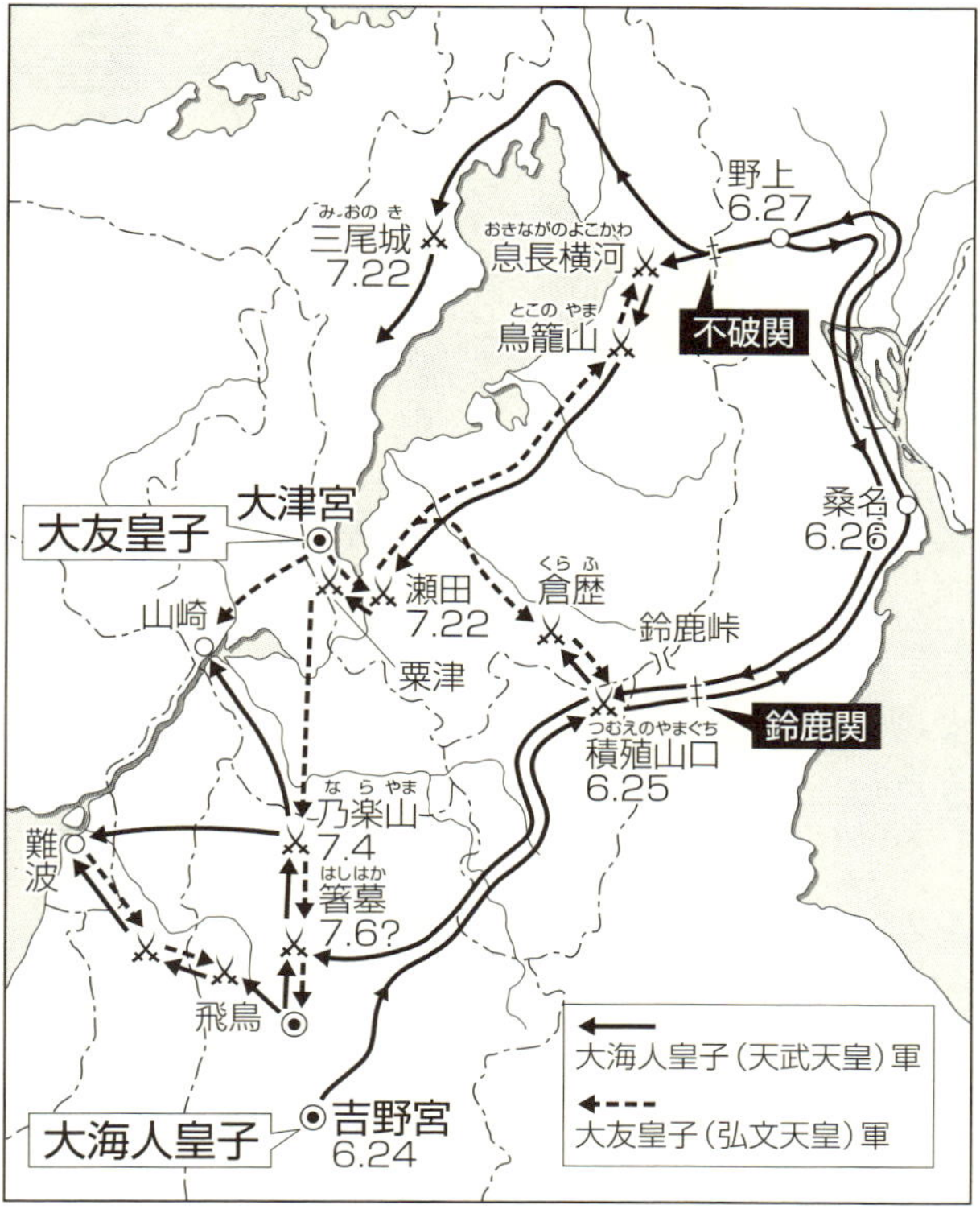

ココがポイント！

大海人軍に不破関、鈴鹿関を占拠されたため、大友皇子に派遣された使者は東国への援軍要請ができなかった！

大宝律令の制定（701年）

地方行政の実現――日本全土を「畿内・七道」に分割！

大化の改新以来、歴代の天皇が目指した律令政治は、文武《もんむ》天皇の時代に「大宝律令」として結実する。譲位していた天武天皇の后・持統太上天皇、藤原不比等《ふじわらのふひと》、刑部《おさかべ》親王らが中心になって選定したものだ。

「律」は刑法、「令」が行政法のことだが、参考にした唐の律令より、行政法が重視されているのが日本版の特徴だ。その「令」では、中央行政機関である太政官に実権をもたせ、天皇は権力者というより太政官の権威を象徴する存在としたのも、日本ならではの特徴といえる。

太政官には、天皇臣下の最高位として左大臣・右大臣を置くことをはじめとして、細部に至るまで官吏の役職が定められた。また、合わせて国司や郡司を任官するなど、地方行政の官吏制度も整えられた。

こうした地方行政のために決められたのが、日本国内を「畿内・七道」に分けた左図の区割りだ。

これにより、天皇を中心とした中央集権体制が明確になったのである。

― 畿内・七道に分けられた日本 ―

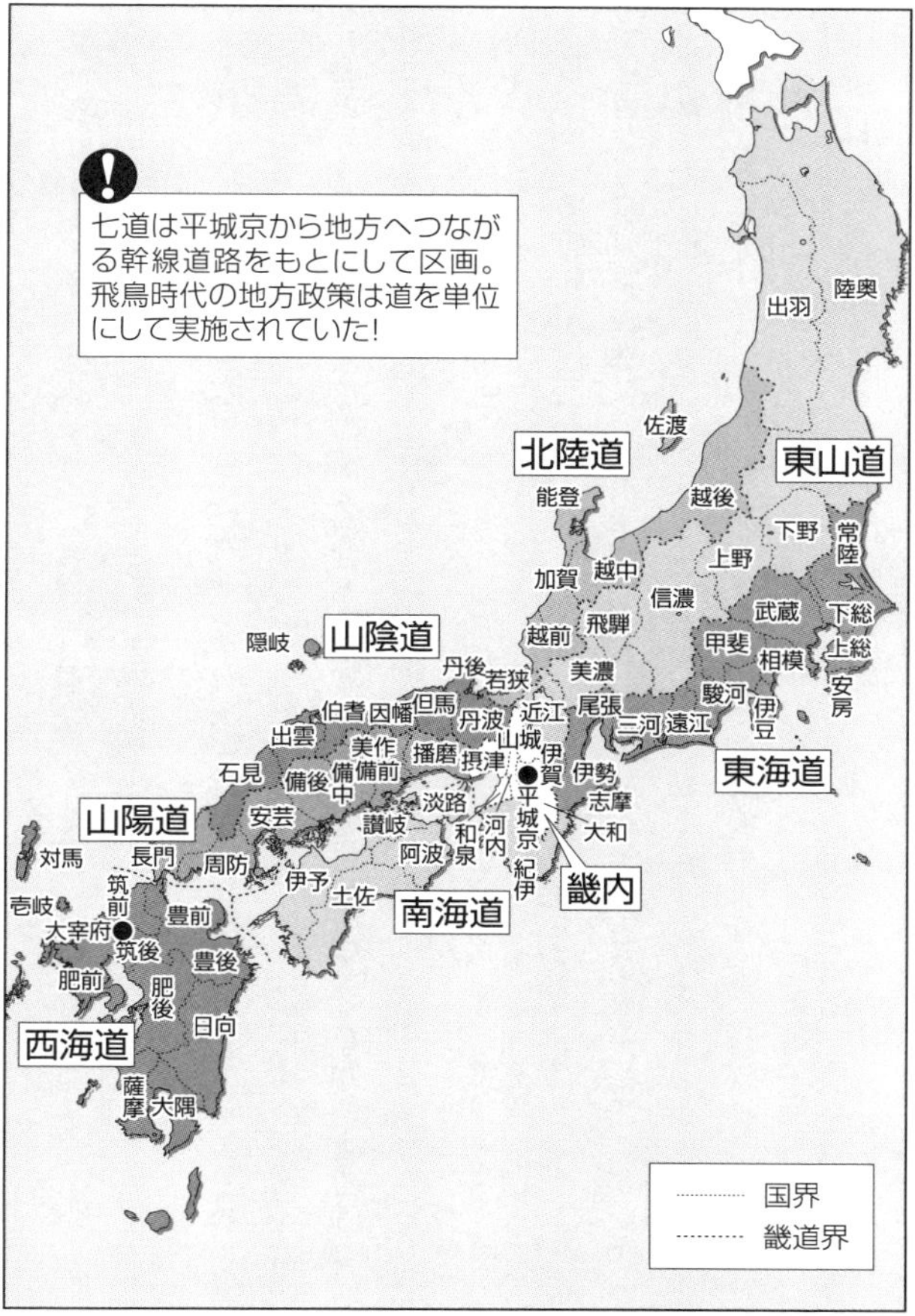

平城京遷都（710年）

奈良盆地に「碁盤の目」の都市が誕生した理由

大宝律令が完成して国家体制の整備に成功した朝廷は、新しい都の造営に着手する。遷都の理由は、飢饉《ききん》や疫病が続いたため厄除《やくよ》けが必要だったなどといわれるが、これもまた律令同様に、唐にならっての都市づくりと考えていい。

中断していた遣唐使が復活し、帰国した僧や学者たちが、唐の都・長安《ちょうあん》のすばらしさを伝えたのだ。

7世紀初めから、天皇の内裏《だいり》は飛鳥《あすか》や奈良盆地南部に建造され、その場所は「宮」と呼ばれていた。平城京は、天皇の住む宮殿と朝廷の役所を同居させた場所を中心にしたが、このように都市計画として都が造営されるのは、藤原京について2度目のことだった。

平城京は長安と同じ碁盤目になった道路で区画されていた。都の北に天皇の宮殿と政務のための建物を置き、その正面から延びる朱雀大路《すざくおおじ》を中心にし、左図のように数字によってわかりやすく通りの名が決められた。

今、現地ではその遺跡の発掘が続けられている。

― 東西5.9キロ、南北4.8キロの新都 ―

現在の路線との位置関係は……

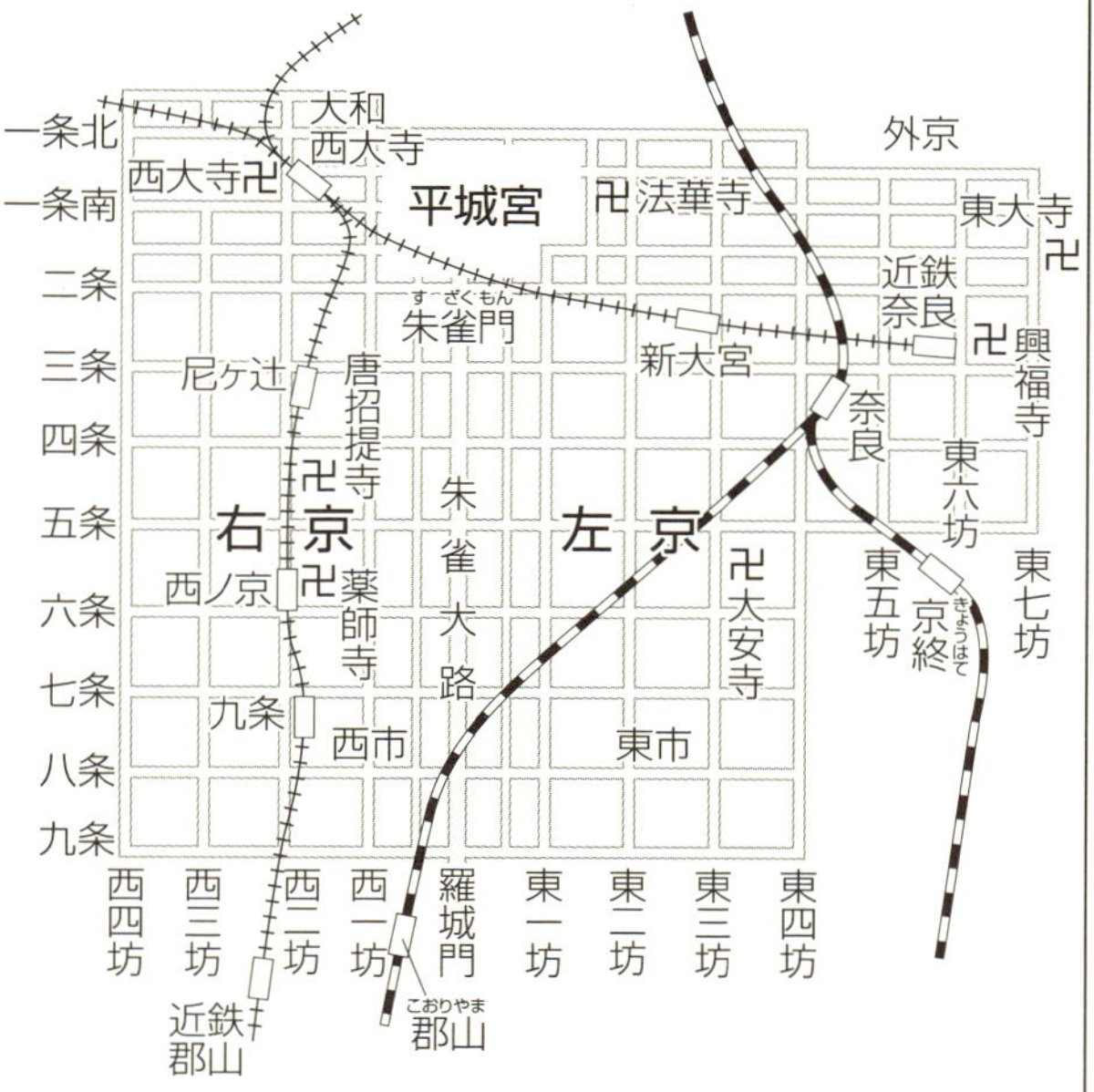

ひとくちメモ

庶民の住宅や寺院が造られ10万人が暮らしていた平城京は、碁盤の目状に整然と区画されていた！

藤原広嗣《ふじわらのひろつぐ》の乱（740年）

広嗣の反乱軍があっという間に鎮圧されたもう1つの理由

藤原広嗣は中臣鎌足の子孫だ。鎌足は、大化の改新の功績で藤原の姓を賜《たまわ》り、以後、藤原一族は朝廷で重要な職務につくようになっていた。広嗣もその一人だったが、太政官での権力闘争に敗れ、大宰《だざい》府《ふ》に左遷されてしまう。その地で広嗣は、九州地方の豪族・隼人《はやと》を率いて朝廷への反乱を起こすのである。

挙兵の理由は、聖武《しょうむ》天皇の地方への圧政に対する抗議。当時の九州には、中央集権化を強める朝廷に不満を抱く地方豪族は多く、広嗣が彼らに担《かつ》がれて挙兵した側面があったのも事実である。

しかし反乱軍が考えていた以上に朝廷の軍制は地方にまで浸透していた。広嗣は軍を3隊に分けて朝廷軍を迎え撃つ計画だったが、命令に素早く動いた朝廷軍は、逆に反乱軍を追い詰めていく。

やむをえず朝鮮半島への逃亡を試みた広嗣だったが、西からの風に船が押し戻され、五島列島に上陸したところを捕らえられ、処刑された。現在の暦で11月末のことであり、風はおそらく冬型気圧配置による偏西風だったと考えられる。

― 朝鮮半島へ逃亡を図るも風に邪魔された藤原広嗣 ―

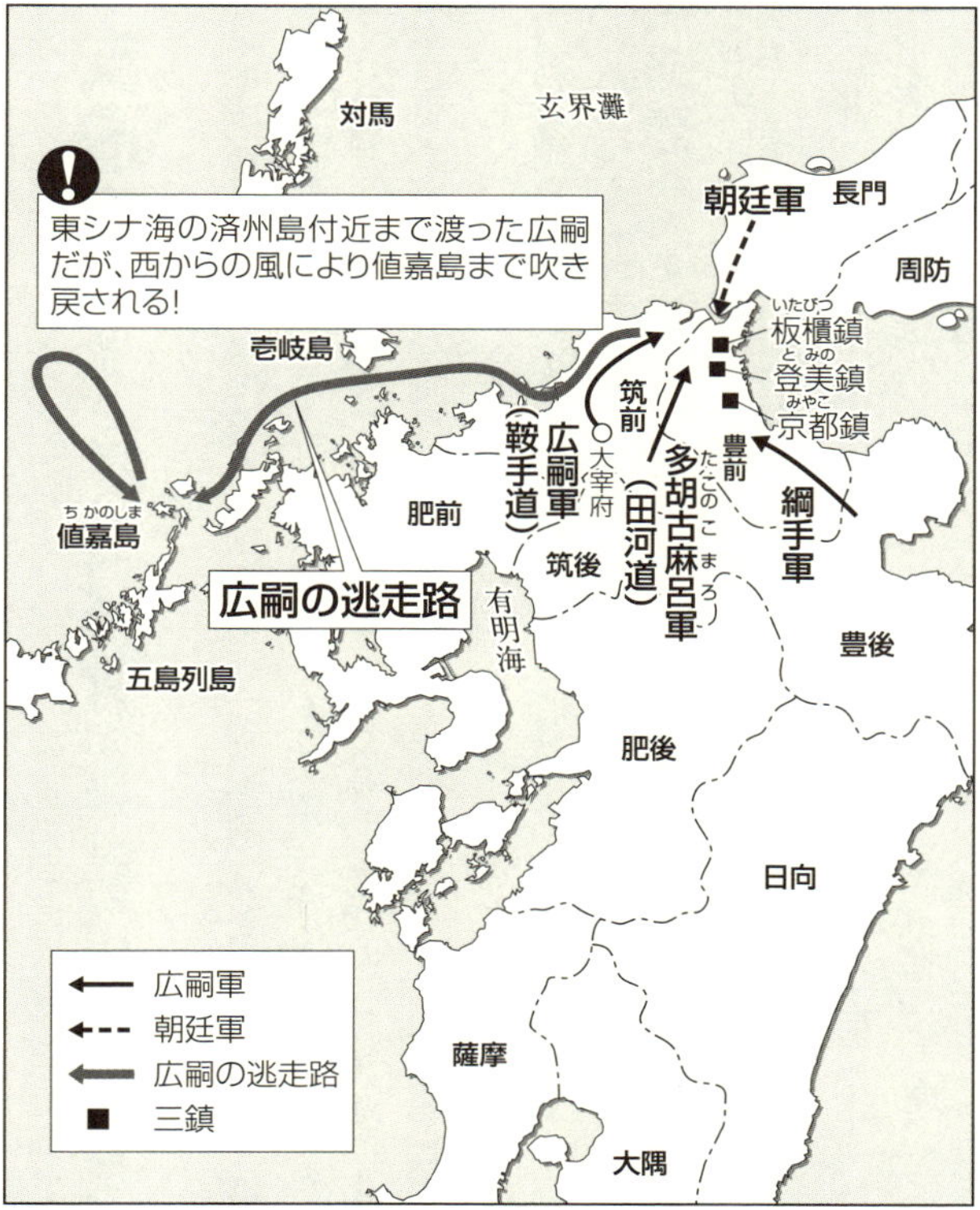
対馬
玄界灘
東シナ海の済州島付近まで渡った広嗣だが、西からの風により値嘉島まで吹き戻される!
朝廷軍
長門
周防
壱岐島
板櫃鎮《いたびつ》
登美鎮《とみの》
京都鎮《みやこ》
筑前
広嗣軍（鞍手道）
大宰府
多胡古麻呂《たごのこまろ》軍（田河道）
豊前
綱手軍
値嘉島《ちかのしま》
肥前
筑後
広嗣の逃走路
有明海
豊後
五島列島
肥後
日向
広嗣軍
朝廷軍
広嗣の逃走路
三鎮
薩摩
大隅

ひとくちメモ

聖武天皇が広嗣処刑を命じたとき、すでに広嗣は処刑されていた。それほど政府の対応は早かった。

平安遷都（794年）

遷都されるのは、平安京で5回目だった⁉

都が平城京から平安京に遷《うつ》るのは桓武《かんむ》天皇の治世下だが、じつは平安遷都の前、784（延暦3）年に、同じ山背国《やましろ》に長岡京が造営されている。やはり桓武天皇の治世下のことで、天皇が平城京での仏教勢力の過剰な政治介入を危惧して、寺院のある土地から離れた場所に都を置こうとしたなど、さまざまな理由がいわれている。

しかし、長岡京は10年で廃都となった。これは造営工事責任者が不慮の死を遂げたり、その死と桓武天皇の弟・早良《さわら》親王との関わりがいわれたり、疫病流行などの災難が続いたりしたためとされる。

遷都を繰り返したのは桓武天皇ばかりではない。740（天平12）年、聖武天皇も同じように恭仁京《くにきょう》を造営して遷都し、再び平城京に戻るという慌しさを見せている。結局、持統天皇時代の藤原京造営から100年の間に、都は図のように5回も遷されていたのだ。

桓武天皇による急な遷都ではあったが、以後、平安京は公家を中心に、華やかな文化を生み育てる都となった。

―100年間に5回も行なわれた遷都―

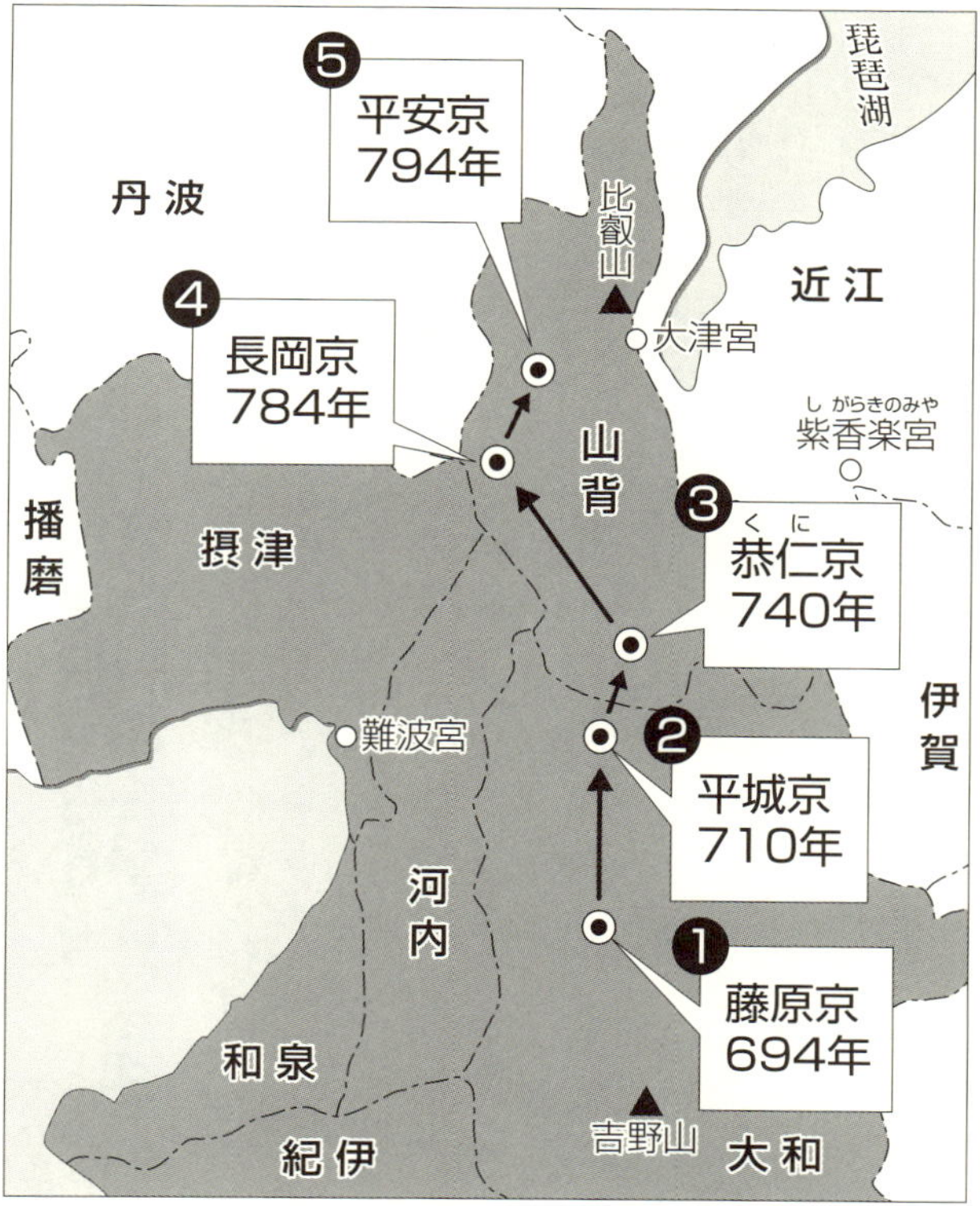

琵琶湖
比叡山
近江
大津宮
紫香楽宮《しがらきのみや》
丹波
⑤
平安京
794年
④
長岡京
784年
山背
③
恭仁《くに》京
740年
播磨
摂津
伊賀
難波宮
②
平城京
710年
河内
①
藤原京
694年
和泉
紀伊
吉野山
大和

ひとくちメモ

以前は「長岡京未完成説」もあったが、その後の発掘調査により、工事はかなり進んでいたとされる。

蝦夷《えみし》征討（797年）

当時、「蝦夷」といえば、アイヌ民族のことではなく……？

大和地方の政権が日本を統一し、律令による中央集権の朝廷を成立させたとはいっても、平安時代初期は、完全な統一とはいえなかった。東北地方に蝦夷という土着の勢力が健在で、朝廷の征討軍は、幾度も痛い目にあっていたのだ。

　そこで、平安京に遷都して畿内での政治が安定すると、桓武天皇は東北征伐に本格的に取り組み、797（延暦16）年に坂上田村麻呂《さかのうえのたむらまろ》を征夷大将軍《せいいたいしょうぐん》に任命する。田村麻呂が選ばれたのは、蝦夷征討軍に副使として参戦した経歴を持ち、武勇で名を知られていたためだ。

　801（延暦20）年に田村麻呂率いる朝廷軍が出兵すると、翌年には胆沢《いさわ》城（現・岩手県奥州市）を築いて蝦夷を降伏させ、それまでの朝廷支配圏を北へ広げた。さらに803（延暦22）年には志《し》波《わ》城を築くなど、田村麻呂の活躍は延暦年間を通じて続いた。胆沢城に鎮守府が置かれた後は、北上川上流域までが朝廷に制圧された。田村麻呂の後継は嵯峨《さが》天皇が新たに任命するなどして、850年ごろまでに蝦夷は朝廷勢力下に入った。

― 大和政権の蝦夷征討の経緯 ―

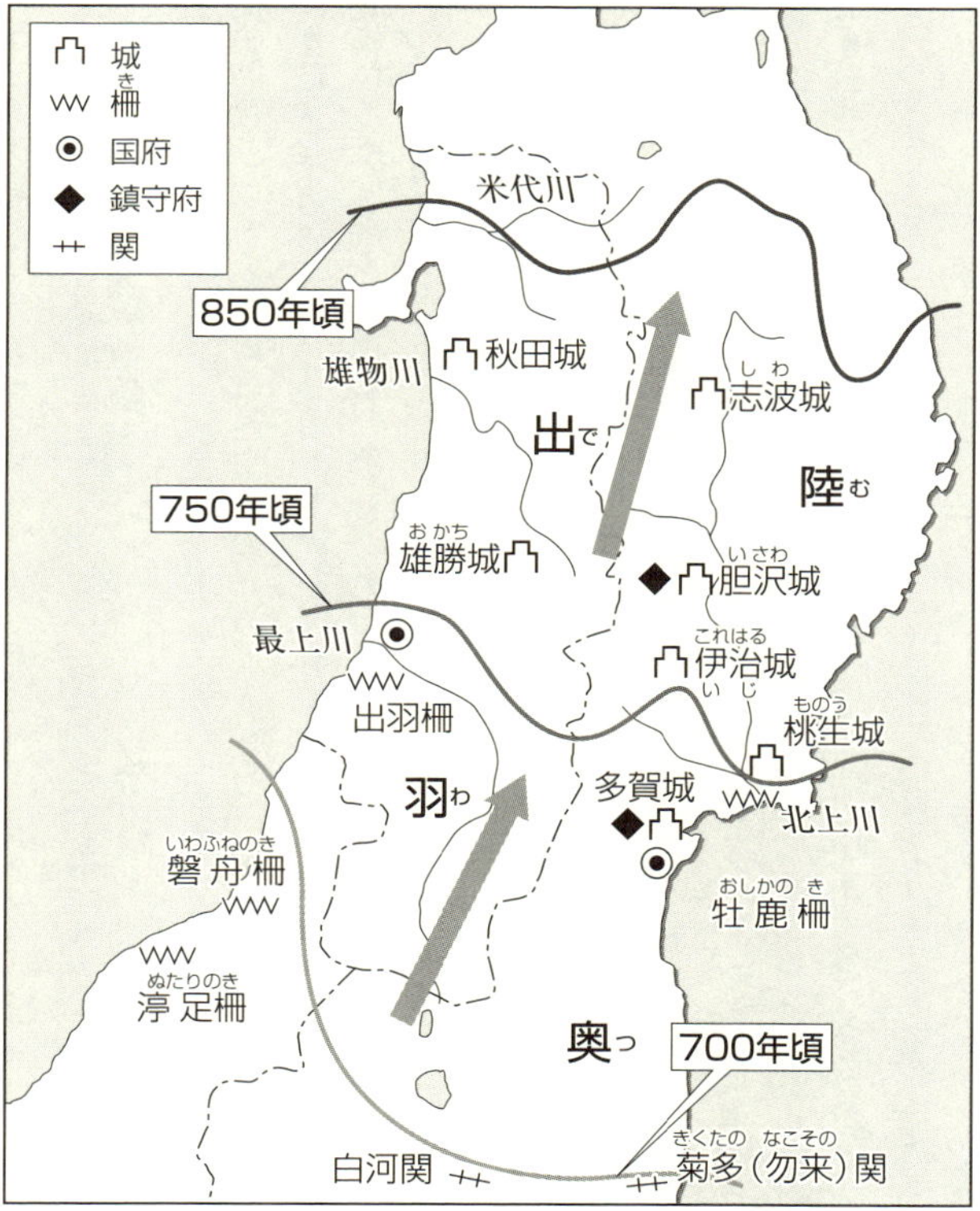
城
柵《き》
国府
鎮守府
関
米代川
850年頃
秋田城
雄物川
志波《しわ》城
出《で》
陸《む》
750年頃
雄勝《おかち》城
胆沢《いさわ》城
最上川
伊治《これはる》城
出羽柵
桃生《ものう》城
羽《わ》
多賀城
北上川
磐舟柵《いわふねのき》
牡鹿柵《おしかのき》
渟足柵《ぬたりのき》
奥《っ》
700年頃
白河関
菊多《きくたの》（勿来《なこその》）関

ひとくちメモ
東北地方には田村麻呂が蝦夷征討を祈願して建てたとされる寺社仏閣が数多く残されている。

平安仏教の誕生（9世紀）

最澄は1年、空海は2年、それぞれが唐を巡ったルートは？

奈良時代、南都六宗と総称された仏教勢力が政治に介入した。大和政権が国家建設に仏教や僧侶を利用した経緯が発端だ。称徳《しょうとく》天皇が僧・道鏡を重用し、朝廷内に権力闘争を生むような事件になったのも、その結果である。

桓武天皇の平安遷都は、その風潮を一新しようとする狙いもあったわけだが、遷都から10年後の８０４（延暦23）年、2人の僧が遣唐船で大陸に渡った。朝廷が派遣した最澄《さいちょう》と、留学僧だった空海《くうかい》である。

最澄は1年間の視察滞在、空海は2年間の学問と修行を終え帰国すると、それぞれが新しい宗旨を説いて朝廷や貴族に受け入れられることになった。

天台宗を修めてきた最澄は、桓武天皇の信頼を得て比叡山延暦寺《ひえいざんえんりゃくじ》をひらき、天台の教えを広めていった。遅れて帰国した空海は、真言密教という加持祈祷《かじきとう》で病気を治すといった現世利益《げんぜりやく》を説き、貴族たちに強く支持された。彼は嵯峨天皇に高野山《こうやさん》を与えられると金剛峰寺《こんごうぶじ》をひらき、平安仏教を代表する僧となる。

― 最澄、空海の入唐ルート ―

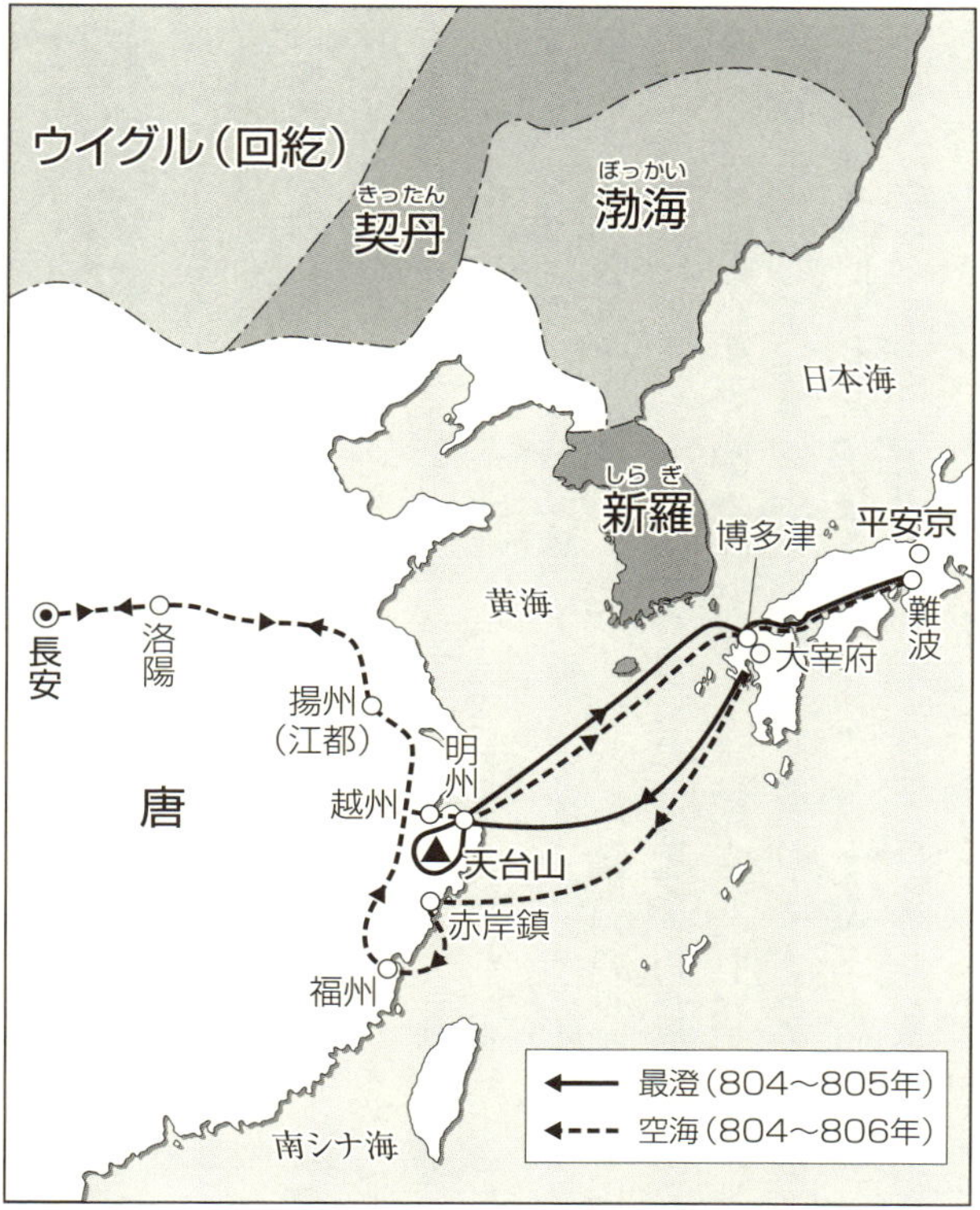
ウイグル(回紇)
契丹《きったん》
渤海《ぼっかい》
日本海
新羅《しらぎ》
博多津
平安京
黄海
長安
洛陽
揚州
(江都)
明州
越州
唐
天台山
赤岸鎮
福州
大宰府
難波
南シナ海
最澄(804～805年)
空海(804～806年)

ココがポイント!

最澄は朝廷が派遣する短期間の視察を目的とする還学生《げんがくしょう》、空海は長期間の就学を目的とする留学僧として入唐した！

平将門の乱（939年）

制圧した「関東一円」は、こんなに広い！

平安時代も半ばになると、日本の律令政治は爛熟《らんじゅく》期を迎え、地方に新しい動きが出はじめる。朝廷の派遣した国司の支配下にあった小領主たちが力を蓄えてきたのだ。新しく土地を開墾して領地を広げた彼らは、武装して領土を守るようになったのである。武士の誕生だ。

また、中流貴族が地方官吏として任官されると、こうした小領主を配下に収めて、やはり武士化していく。中央政権では、藤原一族が摂関家《せっかんけ》として実権を握っていたので、彼ら中流貴族の活躍の場はなかったのだ。平将門もその一人で、桓武天皇の子孫ながら、無位無官の関東の小領主という不遇ぶりだった。

そんな将門が、国司の税の取り立ての厳しさに苦しむ関東武士を束ねて立ち上がったのが、平将門の乱。

将門は国司の役所である国府を次々に襲い、関東一円を制圧、図のような範囲を支配下に入れた。さらに新しい国家建設を宣言し、西の天皇に対して「新皇《しんのう》」を名乗ったが、翌年には朝廷の討伐軍に敗れ、首をはねられた。

― 関東一帯を支配していた平将門 ―

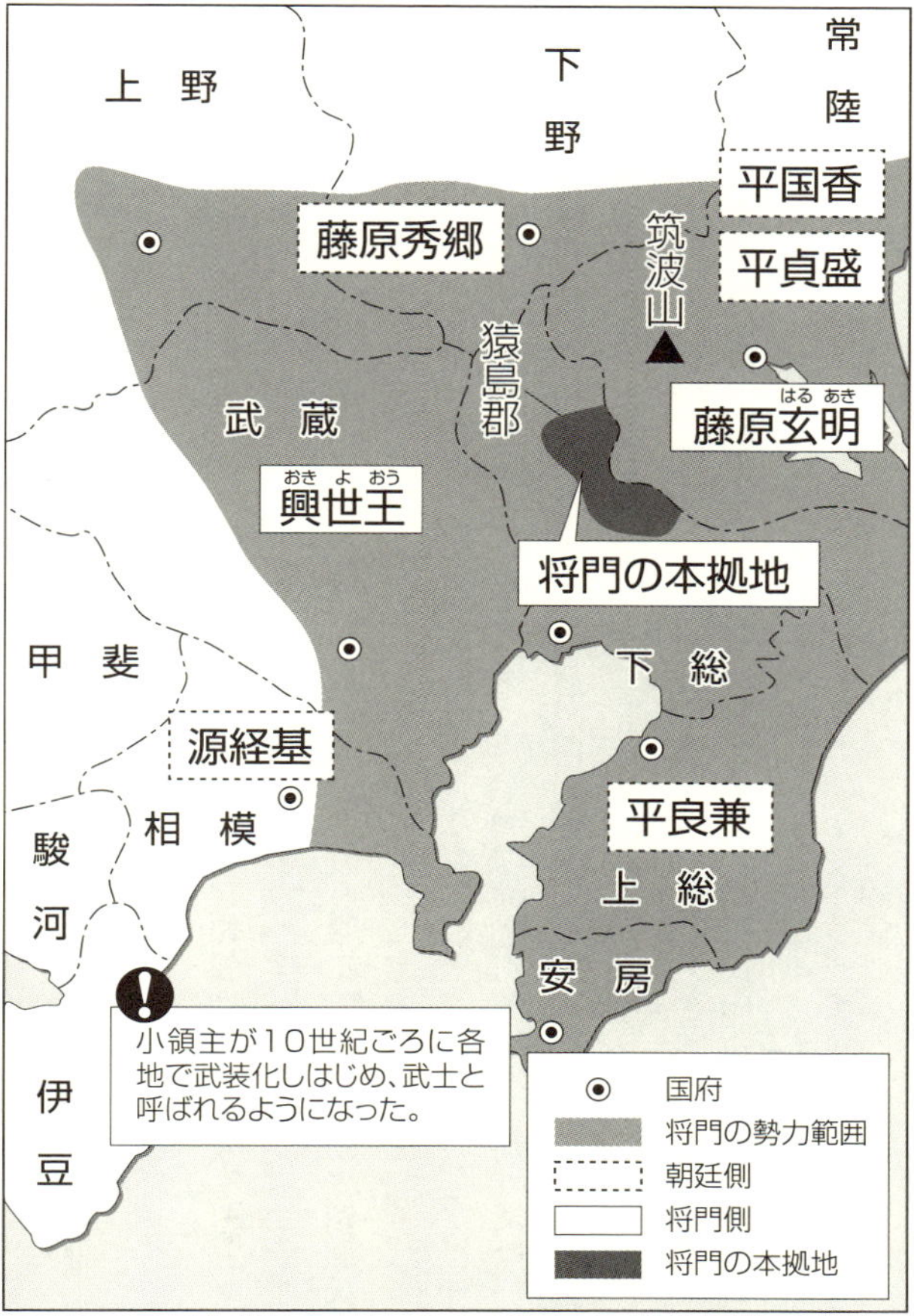
常陸
下野
上野
平国香
藤原秀郷
筑波山
平貞盛
猿島郡
藤原玄明《はるあき》
武蔵
興世王《おきよおう》
将門の本拠地
甲斐
下総
源経基
相模
平良兼
駿河
上総
安房
小領主が10世紀ごろに各地で武装化しはじめ、武士と呼ばれるようになった。
伊豆
国府
将門の勢力範囲
朝廷側
将門側
将門の本拠地

前九年《ぜんくねん》の役《えき》・後三年《ごさんねん》の役（1051～1087年）

「源氏」はもともと、"地方"の武士団にすぎなかった！

蝦夷《えみし》が朝廷に降《くだ》ってからも、朝廷は東北地方管理に手間取った。そのため、陸奥の奥六郡・出羽の山北《せんぼく》三郡の区割りで管理しはじめるのは、10世紀の後半からだ。奥六郡は安倍氏が支配、山北三郡を統括したのは清原氏だった。両氏は、馬や毛皮という特産物での交易、また金山にも恵まれて財力を蓄え、それは軍事力の増強にも結びついた。

こんな安倍氏が、奥六郡から南下して勢力を広げようとした1051（永承6）年、朝廷は源頼義を陸奥守《むつのかみ》に任じて討伐に向かわせた。頼義は息子・義家とともに出陣したが安倍氏の抵抗に苦戦する。しかし、1062（康平5）年に清原氏が朝廷側についで参戦したことで決着した（前九年の役）。ところが、1083（永保3）年奥六郡も支配下に入れた清原一族で内紛が起こる。これには陸奥守を継いでいた源義家が鎮圧に出向いた（後三年の役）。この時の義家出陣は、朝廷側からすれば、清原氏内紛への参戦だったために、私闘と見なされたものの、源氏の名はこの戦いで一躍高まった。

― 前九年の役での源頼義の進路 ―

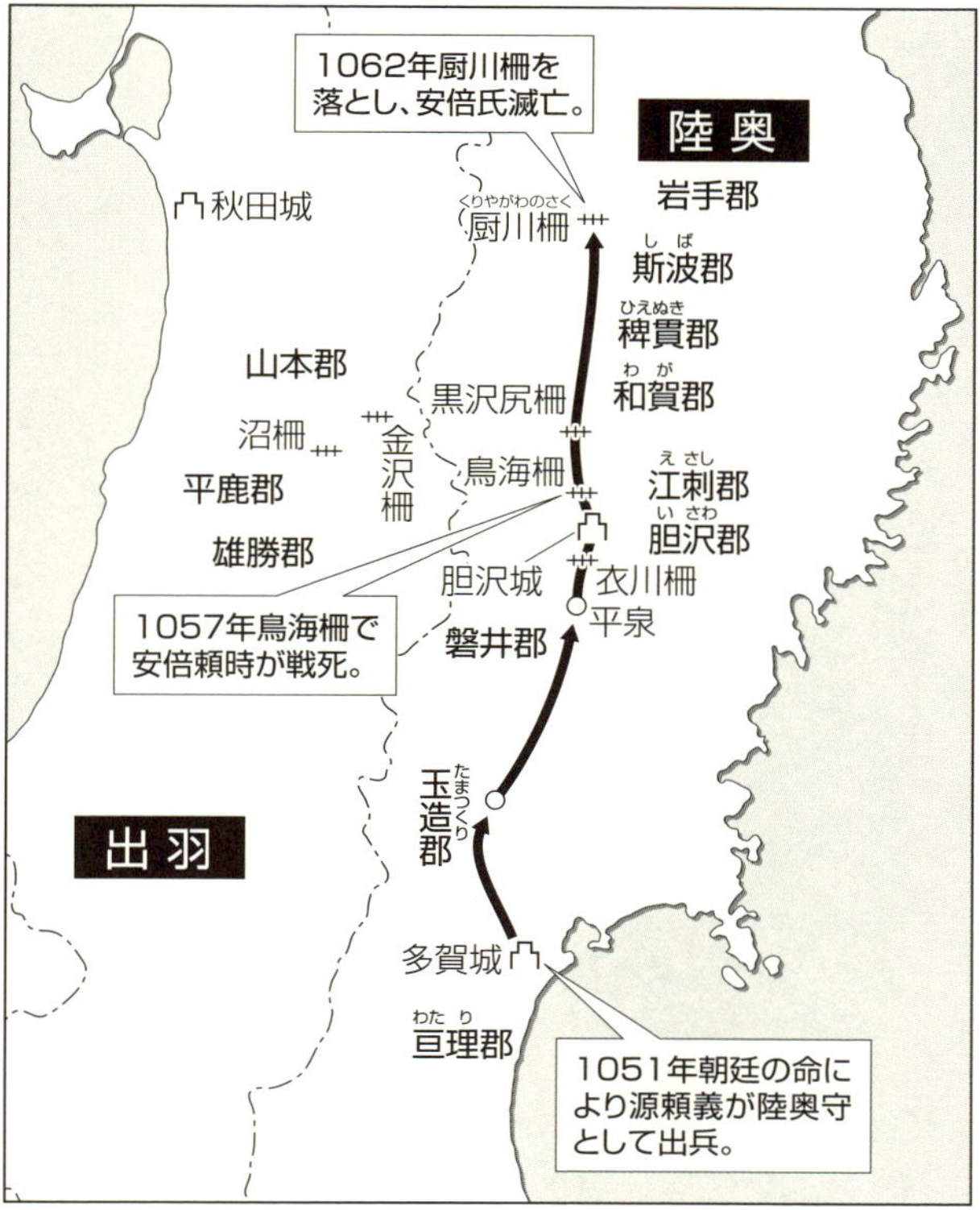
1062年厨川柵を
落とし、安倍氏滅亡。
陸奥
岩手郡
秋田城
厨川柵《くりやがわのさく》
斯波郡《しば》
稗貫郡《ひえぬき》
山本郡
和賀郡《わが》
黒沢尻柵
沼柵
金沢柵
鳥海柵
平鹿郡
江刺郡《えさし》
胆沢郡《いさわ》
雄勝郡
胆沢城
衣川柵
平泉
1057年鳥海柵で
安倍頼時が戦死。
磐井郡
玉造郡《たまつくり》
出羽
多賀城
亘理郡《わたり》
1051年朝廷の命に
より源頼義が陸奥守
として出兵。

ひとくちメモ

「前九年の役」の年数を計算すると、本来ならば「前八年」なのだが、鎌倉時代の軍記物語に、「前九年」と記述され、それが一般化した。

コラム

三択クイズ 古代編

矢印は何の伝来ルートを示している？

1. 絹
2. 稲作
3. 青銅器

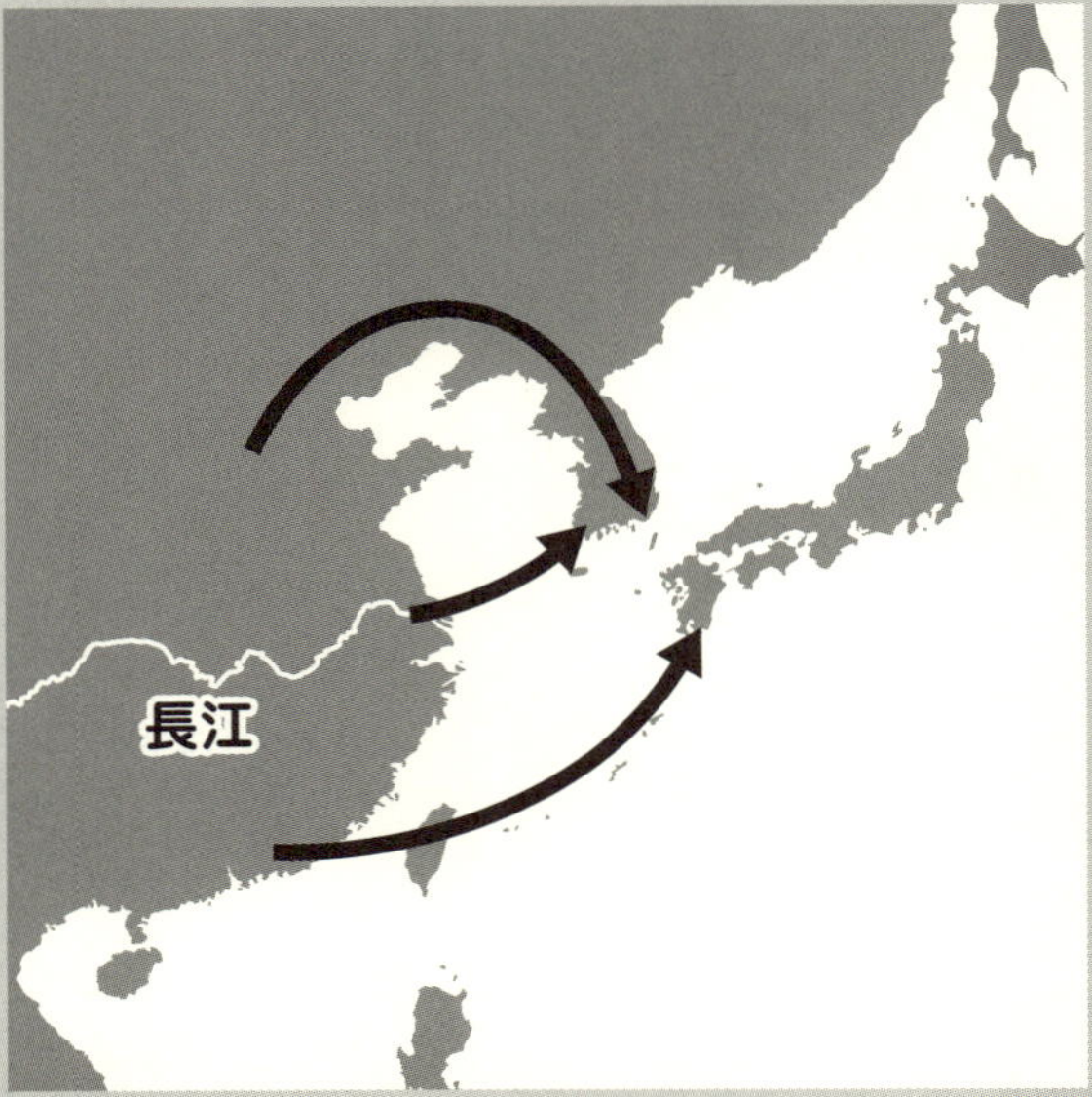

答え：2　現在のミャンマー付近で始まった稲作は、長江流域、山東半島、朝鮮半島などを経て、紀元前3世紀ごろに九州に伝わった。

2章【中世】

日本全土の「国盗り」物語を地図で読む

木曾義仲の挙兵（1180年）

権勢を振るっていた平氏の「転落」の引き金

武士として権力を手にした平清盛の、天皇をないがしろにした振る舞いに憤《いきどお》った以仁王《もちひとおう》が、平氏追討の令旨《りょうじ》を出したのが1180（治承4）年4月。これに応じて木曾義仲は、9月に信濃の木曾山中で挙兵した。以来、清盛が繰り出す追討軍を破った義仲は、伊豆で挙兵した源氏の嫡流・源頼朝より先に入京することで地位を固めようとする。信濃のほか越中・加賀・能登の武士たちが傘下に加わったこと、清盛が急死したことも、義仲軍の勢いを増すのを手伝ったようだ。

頼朝は挙兵緒戦に敗れて軍勢を立て直すのに手間取ったが、義仲は負け知らずで進軍した。なかでも代表的なのが、1183（寿永2）年の越中・倶利伽羅《くりから》峠での戦いだ。平氏軍の指揮官は維盛《これもり》で、清盛直系の孫が率いる10万の大軍だった。

この戦いで、義仲は牛の角に松明《たいまつ》をくくりつけて夜襲をかけ、慌てる多数の平氏軍を谷底へ落として大勝した。多分に伝説的な戦いではあるが、平氏の敗走は事実であり、この負け戦《いくさ》から平氏は、凋《ちょう》落《らく》の道をたどりはじめたのだった。

― 木曽の風雲児・義仲の挙兵から入京まで ―

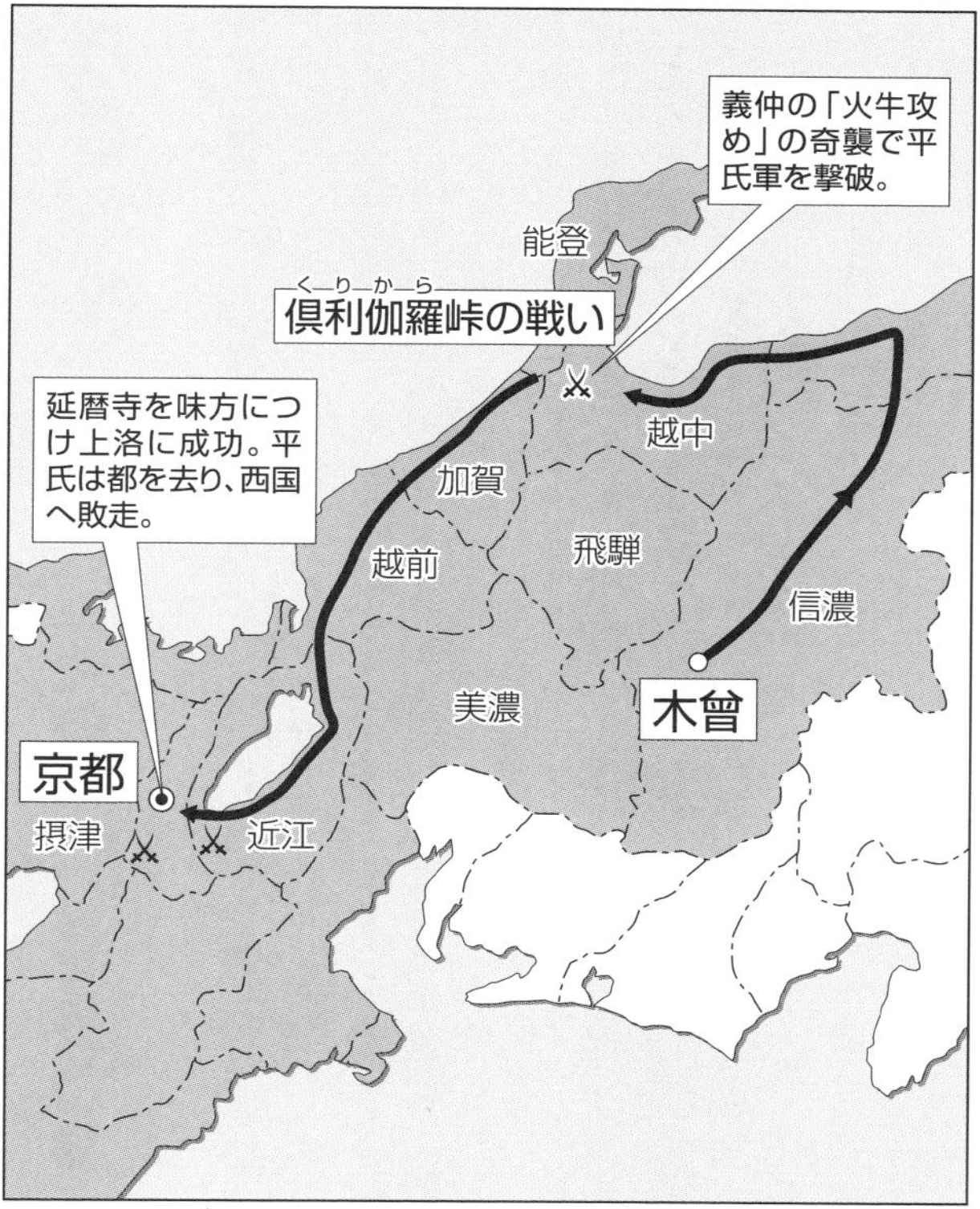
義仲の「火牛攻め」の奇襲で平氏軍を撃破。
能登
倶利伽羅峠《くりから》の戦い
延暦寺を味方につけ上洛に成功。平氏は都を去り、西国へ敗走。
越中
加賀
越前
飛騨
信濃
美濃
木曽
京都
摂津
近江

ひとくちメモ 義仲は倶利伽羅峠での戦いにおいて、「火牛攻め」と称して、角に松明をくくりつけた牛の大群を敵陣に放り込んでかく乱させたといわれる。

壇《だん》の浦《うら》の戦い（1185年）

午前は優勢だった平氏が、午後に劣勢になったのはなぜ？

総帥の清盛を失い、木曾義仲に入京を許して都落ちした平氏は、源義経が総大将の平氏討伐軍の前に、一の谷、屋島と続いた合戦に敗れ、瀬戸内海を敗走して壇ノ浦での決戦を覚悟した。

後がない平氏軍が陣を敷いたのは、関門海峡の西側に浮かぶ彦島で、平知盛《たいらのとももり》の率いる水軍が陣地としていた場所だ。義経は、ここを海峡東の瀬戸内側から攻撃した。彦島から九州へ渡っての陸路は、豊後から九州に上陸した義経の兄・範頼《のりより》の軍が固めている。

3月24日早朝にはじまった戦いは、序盤戦は平氏軍に有利だった。図のように潮が西から東へ流れていたため、その勢いを借りて源氏軍を瀬戸内海まで押し戻したのだ。

ところが、午後になると潮流が逆になり、源氏軍が盛り返して総攻撃をかけ、ついには平氏の船団を壊滅状態にする。この状況を見て、清盛の妻・時子は孫の安徳天皇を抱いて入水《じゅすい》、これにならって平氏一族は次々に海へ飛び込み、滅亡の時を迎えたのだった。

― 勝敗を分けた壇ノ浦の潮流 ―

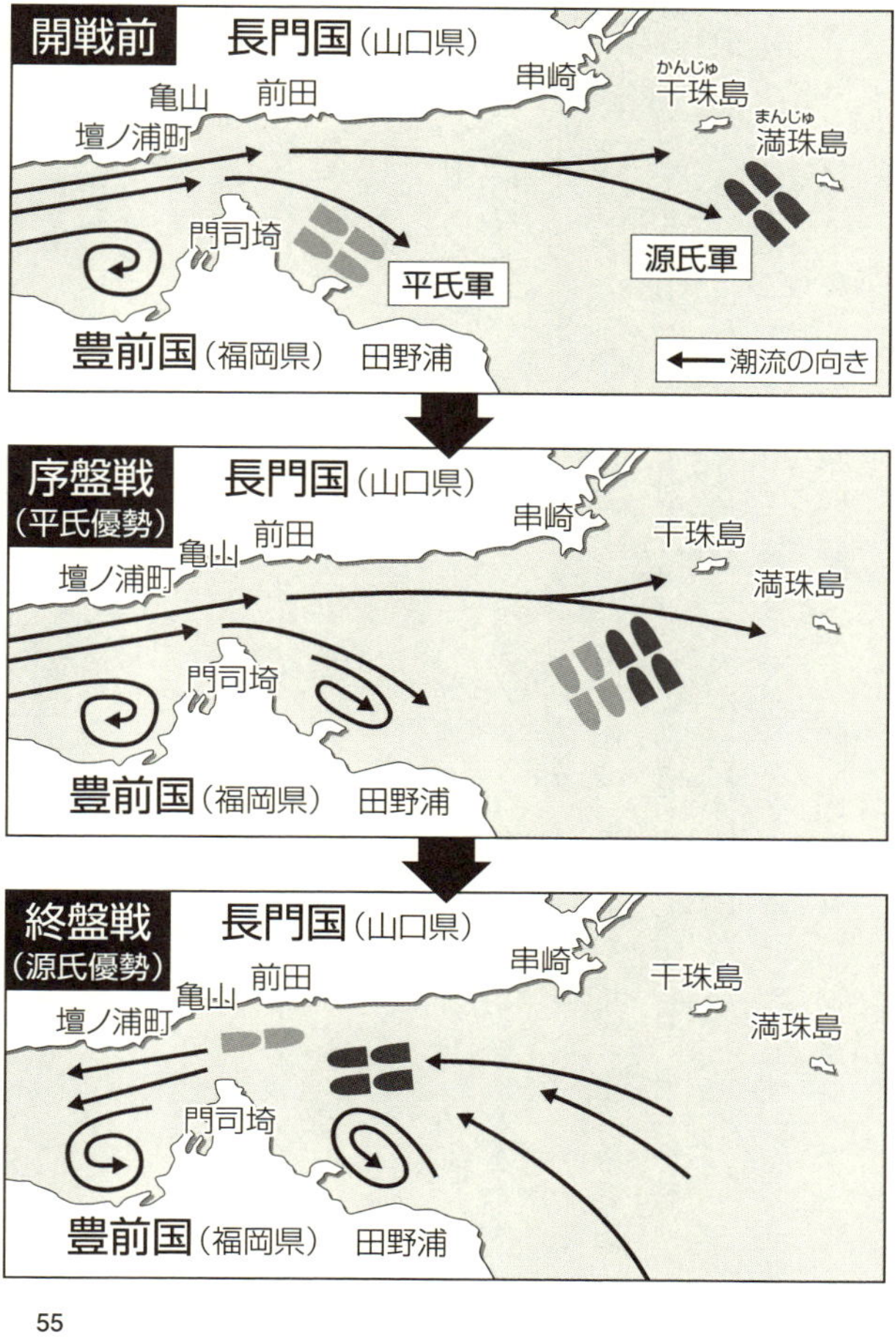
開戦前
長門国（山口県）
亀山
前田
串崎
干珠島《かんじゅ》
満珠島《まんじゅ》
壇ノ浦町
門司埼
平氏軍
源氏軍
豊前国（福岡県）
田野浦
潮流の向き
序盤戦
（平氏優勢）
長門国（山口県）
前田
串崎
干珠島
亀山
満珠島
壇ノ浦町
門司埼
豊前国（福岡県）
田野浦
終盤戦
（源氏優勢）
長門国（山口県）
串崎
前田
干珠島
亀山
満珠島
壇ノ浦町
門司埼
豊前国（福岡県）
田野浦

奥州《おうしゅう》平定（1189年）

奥州藤原氏滅亡への道

奥州藤原氏は、後三年の役をきっかけに陸奥守に任じられ、平泉を拠点に一大勢力を築いていた。源義経が兄・頼朝の怒りを買って落ち延びてくると、時の当主・秀衡《ひでひら》は、快く迎えた。義経の武人としての能力を借りて、鎌倉の頼朝による支配から奥州を守ろうと考えたからだ。

しかし秀衡没後に跡を継いだ泰衡《やすひら》は、鎌倉の指示で朝廷が出した義経追討の院《いん》宣《ぜん》の前に屈する。1189年（文治5）年閏《うるう》4月、平氏を滅亡に追い込んだ最大の功労者・義経は、こうして藤原氏に討たれた。

ところが頼朝は、泰衡の義経討伐を評価せず、逆に義経をかくまっていた罪で奥州征伐の兵を送る。源氏による統一政権確立を目指す頼朝が、巨大な地方政権の存在を認めるはずもないことを泰衡は読めなかったのだ。

頼朝は、征伐軍を3隊に分けて派遣。頼朝自身も出陣しており、統一政権確立のための総仕上げの戦いだったといえる。義経のいない藤原軍など頼朝の敵ではなく、藤原氏は一気に攻め滅ぼされた。

― 3隊に分かれて奥州に向かった鎌倉軍 ―

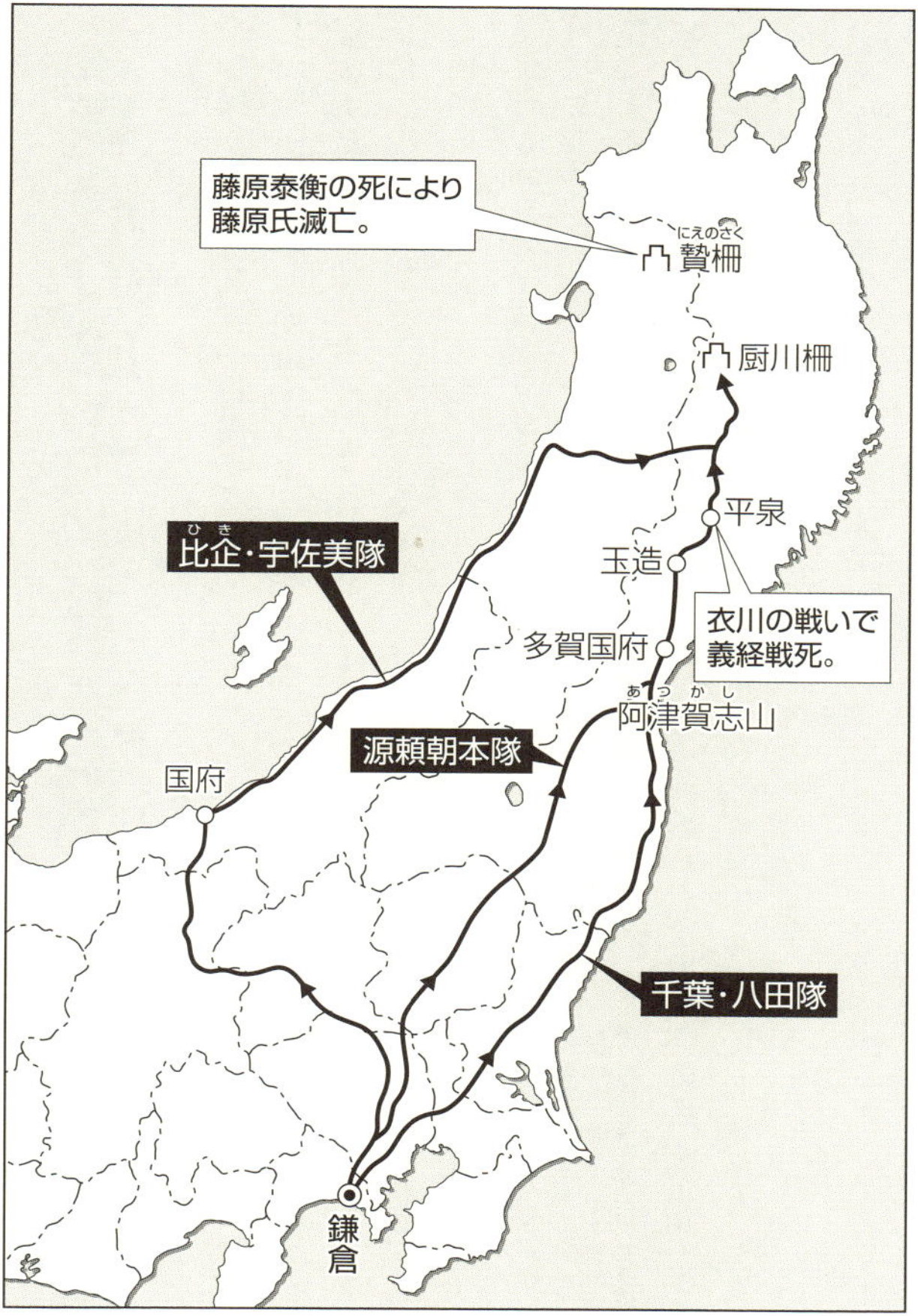
藤原泰衡の死により
藤原氏滅亡。
贄柵《にえのさく》
厨川柵
平泉
玉造
衣川の戦いで
義経戦死。
多賀国府
阿津賀志山《あつかし》
比企《ひき》・宇佐美隊
国府
源頼朝本隊
千葉・八田隊
鎌倉

鎌倉幕府の成立（1192年）

鎌倉を「天然の要塞都市」にした最高の立地条件

武士を操ることで朝廷の権力の延命を画策した後白河法皇が崩御《ほうぎょ》すると、源頼朝は征夷大将軍《せいいたいしょうぐん》の位に就く。１１９２（建久3）年のことで、この時をもって鎌倉幕府が成立したとされる。

しかし実質的な鎌倉幕府の機能は、この時までに整備されていた。頼朝と直属の家臣である御家人《ごけにん》は「ご恩と奉公」という名目の主従関係で絆を結び、朝廷からは、地方支配の要《かなめ》となる守護・地頭の任命権も得ていたのだ。また、政庁として侍所《さむらいどころ》・公文所《くもんじょ》・問注所《もんちゅうじょ》が整備された。

ただ、もともと「幕府」というのは征夷大将軍の陣所の呼び名だから鎌倉にあった頼朝政権の権威づけのためには、征夷大将軍の地位が必要だった。よって、この年から名実ともに頼朝政権が「鎌倉幕府」となったというわけだ。

鎌倉は、前面が海、背後が丘陵という立地で、「切通し」と呼ぶ街道を通らなくては攻められない天然の要塞都市だった。初めて誕生した武家政権にとって、鎌倉は中央政庁を構えるのにふさわしい土地だったといえる。

― 7つの「切通し」に囲まれた要塞都市・鎌倉 ―

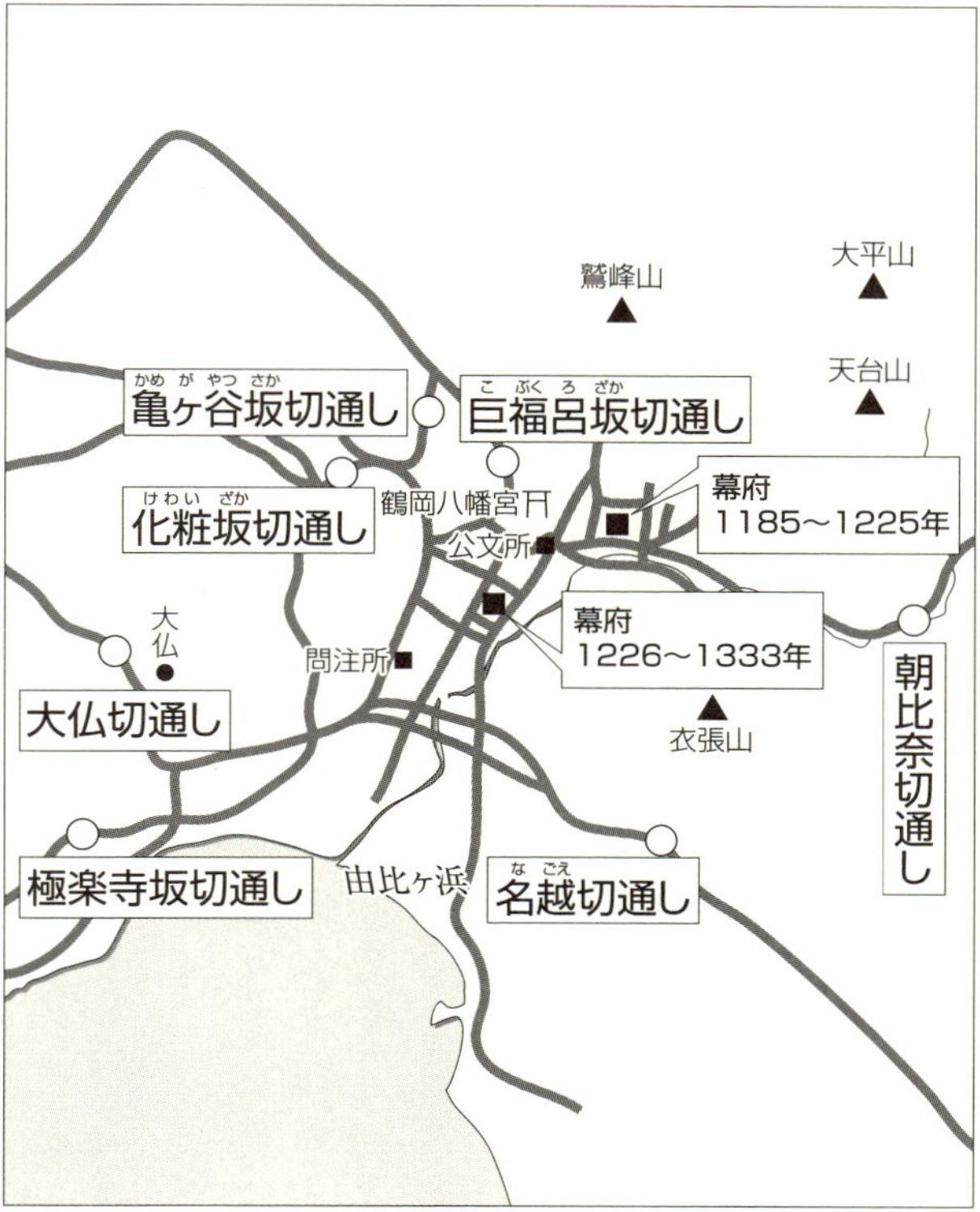
鷲峰山
大平山
天台山
亀《かめ》ヶ《が》谷《やつ》坂《さか》切通し
巨《こ》福《ぶく》呂《ろ》坂《ざか》切通し
化《け》粧《わい》坂《ざか》切通し
鶴岡八幡宮
幕府
1185〜1225年
公文所
大仏
幕府
1226〜1333年
問注所
大仏切通し
衣張山
朝比奈切通し
極楽寺坂切通し
由比ヶ浜
名《な》越《ごえ》切通し

ひとくちメモ

山や丘を切り開いた道のことを切通しという。鎌倉の７つの切通しは「鎌倉の七切通し」「七口」などと呼ばれている。

承久《じょうきゅう》の乱（1221年）

尼将軍・政子の檄で動いた19万の軍勢

源頼朝によって鎌倉に武家政権が建てられたが、朝廷はまだ天皇復権をあきらめていなかった。そこで後鳥羽上皇は、頼朝直系の3代将軍・実朝が暗殺されると、討幕行動に出る。執権の北条義時追討を画策、地頭・守護を朝廷の支配下に置くと院宣《いんぜん》、宣旨《せんじ》を出して挙兵したのだ。

この動きをいちはやく察知した幕府は、19万近い兵を集めて西へ向かう。鎌倉から、図のように東海道・東山道・北陸道の3ルートで、義時の子・泰時は東海道を進んだ。この出陣の時、頼朝未亡人で尼《あま》将軍と呼ばれていた政子の飛ばした檄《げき》は、御家人を固く結束させたという。

一方の朝廷が集めた軍勢は、わずか3万足らずだったため戦いにもならず、あっけなく京都を占領され、後鳥羽上皇は、捕らえられて隠岐《おき》に配流《はいる》された。この朝廷の反乱に懲《こ》りた幕府は、京に六波《ろくは》羅探題《らたんだい》を置いて、朝廷と西国《さいごく》武士の管理を強めた。結果的には、朝廷に任命された武家の棟梁《とうりょう》による政権だった鎌倉幕府が、承久の乱を境に完全に日本の支配権を手にすることになった。

― 19万人の軍勢を3方から上洛させた幕府軍 ―

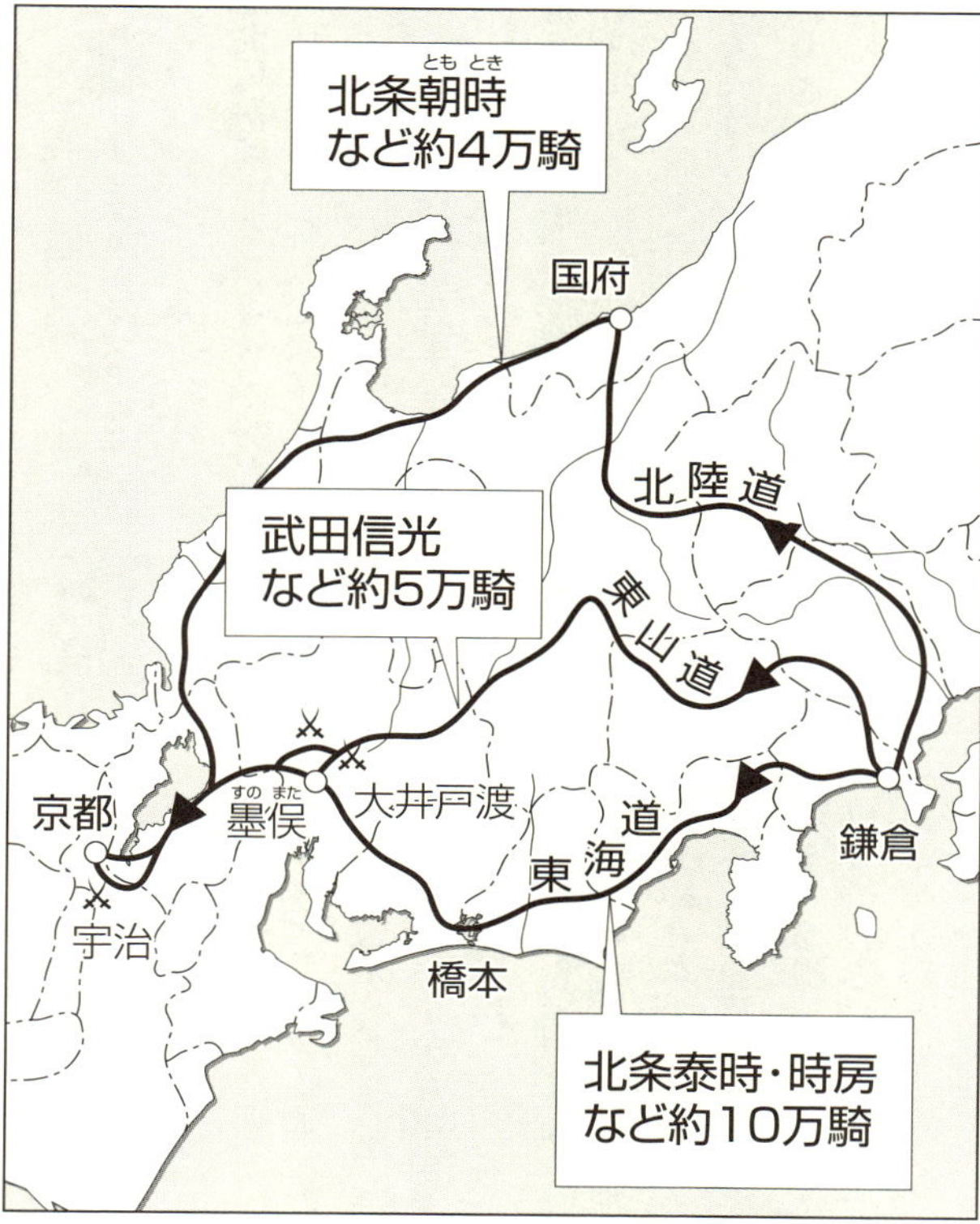
北条朝時《ともとき》
など約4万騎
国府
北陸道
武田信光
など約5万騎
東山道
墨俣《すのまた》
大井戸渡
京都
宇治
鎌倉
東海道
橋本
北条泰時・時房
など約10万騎

ひとくちメモ

学者のなかには、「承久の乱」により幕府が全国区になったので、これを鎌倉幕府の創設とする説もある。

元寇《げんこう》（1274～1281年）

二度にわたる元の襲来――どこを攻められ、どう守った？

13世紀初頭にチンギス・ハンが建国して一大帝国に育ったモンゴル帝国。やがて孫フビライが中国を征服して国号を元と改め、次の標的を日本に定めた。フビライは、たびたび書簡で隷属を促したが、執権・北条時宗がすべて拒否したため、日本は元から侵攻を受けることになった。

最初の元襲来は、1274（文永11）年の文永《ぶんえい》の役《えき》で、朝鮮半島ですでに元に降伏していた高麗《こうらい》の軍を中心にした約3万の兵力だった。対馬《つしま》・壱岐《いき》が制圧され、博多にも上陸されたが、日本軍はこれをしのぐ。

上陸した元軍は、陸地で野営せず、夜は海上の船へ引き揚げるという戦い方だったが、夜間に急な風雨が吹き荒れて沈没する船が続出。兵力を減らした元軍は攻撃を中止して帰国した。

2度目の襲来は1281（弘安4）年、前回の日本軍の迎撃に懲りた元軍は、14万の大軍で押し寄せたが、またもや台風と思われる暴風雨で10万の兵を失う。これを弘安《こうあん》の役といい、1度目の文永の役と合わせて元寇という。

― 海路（朝鮮半島経由）から襲いかかる元軍 ―

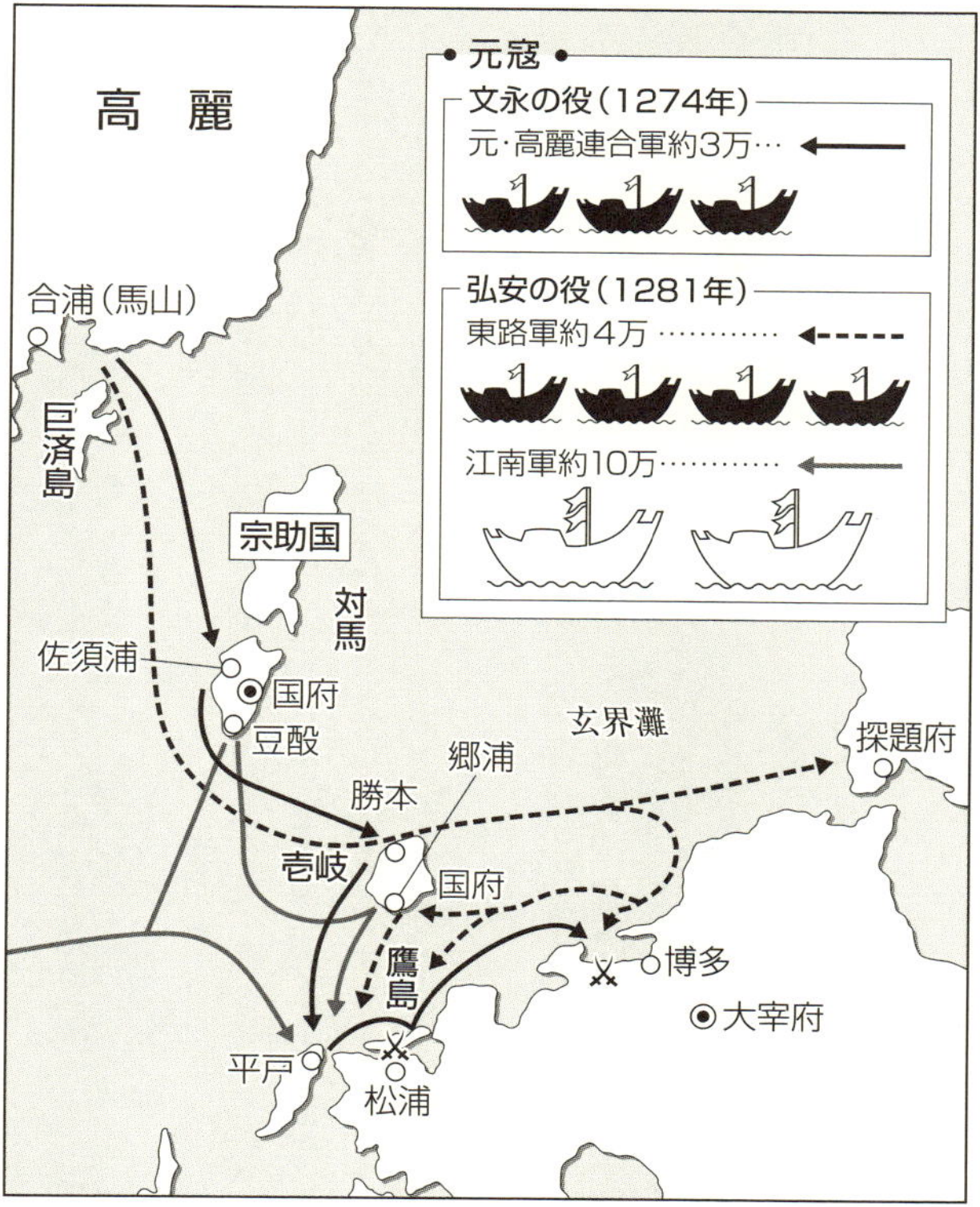
高　麗
合浦（馬山）
巨済島
宗助国
対馬
佐須浦
国府
豆酘
玄界灘
探題府
郷浦
勝本
壱岐
国府
鷹島
博多
大宰府
平戸
松浦
● 元寇 ●
文永の役（1274年）
元・高麗連合軍約3万…
弘安の役（1281年）
東路軍約4万…………
江南軍約10万…………

ひとくちメモ

文永の役が起きたのは現在の11月 4 日にあたることから、「神風」（台風）は吹かなかったという説もある。

鎌倉幕府の滅亡（1333年）

新田義貞は「天然の要塞」をどう攻略したのか

鎌倉幕府の腐敗は、御家人との主従関係にほころびを生んだ。すでに京では、天皇や貴族による討幕の動きが活発化しており、後醍醐《ごだいご》天皇は幕府に背いた罪で隠岐《おき》に配流されていた。そんななか関東で討幕の兵を挙げたのが新田《にった》義貞だった。名門の家柄の出身だが幕府では無役で、忘れられた存在の御家人だ。

義貞が1333（元弘3）年に領地の上野《こうずけ》国新田荘で、わずか150騎で挙兵して鎌倉へ進軍をはじめると、経路の御家人たちが次々に進軍に加わり、翌日には兵力が20万を超えた。義貞はこれらの兵力で鎌倉街道を駆け抜け、小手指《こてさし》ヶ原《がはら》、分倍河原《ぶばいがわら》などでの戦いを制す。この勝利で参戦する御家人はさらに増え、最後には60万を数えたという。御家人たちは、それだけ幕府の為政に辟易《へきえき》していた。

鎌倉攻めは3手に分かれて行なわれた。義貞は図のように極楽寺坂切通しを抜け、潮の引いた由比《ゆい》ヶ浜《がはま》を通り鎌倉に攻め込んだ。天然の要塞を攻めあぐねていた義貞も、この奇襲作戦で鎌倉陥落に成功したと伝わる。

― 3方からの攻撃に加えて海上から鎌倉に攻め入った義貞 ―

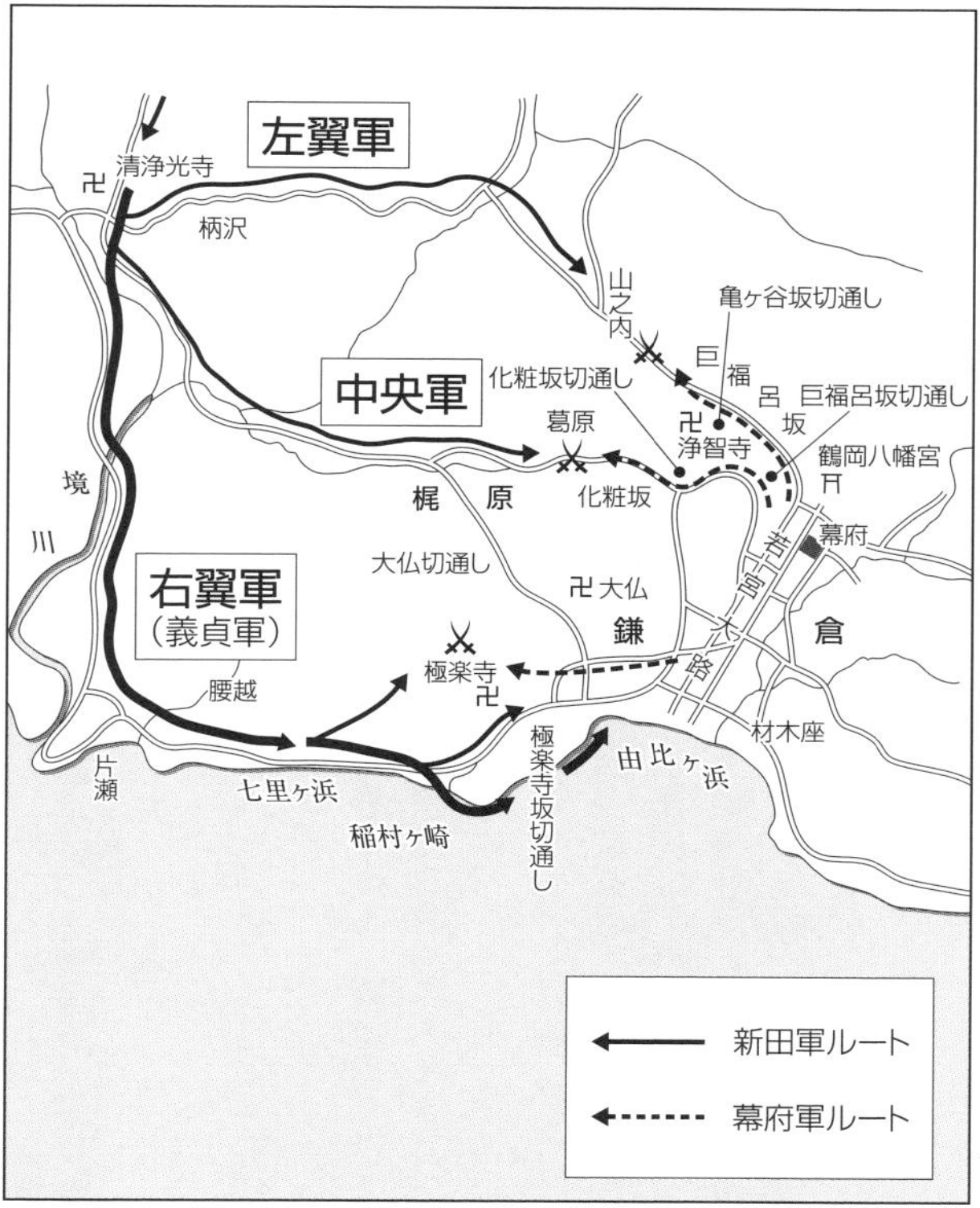
左翼軍
清浄光寺
柄沢
山之内
亀ヶ谷坂切通し
巨福呂坂
中央軍
化粧坂切通し
巨福呂坂切通し
葛原
浄智寺
鶴岡八幡宮
境川
梶原
化粧坂
幕府
若宮大路
大仏切通し
大仏
右翼軍
(義貞軍)
鎌倉
極楽寺
腰越
材木座
片瀬
七里ヶ浜
極楽寺坂切通し
由比ヶ浜
稲村ヶ崎
新田軍ルート
幕府軍ルート

ココがポイント!

義貞が稲村ヶ崎で黄金造の太刀を海中に投げこむと、潮がみるみるうちに引きはじめ、由比ヶ浜から攻め入ることができたという!

六《ろく》波《は》羅《ら》探《たん》題《だい》攻略（1333年）

足利尊氏、まさかの裏切り――鎌倉幕府の終焉

足利尊氏《たかうじ》は八幡太郎（源）義家を祖にする名門の出で、新田義貞とは祖先を同じくする同族だ。だが義貞と違って尊氏は京での討幕運動鎮圧のため、執権・北条高時から遠征を命じられるなど、幕府では重用されていた。

隠岐《おき》に流されていた後醍醐天皇が、島を脱出して船上山《せんじょうさん》（鳥取県）にこもった時も、尊氏は六波羅探題から攻撃の総大将を命じられた。ところが丹波国篠村まで進軍した尊氏は、急に朝廷側に寝返る。

じつは船上山の後醍醐天皇から、味方になるようにという朝敵追討の綸旨《りんじ》が届いたのだ。この勅命により、足利軍は進路を京に変え、官軍の千種《ちぐさ》氏とともに六波羅探題を攻め落とす。

討伐の命《めい》を下したはずの尊氏から、逆に攻撃された六波羅は慌て、探題の北条仲時・時益は、後醍醐天皇のあと即位していた光厳天皇や後伏見《ごふしみ》上皇らを連れて京を脱出した。新田義貞が鎌倉陥落に成功したのと同時期であり、西では仲時が、東では高時が自害して、鎌倉幕府は終焉を迎えた。

― 後醍醐天皇の勅命を受けUターンした尊氏 ―

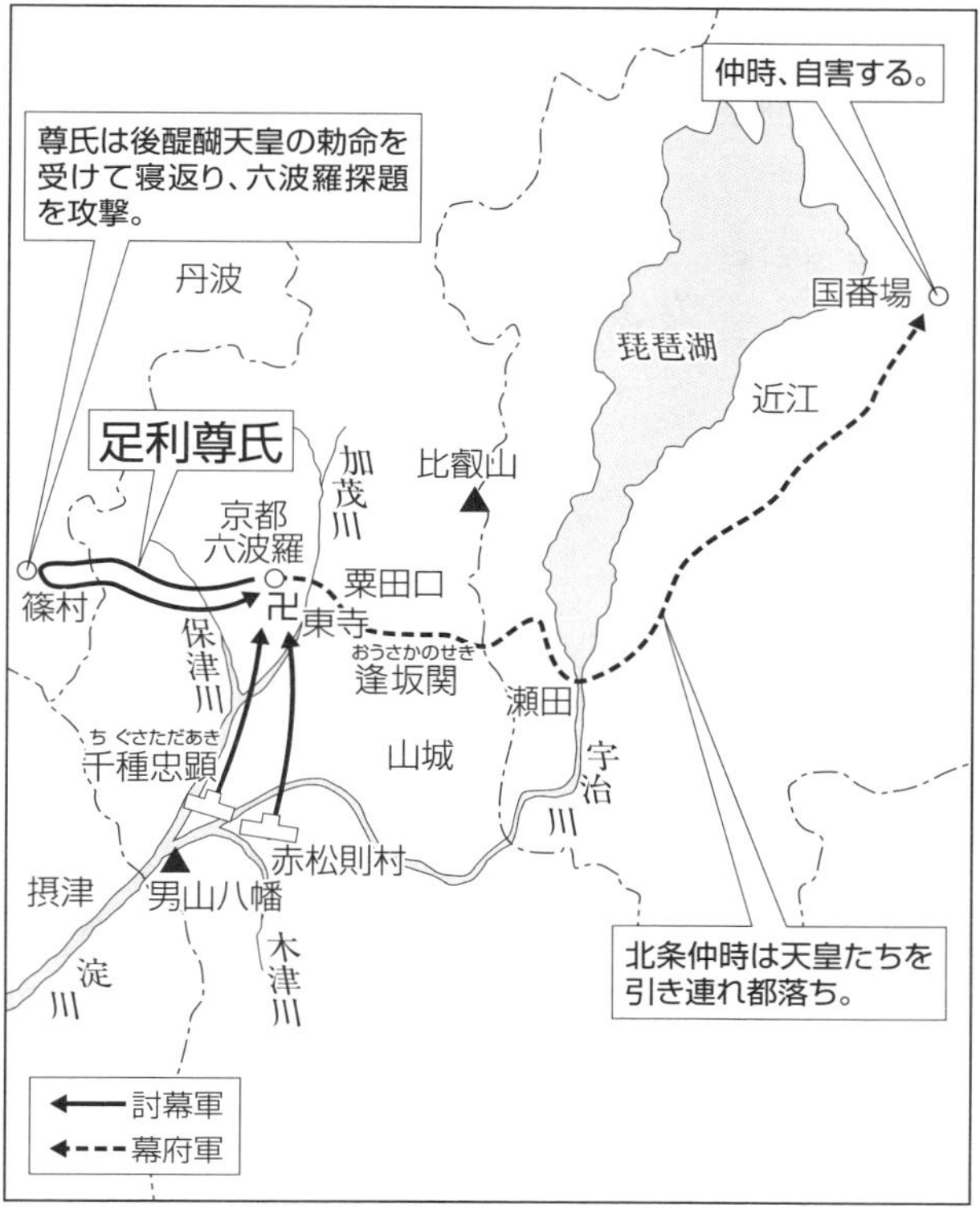
仲時、自害する。
尊氏は後醍醐天皇の勅命を受けて寝返り、六波羅探題を攻撃。
丹波
国番場
琵琶湖
近江
足利尊氏
加茂川
比叡山
京都
六波羅
粟田口
篠村
東寺
保津川
逢坂関《おうさかのせき》
瀬田
千種忠顕《ちぐさただあき》
山城
宇治川
赤松則村
摂津
男山八幡
木津川
淀川
北条仲時は天皇たちを引き連れ都落ち。
討幕軍
幕府軍

ひとくちメモ

北条仲時は自害して果てたが、彼とともに殉じた者は400人以上にものぼったといわれる。

南北朝の動乱（1336〜1392年）

「南朝」と「北朝」――そもそもどこのこと？

鎌倉幕府の討幕で、後醍醐天皇に味方して建武の新政（天皇による政治）をもたらした足利尊氏だったが、討幕成功後は天皇と袂《たもと》を分かつことになる。

原因は戦功に対する恩賞だった。朝廷は旧弊を破ることができず、公家や寺社の所領支配の保障を優先したのだ。戦いにもっとも功のあった武士たちが不満を抱き、武家の棟梁《とうりょう》だった尊氏を頼って後醍醐天皇からは離反していった。

そんな時、関東で北条高時の子・時行が、幕府再興を賭けて挙兵した。1335（建武2）年の中先代《なかせんだい》の乱だ。その鎮圧を名目に関東に下った尊氏は、そのまま鎌倉に入り、反後醍醐の兵を挙げた。翌年には、彼が光明《こうみょう》天皇を即位させたため、後醍醐天皇は吉野へ退き、それでも皇位に執着。尊氏の北朝、後醍醐天皇の南朝と、2人の天皇が並び立つことになった。

1338（延元3）年に征夷大将軍になった尊氏は室町に幕府を置くが、南北朝時代は60年も続き、その間、左表のように9人もの天皇が誕生した。

― 60年間に9人の天皇が生まれた南北朝時代 ―

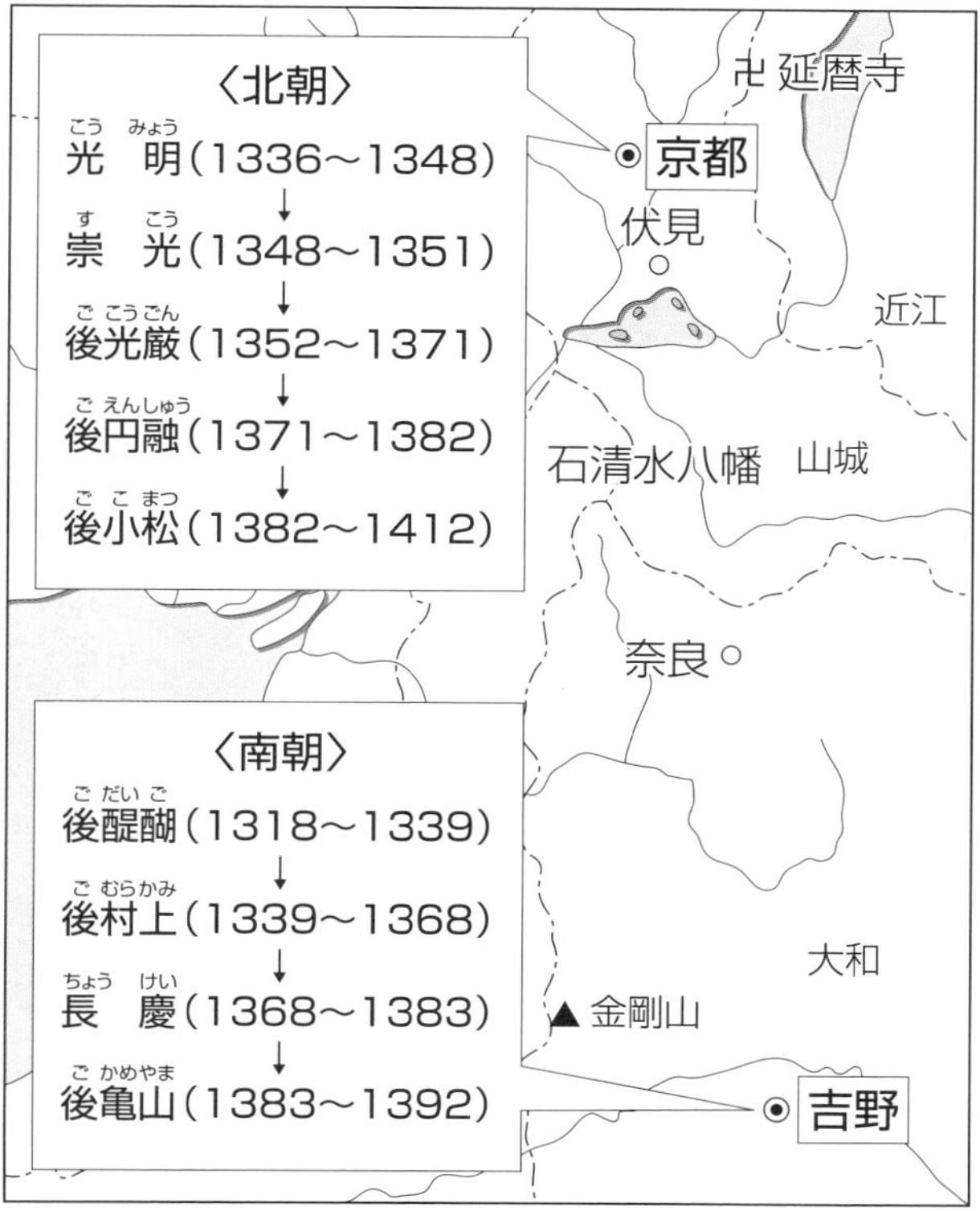
〈北朝〉
光《こう》　明《みょう》(1336〜1348)
崇《す》　光《こう》(1348〜1351)
後光厳《ごこうごん》(1352〜1371)
後円融《ごえんしゅう》(1371〜1382)
後小松《ごこまつ》(1382〜1412)
〈南朝〉
後醍醐《ごだいご》(1318〜1339)
後村上《ごむらかみ》(1339〜1368)
長《ちょう》　慶《けい》(1368〜1383)
後亀山《ごかめやま》(1383〜1392)
卍 延暦寺
京都
伏見
近江
石清水八幡
山城
奈良
大和
▲金剛山
吉野

ひとくちメモ

明治維新後から1911（明治44）年まで、学界では「南北朝並立説」が主流であったが、45（昭和20）年までは南朝が“正統”とされていた。

観応《かんのう》の擾乱《じょうらん》（1350～1352年）

動乱を長引かせた、足利尊氏・直義「兄弟の確執」

南北朝分裂時代に、吉野の南朝がほとんど機能していないにもかかわらず存続できたのは、足利尊氏にそれを倒すだけの余力がなかったからだ。それよりも尊氏は、幕府の内乱に追われて自身の身の処し方に苦慮していた。

室町幕府は、征夷大将軍になった尊氏と、弟・直義《ただよし》とのツートップ政治で体制を整えていった。2人の力が均衡しているうちはよかったが、執事・高師直《こうのもろなお》と直義が対立してバランスが崩れた。結果、幕府は、尊氏・師直連合と、地方豪族の支持を得ている直義という分裂状態に陥る。幕府内で分の悪い直義は、京を出て吉野に向かい、なんと南朝方について尊氏追討の綸旨《りんじ》まで手にする。以後、直義は、尊氏が反乱軍鎮圧に出兵した隙に幕府を掌握したかと思えば、すぐに放棄して鎌倉入りしたりする奇妙な行動に出る。その間、尊氏も南朝と講和を結ぶなど兄弟の駆け引きは続き、最終的には尊氏が直義を毒殺して兄弟の確執に終止符を打つ。幕府設立初期に起こった、対立の真相の見えにくい政治的混乱だった。

— 幕府分裂を招いた尊氏と直義の確執 —

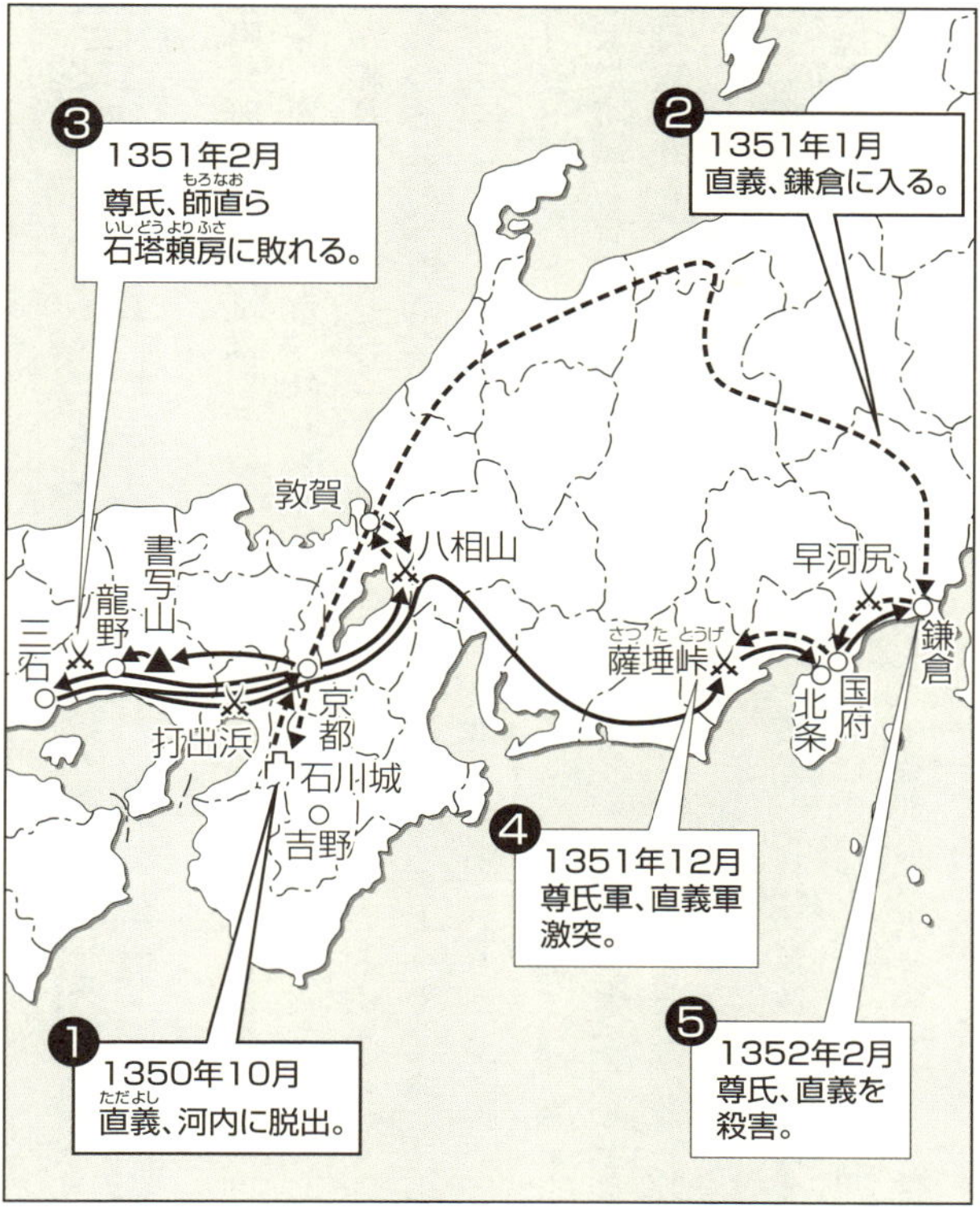
③
1351年2月
尊氏、師直《もろなお》ら
石塔頼房《いしどうよりふさ》に敗れる。
②
1351年1月
直義、鎌倉に入る。
敦賀
八相山
書写山
龍野
三石
打出浜
京都
石川城
吉野
早河尻
薩埵峠《さった とうげ》
鎌倉
北条
国府
④
1351年12月
尊氏軍、直義軍
激突。
①
1350年10月
直義《ただよし》、河内に脱出。
⑤
1352年2月
尊氏、直義を
殺害。

ひとくちメモ

有名な足利尊氏像は、家紋の違いなどからいまでは「伝足利尊氏像」と表記され、高師直ではないかともいわれる。

正長《しょうちょう》の徳政一揆（1428年）

その影響は飛び火し、全国各地で一揆が同時多発！

室町幕府初期の内乱は、その後、地方各地を〝変貌〟させた。直義を支持して幕府が頼りないことを知った在地領主や守護職の武家が、領地を守る自衛策を講じるようになるのだ。彼らは、やがて国人領主、守護大名として肥大化していく。

それに歩調を合わせるように、農民たちも目覚めていく。開墾で耕地面積が広がり、二毛作が行なわれはじめ、農具にも工夫が凝らされると、豊かになった有力農民や地侍を中心にした集団が生まれたのだ。これは「惣村《そうそん》」と呼ばれる自治組織で、彼らは組織内で規則を設け、訴訟問題の解決にあたったりした。

惣村では、領主が農民から過分の年貢《ねんぐ》を取り立てようとすると、集団で抵抗した。小領主である下級武士も彼らの味方にいて、あちこちで争乱が起こる。これが土一揆《つちいっき》と呼ばれた民衆蜂起《ほうき》で、最初に起こったのが正長の徳政一揆だ。

近江の国にはじまり京都に飛び火したこの一揆は、徳政（借金の帳消し）を幕府に求めての蜂起だった。日本で初めて、民衆が為政者に楯突いた事件である。

― 幕府に衝撃を与えた中世庶民の蜂起 ―

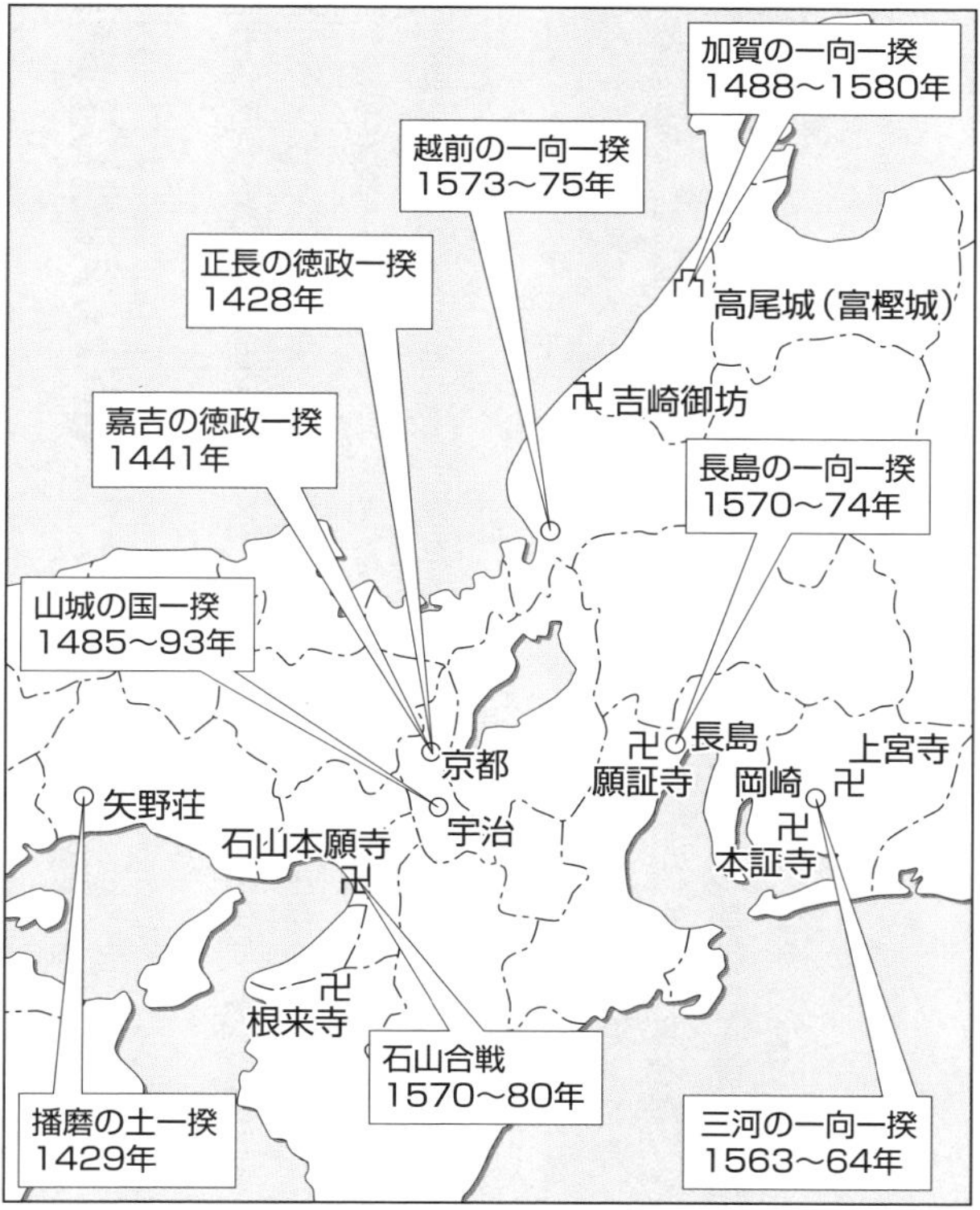
加賀の一向一揆
1488～1580年
越前の一向一揆
1573～75年
正長の徳政一揆
1428年
高尾城（富樫城）
吉崎御坊
嘉吉の徳政一揆
1441年
長島の一向一揆
1570～74年
山城の国一揆
1485～93年
長島
願証寺
京都
上宮寺
岡崎
矢野荘
宇治
石山本願寺
本証寺
根来寺
石山合戦
1570～80年
播磨の土一揆
1429年
三河の一向一揆
1563～64年

ココがポイント！

自治組織が生まれ、組織的な力を持ちはじめた15世紀の農民は、領主への不満を直訴するようになった！

琉球王国の成立（1429年）

南海上の琉球王国、その交流地図とは？

室町幕府が安定期を迎えたころ、〝もう1つの政権〟が、はるか南海上に誕生していた。琉球王国だ。

12世紀ごろから沖縄は、倭《わ》の小国乱立時代のような状態で、「按司《あじ》」と呼ばれた領主が、それぞれの地域を支配していた。それが14世紀に入ると、しだいに勢力に差が生まれ、強大な勢力が弱小勢力を吸収していく。

勢力は大きく分けて3つにまとまった。北部を支配したのが今帰仁城《なきじんぐすく》の北山《ほくざん》王、中部は首里城に中山《ちゅうざん》王を戴き、南部が南山城の南山《なんざん》王によって勢力を保っていた。この三山並存のなかから、統一へ向けて動き出したのが中山王の尚《しょう》親子だった。

父・尚思紹《ししょう》は、本来が南山王傘下の領主だったが、１４０６（応永13）年に中山王を破って王となっていた。父の野心は子・尚巴志《はし》に受け継がれ、初めて沖縄に統一王国を誕生させた。

以後、琉球統一王国は、中国の明《みん》をはじめ、図のような東南アジア諸国との交易で栄え、日本国内とは異なる独自の文化を育てていった。

― 東南アジアとの交易により栄えた琉球王国 ―

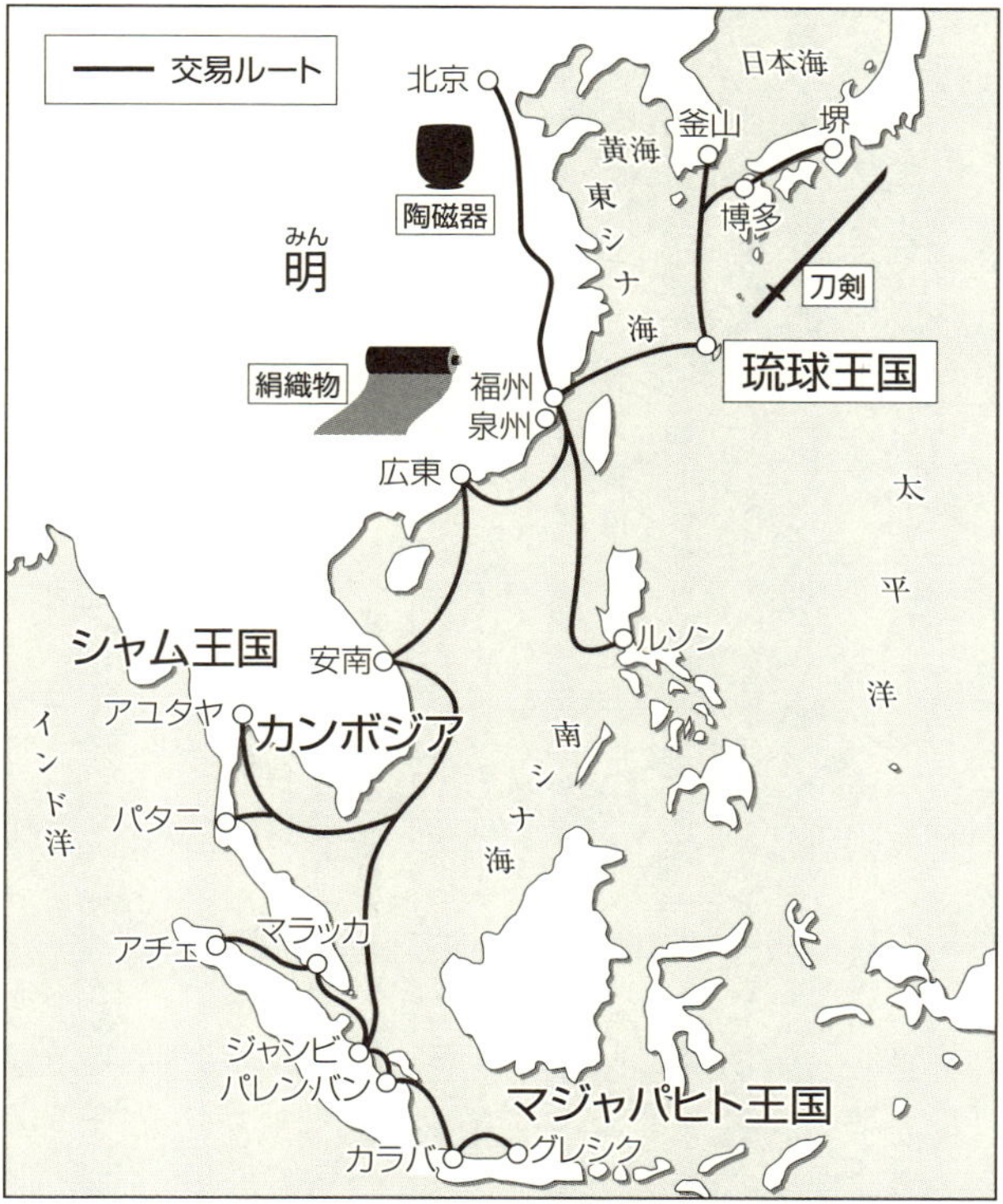

出典:『新版琉球の時代』高良倉吉（ひるぎ社）

ココがポイント!

琉球は、交易のほとんどを他国の品を扱う「中継貿易国」として発展した。

嘉吉《かきつ》の乱（1441年）

家臣による将軍暗殺事件で幕府の権威は失墜

徳政一揆などで国内の乱れを痛感した足利6代将軍義教《よしのり》は、幕府体制を強固なものにするために専制を図り、独裁色を強めていった。彼は、わずかな失政を理由に有力守護を排斥したり殺害したりという行動を繰り返していたのだ。

一族に義教の寵愛《ちょうあい》を受ける武将がいた播磨《はりま》の守護・赤松満祐《あかまつみつすけ》は、自分が排斥される不安から、将軍暗殺を決行した。京の屋敷で猿楽《さるがく》の会を開き、招いた将軍を家臣に殺させたのである。

領国に戻った満祐は、幕府軍の攻撃に備えて軍を整えるが、幕府は赤松討伐軍の組織に1カ月以上もかかった。将軍を殺されながらのこのもたつきぶりに、幕府の権威と実行力のなさがうかがえる。

この時、山名持豊《やまなもちとよ》（宗全《そうぜん》）は幕府の討伐軍より先に兵を播磨に送る。満祐は、彼の軍勢と、ようやく幕府が送った討伐軍に四方から攻められ、味方だった国人《こくじん》領主にも次々に裏切られて自害した。この嘉吉の乱で、いちはやく兵を出した山名氏が、赤松氏の領地を手に入れたが、これがまた、新しい火種となっていく。

― 四方からの幕府軍の攻撃に敗れた赤松氏 ―

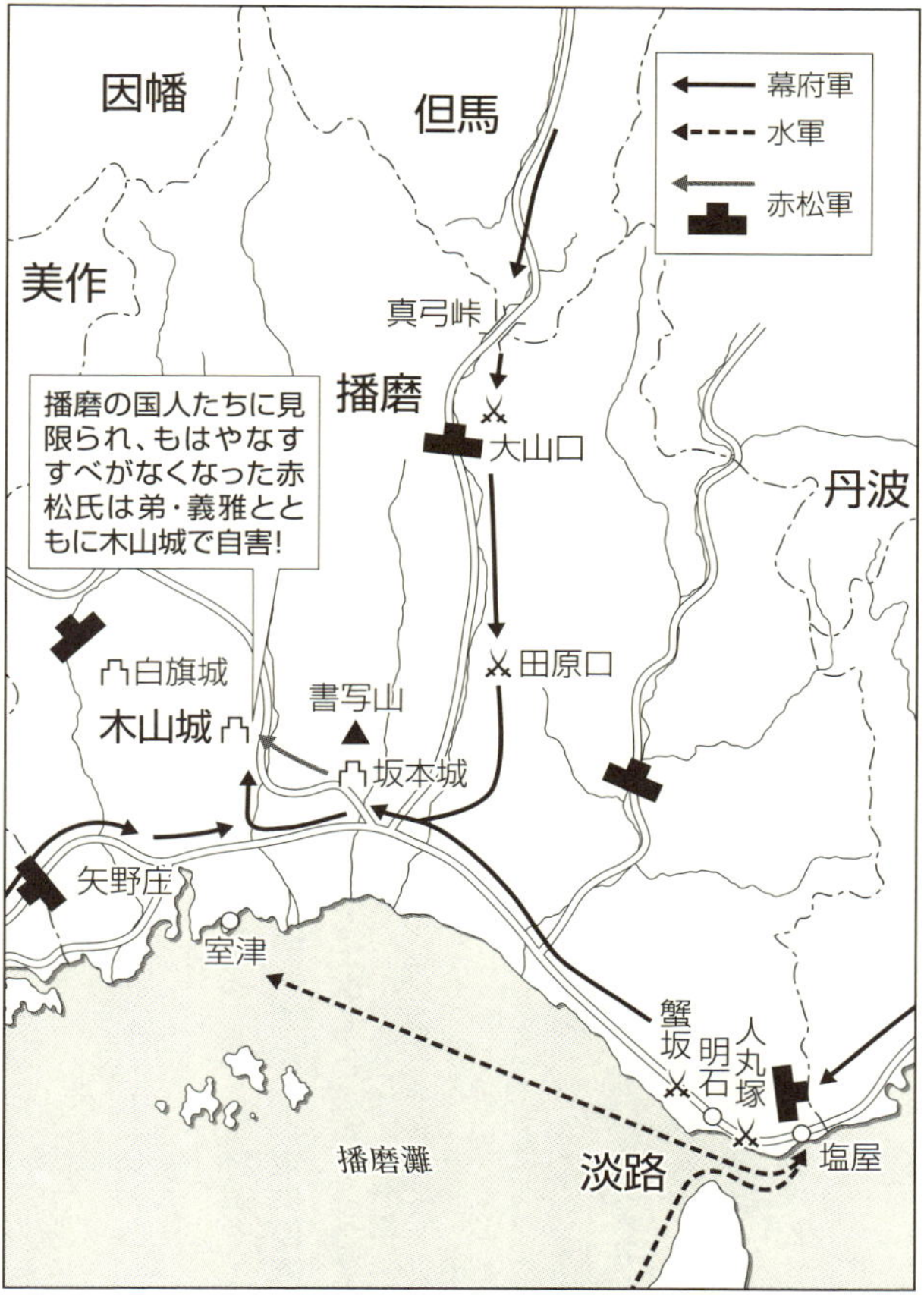
幕府軍
水軍
赤松軍
因幡
但馬
美作
播磨
丹波
真弓峠
大山口
田原口
播磨の国人たちに見限られ、もはやなすすべがなくなった赤松氏は弟・義雅とともに木山城で自害!
白旗城
木山城
書写山
坂本城
矢野庄
室津
蟹坂
明石
人丸塚
塩屋
淡路
播磨灘

『日本の歴史9 日本国王と土民』今谷明(集英社)をもとに作成

応仁《おうにん》の乱（1467～1477年）

細川家（勝元）と山名家（宗全）の死闘地図

嘉吉の乱で領国を広げた山名氏と同じような有力守護大名には、ほかに細川氏、斯波《しば》氏、畠山氏などがいた。

1467（文正2）年1月、まず畠山家に家督争いが起こり、それに斯波家の家督争いもからみ、左図のように双方に細川勝元・山名宗全がバックについた。

さらに、将軍家でも義政の後継問題で、弟・義視《よしみ》と息子・義尚《よしひさ》との間に対立があった。

5月下旬になって、細川勝元が足利義視を擁して御所に入ったことで、対立の構図がはっきりする。御所を本陣にした細川家が山名家の領地よりも東に位置したことで東軍、山名家は西軍と呼ばれ、守護大名たちは二分して対立した。

この対立による争いは応仁の乱と呼ばれ、京の町は戦火に包まれた。

以後に激しい戦闘はなかったが、勝元・宗全がそろって没する1473（文明5）年まで争いは続く。

幕府はこの間、存在意義すらなくしてなすすべもなく、やがて日本は群雄割拠の時代を迎える。

― 家督争いから全国規模の戦いに発展 ―

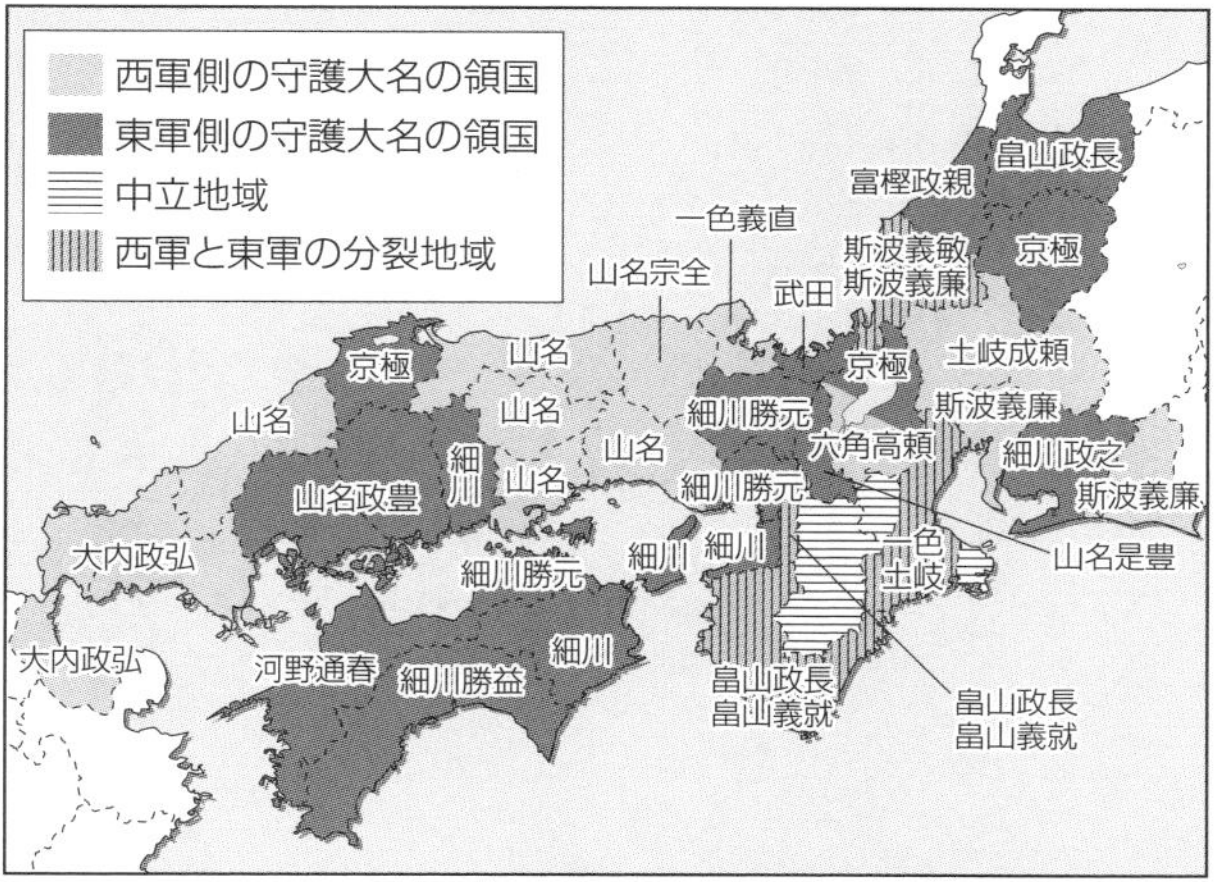
西軍側の守護大名の領国
東軍側の守護大名の領国
中立地域
西軍と東軍の分裂地域
畠山政長
富樫政親
一色義直
斯波義敏
斯波義廉
京極
山名宗全
武田
京極
山名
土岐成頼
山名
京極
細川勝元
斯波義廉
山名
山名
六角高頼
細川政之
細川
山名政豊
山名
細川勝元
斯波義廉
大内政弘
細川
細川
一色
土岐
山名是豊
細川勝元
大内政弘
河野通春
細川勝益
細川
畠山政長
畠山義就
畠山政長
畠山義就

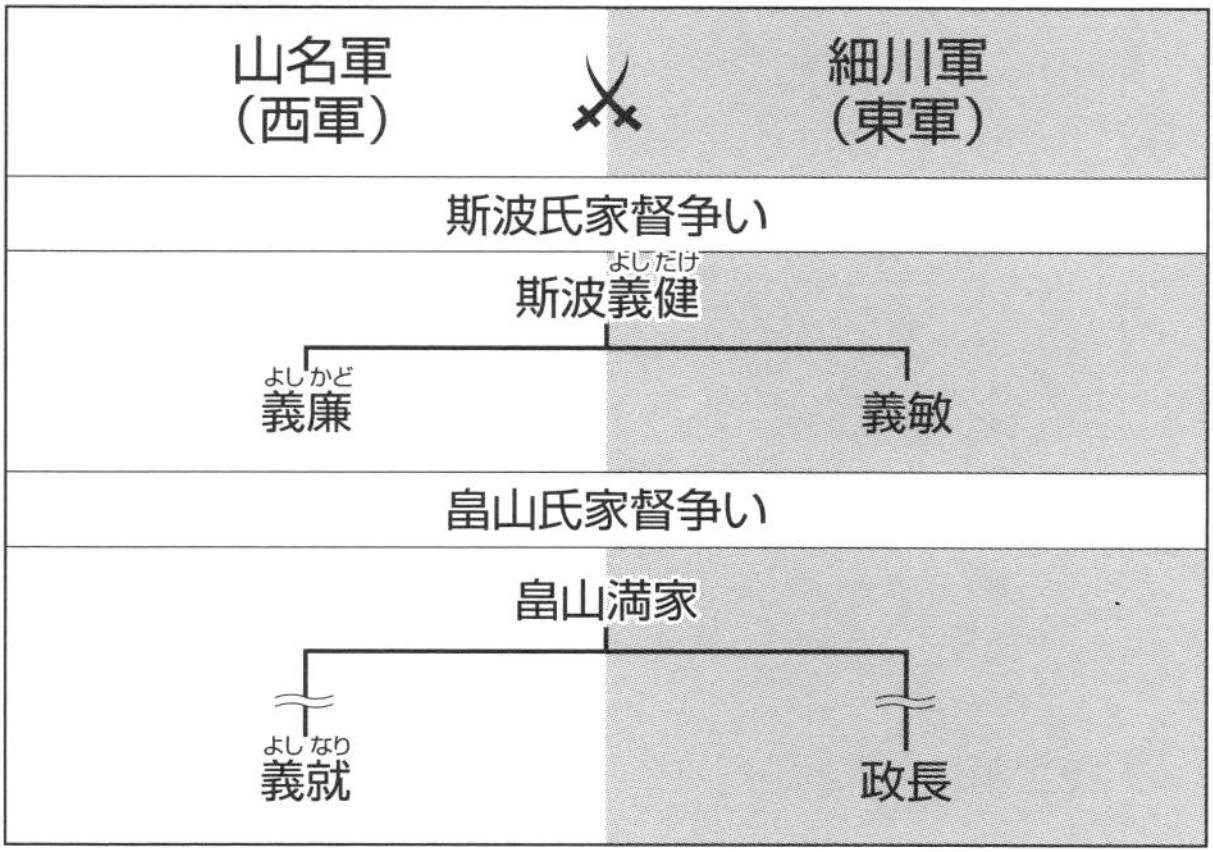
山名軍
（西軍）
細川軍
（東軍）
斯波氏家督争い
斯波義健《よしたけ》
義廉《よしかど》
義敏
畠山氏家督争い
畠山満家
義就《よしなり》
政長

加賀の一向一揆（1488～1580年）

守護大名は自害し、本願寺による「自治」が開始

近江の徳政一揆をきっかけに土一揆が各地に広がっていき、守護たちはこの鎮圧に頭を悩ませた。しかし、加賀に起こった一向一揆は、領主への不満からの蜂起《ほうき》だけではなかった点で異質なものだ。

一揆の主人公は一向宗本願寺派の門徒たちで、年貢免除の要求にはじまり、最終的に門徒だけで自治組織された集団の結成を目指す蜂起になった。

門徒衆蜂起のきっかけは、守護・富樫《とがし》政親がつくった。彼は家督争いで門徒衆の力を借りて戦い、守護の座を守った。ところが寺と門徒衆はそれを盾に、年貢減免を要求して一揆を起こしたのだ。

数万から20万人といわれる数の門徒衆の減免は守護の正親には、けっして呑《の》めない条件だ。門徒衆には、農民ばかりか国人も含まれていて、鎮圧を試みた正親は、図のような布陣の一揆軍に高尾城へと追い詰められ、自刃した。

幕府任命の守護が不在となった加賀では、ここから100年、本願寺と門徒が自前の守護を担いで実質的な自治を続けることになった。

― 巧みな戦術で富樫氏を追い詰める一揆軍 ―

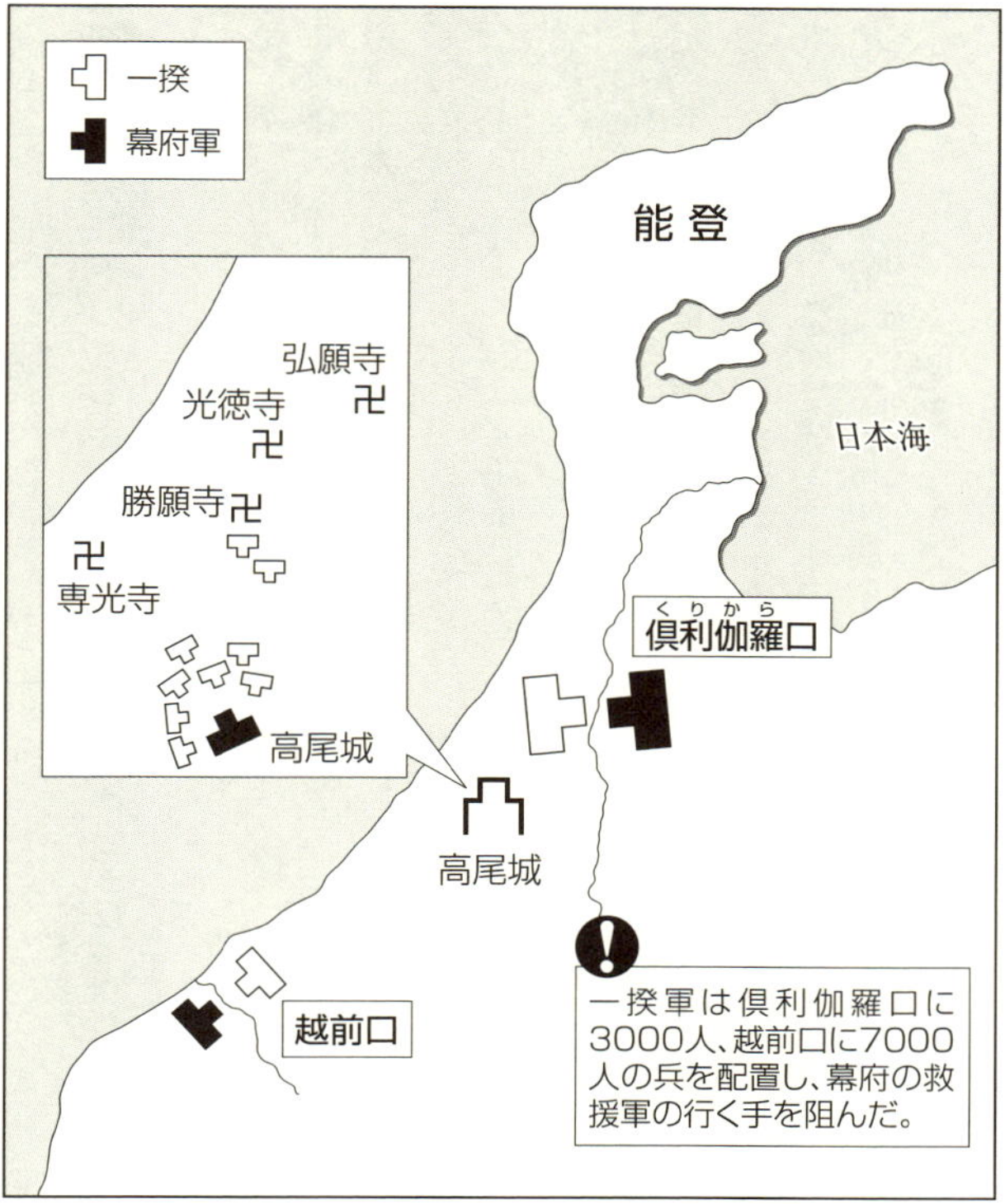
一揆
幕府軍
能登
日本海
弘願寺
光徳寺
勝願寺
専光寺
高尾城
倶利伽羅口《くりから》
高尾城
越前口
一揆軍は倶利伽羅口に3000人、越前口に7000人の兵を配置し、幕府の救援軍の行く手を阻んだ。

『真宗の風景 北陸一揆から石山合戦へ』北国新聞社編（同朋舎出版）をもとに作成

ココが ポイント! 孤立した高尾城城主の富樫政親は一揆軍に攻め込まれ自害した。

北条早雲の相模平定（1513年）

“遅咲き”の武将、「戦国大名」のさきがけとなる！

応仁の乱で疲弊した各地の守護は、しだいに支配力を失って没落していく。伊豆の堀越公方《くぼう》だった足利家も当主・政知が没したのをきっかけに、没落どころか領地を失った。奪ったのは北条早雲だ。

早雲は、妹が駿河《するが》の今川家で側室になっていたのを頼って今川家の客分となっていたが、その間に関東の情勢をじっと観察していた。そのころの関東は、関東管領の上杉氏が分裂、幕府役職のはずの鎌倉公方も、伊豆の堀越公方と古河《こが》公方に二分した状態だった。そんななかで政知が亡くなり、跡目争いが起こった隙を突き、早雲が伊豆に攻め入ったのだった。

伊豆・韮山《にらやま》に城を築いた早雲は、相模《さがみ》の国人領主や農民が自分に帰順するのを待ってから、小田原城を攻め、これにも成功した。同じ手法で三浦氏も敗走させた早雲は岡崎城を手に入れた。

以来、北条家は4代にわたって領地を広げ、戦国時代までに図のように武蔵国、下総《しもうさ》の一部まで版図《はんと》を拡大した。

北条早雲はまさに下克上《げこくじょう》の時代のさきがけとなった、戦国大名第1号といえる。

― 早雲の相模平定と北条4代の勢力拡大 ―

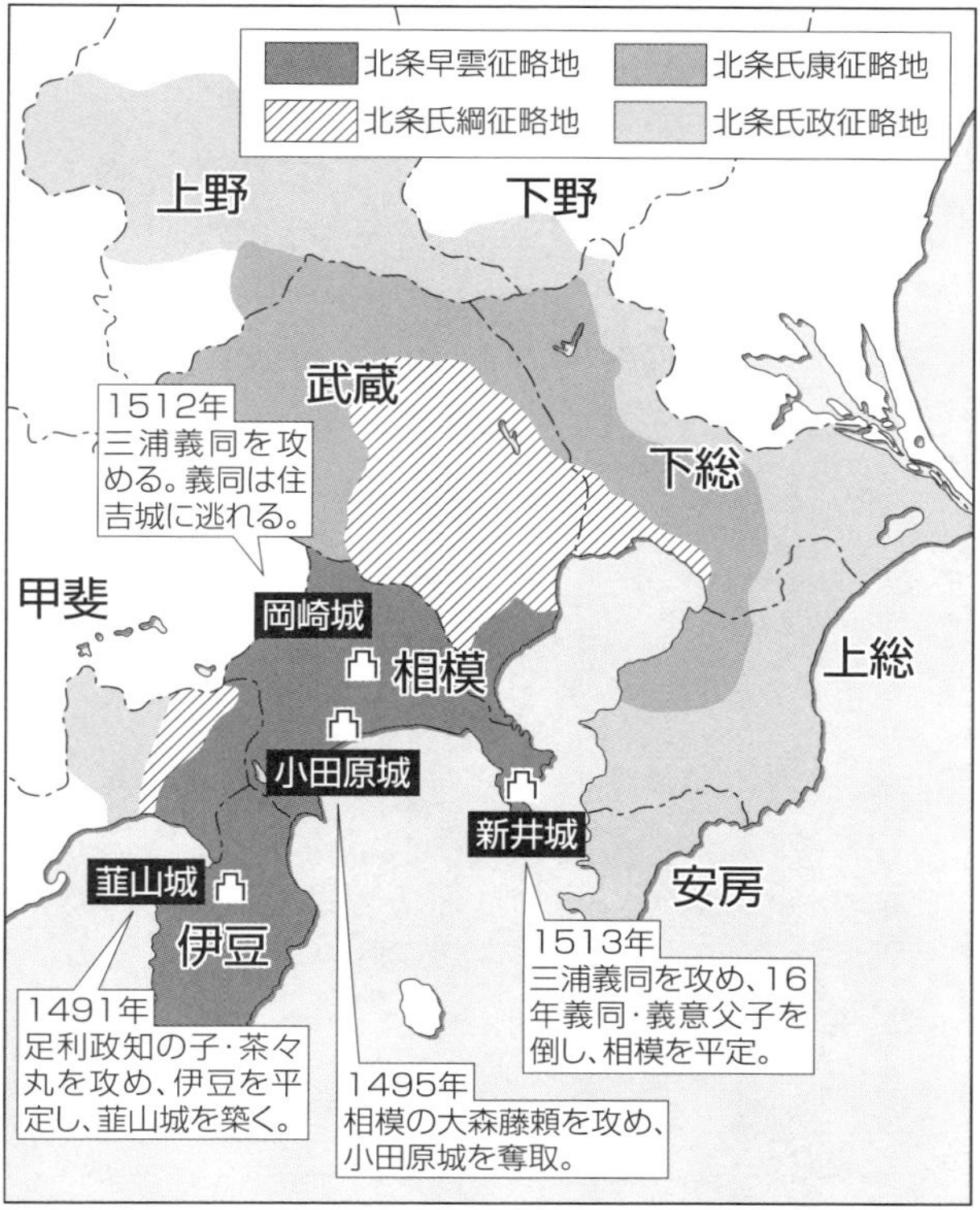
北条早雲征略地
北条氏康征略地
北条氏綱征略地
北条氏政征略地
上野
下野
武蔵
下総
甲斐
相模
上総
安房
伊豆
岡崎城
小田原城
新井城
韮山城
1512年
三浦義同を攻める。義同は住吉城に逃れる。
1513年
三浦義同を攻め、16年義同・義意父子を倒し、相模を平定。
1491年
足利政知の子・茶々丸を攻め、伊豆を平定し、韮山城を築く。
1495年
相模の大森藤頼を攻め、小田原城を奪取。

ひとくちメモ

北条早雲は遅咲きで、60歳を超えてから関東に進出し、88歳で死ぬ前年まで武将として活躍していた。

コラム

三択クイズ 中世編

12世紀から13世紀に誕生した新仏教と寺院の場所の正しい組み合わせはどれ？

答えは下部に記載

1. a 日蓮宗　b 浄土真宗　c 曹洞宗
2. a 浄土真宗　b 曹洞宗　c 日蓮宗
3. a 曹洞宗　b 日蓮宗　c 浄土真宗

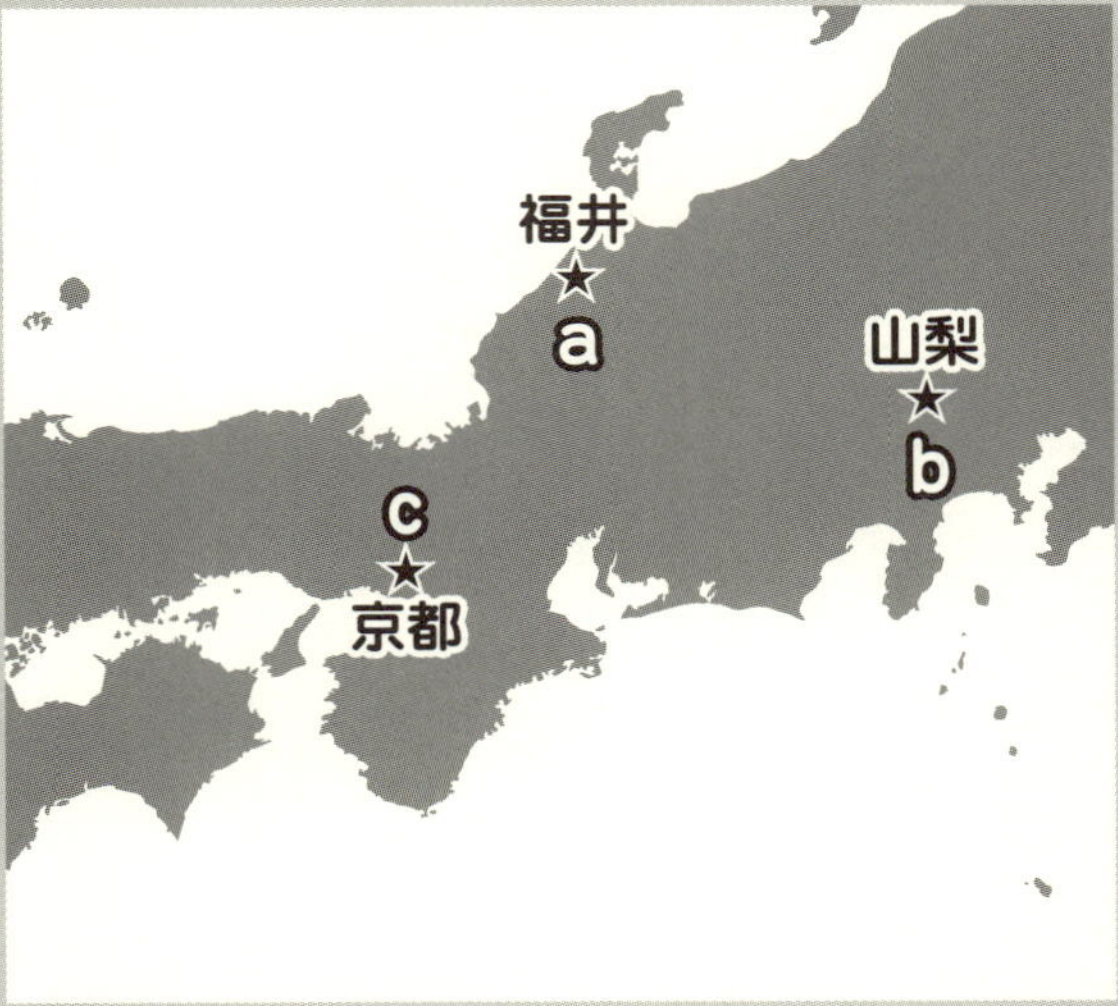

答え：3　日蓮宗の寺院は久遠寺で、門徒は商工業者が中心。京都の本願寺に寺院をもつ浄土真宗は近畿をはじめ関東、北陸地方にまで伝播。曹洞宗の寺院は永平寺。おもな支持者は地方の武士や農民。

3章【近世】

歴史の大舞台をつくり上げた「小さな異変」

キリスト教の伝来（1549年）

最初の布教地の点と線

キリスト教は、1549（天文18）年に鹿児島に上陸したスペイン人宣教師フランシスコ・ザビエルによって日本に伝えられたとされている。彼はパリで仲間とともに修道会「イエズス会」を創立し、東洋への布教の旅に出た。その時、派遣先のマラッカで日本人に出会って興味を抱き、日本での宣教を思い立ったという。

ザビエルの布教以前にポルトガル船が種子島《たねがしま》に鉄砲を伝えていたことから、異国の宗教の知識が日本にまったくなかったわけではないだろうが、正式にキリスト教の布教をしたのはザビエルが最初だ。

彼は、日本での布教許可を得るため京を目指す過程で、庶民の信者を獲得したばかりか、上陸地鹿児島の島津貴久、山口の大内義隆などの守護大名や堺の商人たちへの布教にも成功している。

16世紀までの日本の宗教は、古来の八百万《やおよろず》の神々を崇拝する神道と、多種の姿をもつ仏を敬《うやま》う仏教とがあり、多神教であった。唯一絶対神と神の子であるイエス・

キリストが信仰対象のキリスト教とは相容れない。それでも、ザビエルが受け入れられたのは、外国の文化としての関心が日本人に少なからずあったからであろう。

とくに大名や商人は、ポルトガルがもたらした鉄砲によって外国文化に目を見開かされ、ヨーロッパとの交易が知識や利益をもたらすことがわかっていた。

ただ、京は戦国時代初期の混乱のなかにあったため、ザビエルの朝廷への謁見はかなわなかった。彼は再び九州へ向かい、大内氏の領地や、豊後《ぶんご》国府内（大分県大分市）でも布教を行ない、守護大名の大友義鎮（宗麟《そうりん》）が後にキリシタン大名となるきっかけをつくった。

多くのキリシタン大名を生む基盤をつくったザビエルだが、滞日期間はわずか2年だ。彼の旅は、次ページに図示したように、わずかな陸路と瀬戸内海を使った海路が中心で、広い範囲にわたる布教はしなかった。

たしかにザビエルのあとにも多くの宣教師が来日して布教活動に努めている。しかし、たった2年間で日本にキリスト教を受け入れる基盤をつくることができたのは、戦国初期の荒れた状況で、キリスト教が人々の心の福音になったからであろうことは認めなければならないようだ。

京都
室津
伏見
大坂
堺
朝廷への謁見はかなわず。
ザビエルの布教の裏には海外との交易を目的としていた大名の協力があった!

ひとくちメモ

ザビエルがマラッカで出会った日本人・アンジローは、薩摩の元貿易商人で、殺人の罪により役人に追われ出奔した。

― わずか2年の滞在で西日本一帯に布教したザビエル ―

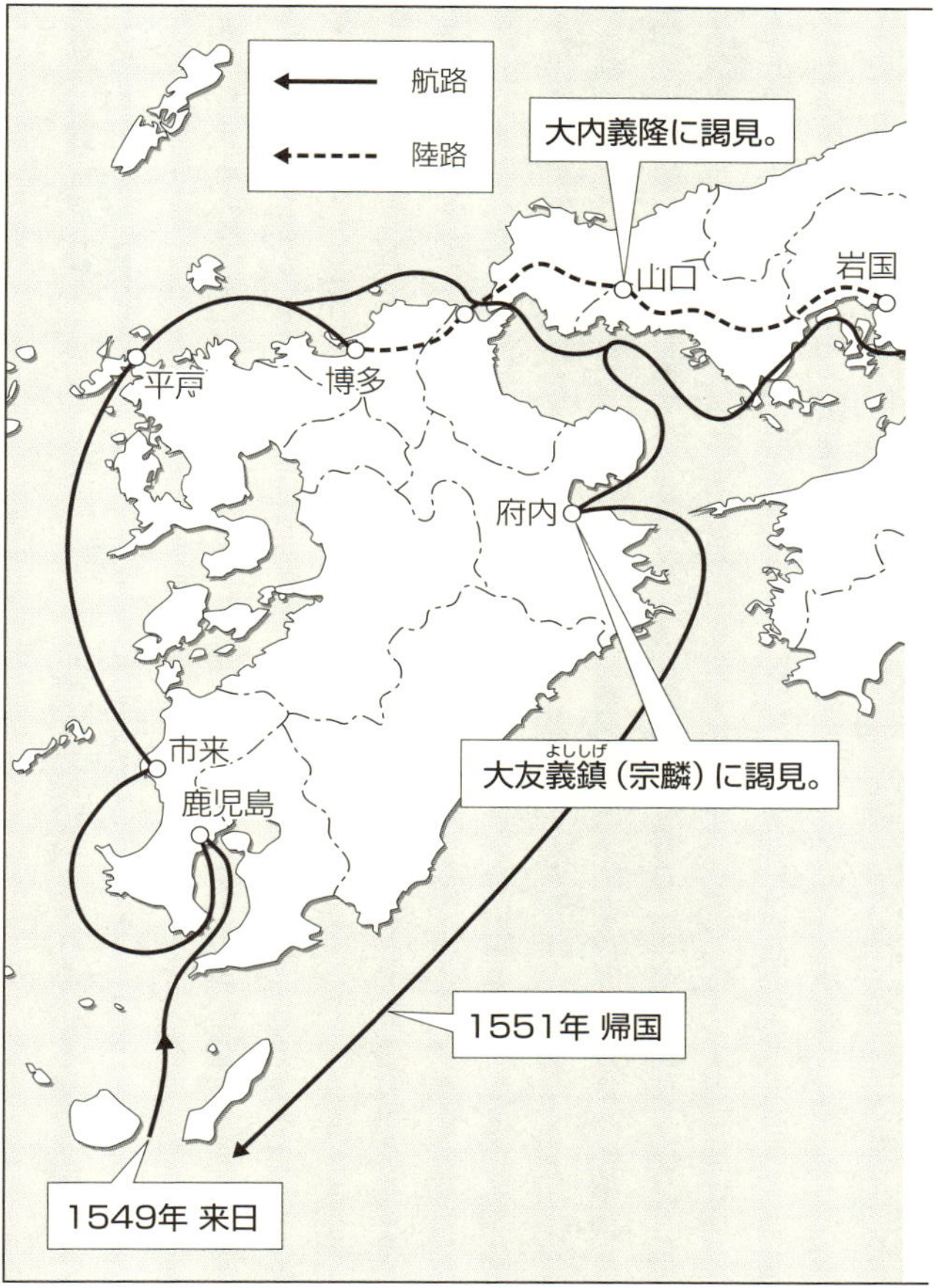
航路
陸路
大内義隆に謁見。
山口
岩国
平戸
博多
府内
市来
鹿児島
大友義鎮《よししげ》（宗麟）に謁見。
1551年 帰国
1549年 来日

桶狭間《おけはざま》の戦い（1560年）

信長・天下統一への第一歩となった「奇襲作戦」の陣形は？

尾張一国の弱小大名が、駿河・遠江《とおとうみ》・三河の大大名を破ったのだから、他の大名たちは仰天した。織田信長が今川義元を破った桶狭間の戦いのことだ。

義元は、2万5000の兵を率いて駿《すん》府《ぷ》を出発、尾張へ向かった。上洛を目指しての進軍だったが、経路にある尾張が攻められることは確実である。

兵力では格段に劣る信長にとって、勝つには奇襲しかなかった。ただ、それをどんな方法で行なうかについて、信長は徹底した情報収集を行なっている。今川軍のたどってきた経路、途中で攻め落とした砦での戦いぶりなどを分析した信長は、兵力とは「数」ではなく「機動力」だと気づく。大軍勢を相手に戦うのではなく、義元本隊だけを狙ったのだ。信長の家臣たちが今川軍と対峙《たいじ》している布陣は、左図のとおりだ。

その結果、田楽狭間《でんがくはざま》で昼食休憩中の今川軍に2000の手勢で奇襲をかけ、ひたすら義元の首級だけを狙って成功した。この勝利が信長の天下統一の確かな一歩となったのだった。

― 義元の油断をついた信長の奇襲 ―

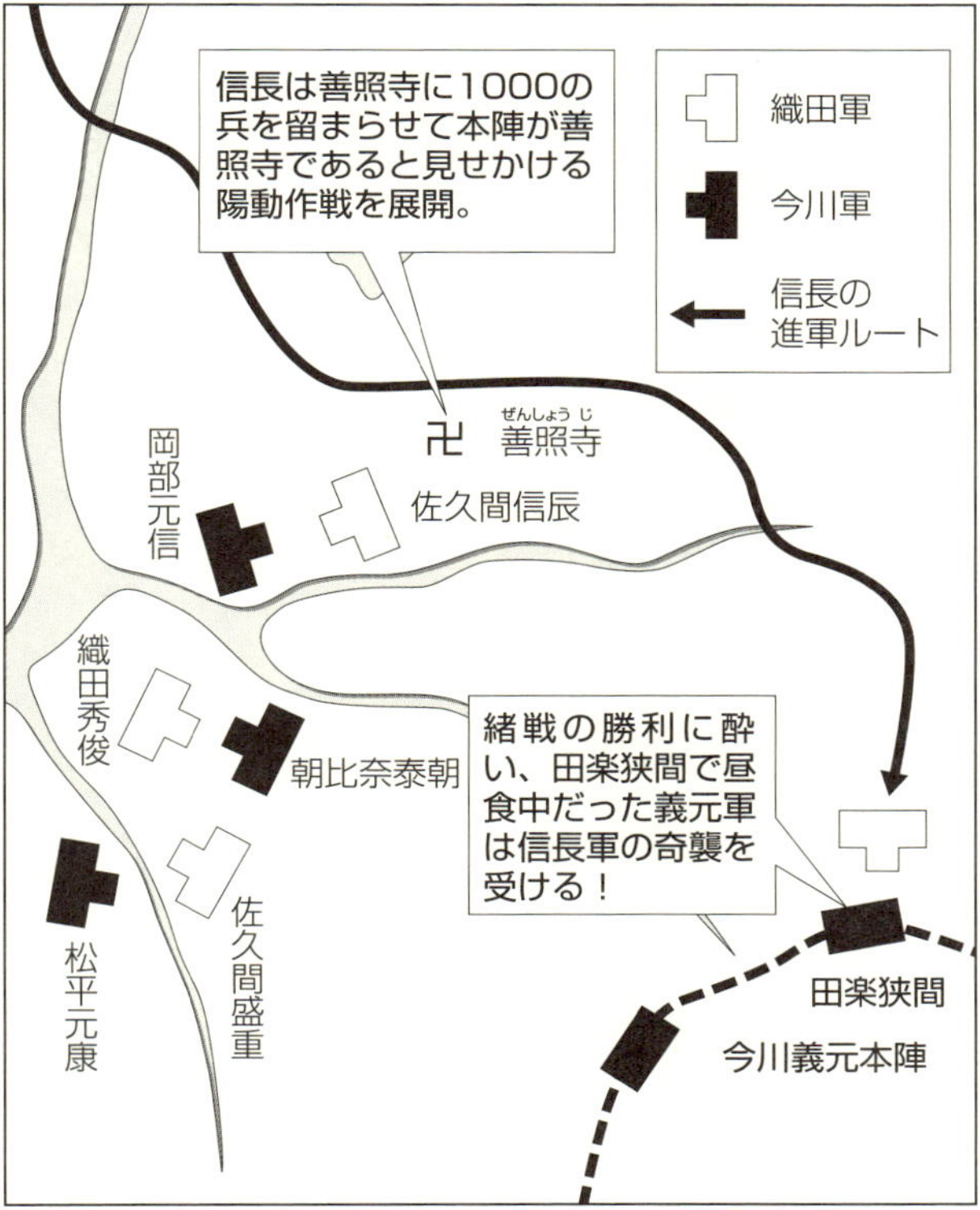
信長は善照寺に1000の兵を留まらせて本陣が善照寺であると見せかける陽動作戦を展開。
織田軍
今川軍
信長の進軍ルート
善照寺《ぜんしょうじ》
岡部元信
佐久間信辰
織田秀俊
朝比奈泰朝
松平元康
佐久間盛重
緒戦の勝利に酔い、田楽狭間で昼食中だった義元軍は信長軍の奇襲を受ける！
田楽狭間
今川義元本陣

ひとくちメモ

大将の義元を討ち取られた今川軍は統制を失い総崩れとなった！

川中島の戦い（1561年）

武田信玄と上杉謙信の名勝負を地形から考える

「敵に塩を送る」という表現でライバル関係が語られるのが、戦国武将、越後《えちご》の上杉謙信と甲斐《かい》の武田信玄だ。信濃国《しなののくに》での川中島の戦いが名高いが、じつはこの場所での対戦は5回も繰り返されている。そのなかで、いちばん熾烈だったのが1561（永禄4）年の4回目の戦いだ。

図に沿ってこの戦いを検証してみる。

最初に動いたのは信玄で、彼が川中島に城を築くと、謙信は信濃に進軍して、正面の妻女山《さいじょさん》に陣を敷く。この謙信の動きで信玄も出陣して城に入る。この膠着《こうちゃく》状態のなか、武田軍は信玄の軍師・山本勘助が進言した隊を2つに分けての作戦「キッツキ戦法」を実行する。

ところが、この陽動作戦を見抜いた謙信は、山を下りて信玄本隊へ攻めかかる。そして、信玄の前へ馬上の謙信が姿を見せ、2人が刀を交えるという名場面を展開するのだ。

そこへ武田別働隊がモヌケのカラだった妻女山から駆けつけ、謙信は退散する。前半は上杉に、後半は武田に分があった戦いは、また引き分けに終わる。

― 上杉軍・武田軍による一進一退の攻防 ―

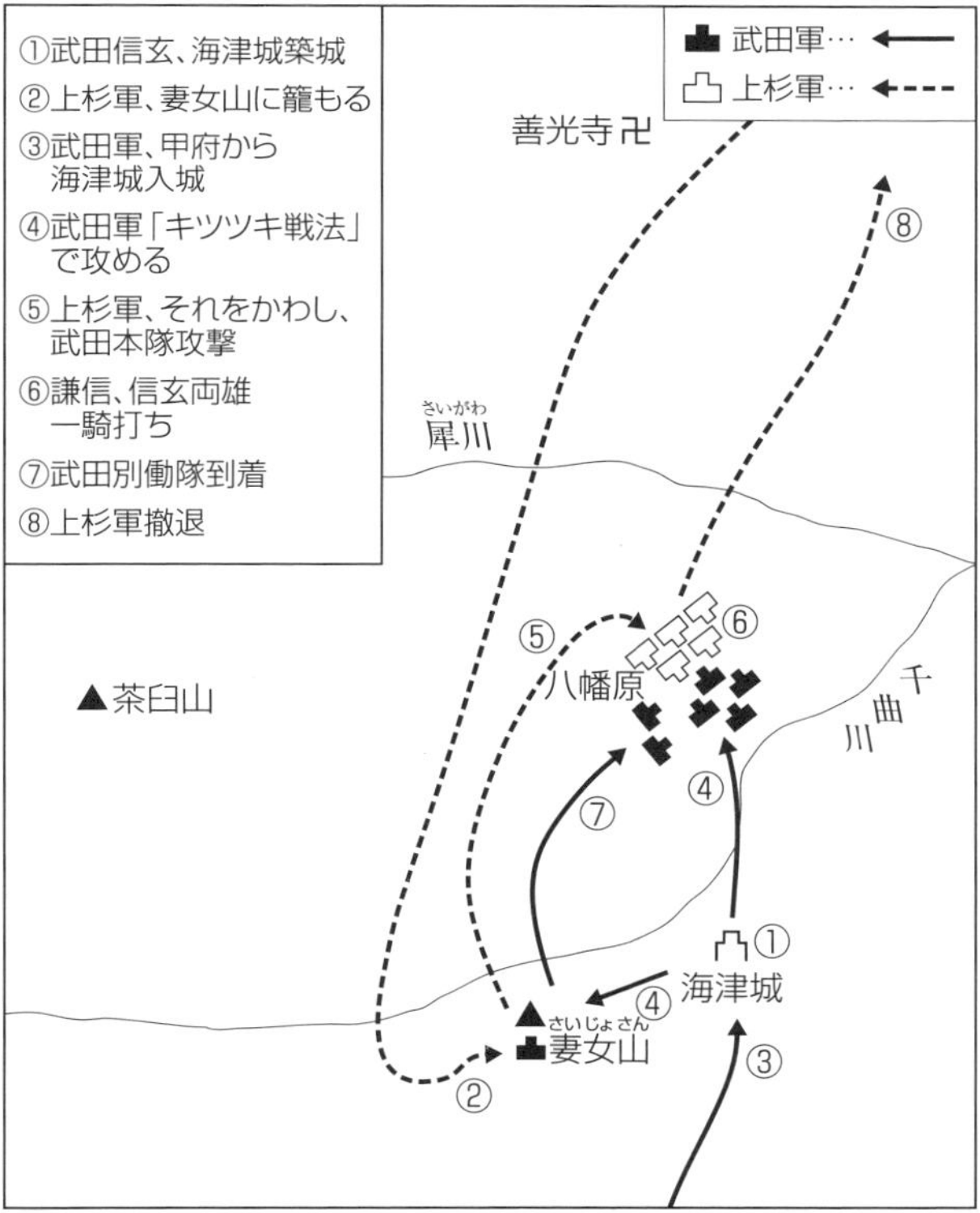
①武田信玄、海津城築城
②上杉軍、妻女山に籠もる
③武田軍、甲府から海津城入城
④武田軍「キツツキ戦法」で攻める
⑤上杉軍、それをかわし、武田本隊攻撃
⑥謙信、信玄両雄一騎打ち
⑦武田別働隊到着
⑧上杉軍撤退
武田軍…
上杉軍…
善光寺
犀川《さいがわ》
茶臼山
八幡原
千曲川
海津城
妻女山《さいじょさん》

ひとくちメモ

「キツツキ戦法」は武田氏の軍学書『甲陽軍鑑』にも出てくるが、地形などから考えると不可能な戦術だったようだ。

信長の金ヶ崎《かねがさき》撤退（1570年）

浅井長政の謀反！「挟み撃ち」から逃れる信長の逃走劇

いつ誰に攻められるかわからない戦国大名は、他の大名と姻戚関係を結んだ。織田信長の妹・お市《いち》の方《かた》も、兄のその思惑に従って、近江の浅井長政に嫁ぐ。

これで浅井家と織田家は同盟関係になったが、浅井家は長政の父親の代から、越前の朝倉義景と同盟を結んでいた。

ところが、将軍足利義昭が信長討伐の密書を諸大名に送ると、朝倉義景が真っ先に応じるという事態が生じた。信長は、長政が動かないことを信じてすぐに越前へ出兵し、金ヶ崎城を落とした。そこへ、長政が朝倉との同盟を優先して、信長を裏切り出陣するという情報が届く。

図のとおり、金ヶ崎城は、朝倉・浅井の城の中間に位置し、挟み撃ちされればひとたまりもない。すぐに撤退を決めた信長は、朽木《くつき》越えの経路で京へ戻った。馬で駆けどおした撤退だったが、京に着いた時に従っていた家臣は、わずか10人ほどという厳しさだった。

京から岐阜へ戻った信長は、軍勢を立て直し、浅井・朝倉攻めとなる姉川の戦いの準備にかかったのである。

― 京都から岐阜に逃れる信長 ―

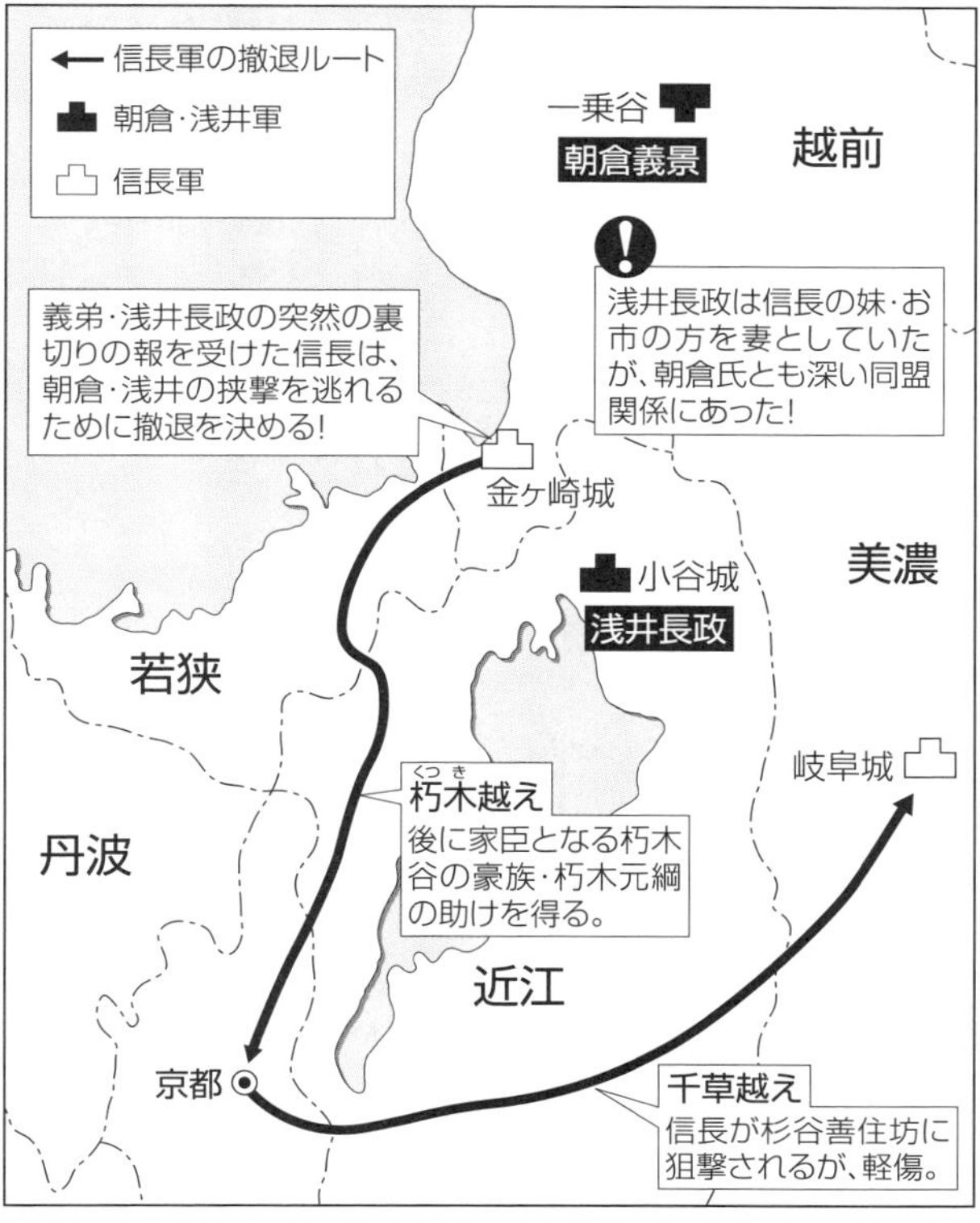

← 信長軍の撤退ルート
朝倉・浅井軍
信長軍
一乗谷
朝倉義景
越前
浅井長政は信長の妹・お市の方を妻としていたが、朝倉氏とも深い同盟関係にあった!
義弟・浅井長政の突然の裏切りの報を受けた信長は、朝倉・浅井の挟撃を逃れるために撤退を決める!
金ケ崎城
美濃
小谷城
浅井長政
若狭
岐阜城
朽木《くつき》越え
後に家臣となる朽木谷の豪族・朽木元綱の助けを得る。
丹波
近江
京都
千草越え
信長が杉谷善住坊に狙撃されるが、軽傷。

ひとくちメモ

岐阜城に戻った信長軍は数人の家臣しか残っていない上、信長自身も狙撃され負傷するほどの撤退劇だった!

姉川の戦い（1570年）

姉川を挟んだ決戦！――信長が勝った理由

義弟の浅井長政が裏切ったことで、手痛い敗戦を負った織田信長は、仕返しを固く心に決めた。信長は浅井攻めの協力者に、同盟者・徳川家康を選ぶ。

4月の敗走からわずか2カ月、織田・徳川連合軍は近江に向けて出陣、琵琶湖に流れる姉川を挟んで陣を構えた両軍は、いよいよ決戦に挑んだ。

兵の数で勝っていたのは織田・徳川連合軍だったが、長政は勇猛果敢な戦いぶりで、信長を手こずらせた。

合戦は早朝から、援軍の徳川軍と朝倉軍の対戦ではじまっており、敗色が濃くなった朝倉軍が退却をはじめると、徳川軍は浅井攻めに転じる。

さらに横山城を包囲していた氏家《うじいえ》直元らの軍が浅井軍への攻撃に参戦し、長政を敗走させた。

この徳川軍への活躍のおかげで信長は長政へのリベンジが果たせたといえる。

しかし、これで信長・長政の対決に決着を見たわけではない。浅井・朝倉は信長包囲網をゆるめず、2人が信長に討たれるのは3年後のことである。

― 姉川を挟み対峙する織田・徳川軍と浅井・朝倉軍 ―

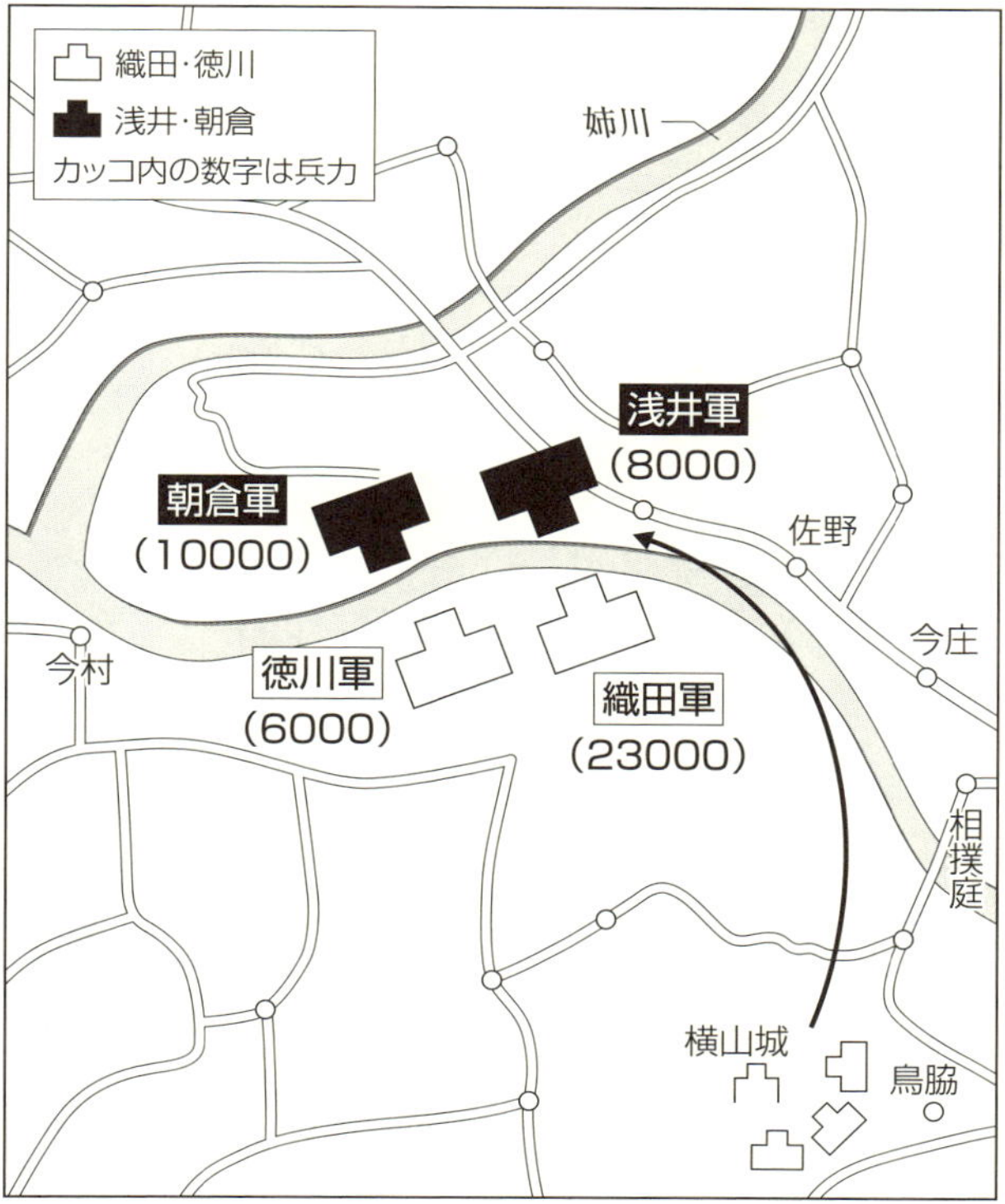
織田・徳川
浅井・朝倉
カッコ内の数字は兵力
姉川
浅井軍
(8000)
朝倉軍
(10000)
佐野
今庄
今村
徳川軍
(6000)
織田軍
(23000)
相撲庭
横山城
鳥脇

『図説 戦国合戦総覧』(新人物往来社)をもとに作成

ココがポイント!

横山城を包囲していた氏家直元らの軍が側面から浅井軍を攻撃。浅井軍は陣容が乱れ、劣勢の織田軍に形成を逆転される!

石山合戦（1570〜1580年）

信長をもっとも苦しめた男・顕如——10年の戦いに決着

織田信長は、他の戦国大名を相手に目めざましい活躍をしたが、武将ではない相手の制圧に10年もの月日がかかる苦戦をしている。その相手が、石山本願寺と一向宗門徒だ。

一向宗門徒は、一揆《いっき》を起こしては大名たちを苦しめてきた。そのため反信長勢力の大名たちのなかには、逆に一揆を利用して信長を悩ませようとする者が現れる。本願寺もそれを許していたようだ。

三好《みよし》三人衆と呼ばれた大名連合（三好長逸、三好政康、岩成友通）が、本願寺と手を組んだ気配を信長が察したのが石山合戦のはじまりだった。そこで彼は、本願寺に寺の破壊を命じた。

ここに至って一向宗法主・顕如《けんにょ》は、信長を「法敵」と断じて各地の門徒に挙兵を促す。これに応じて伊勢、越前、近江などの門徒衆が蜂起《ほうき》した。一方で顕如は、浅井・朝倉・毛利・武田ら反信長の大名と連合して信長包囲網を結成する。しかし、徹底抗戦の姿勢を見せ続ける本願寺も10年に達する信長との対立に力をなくしてしまい、最後は寺を捨てて出ていく。

— 天然要塞・本願寺を包囲する信長軍 —

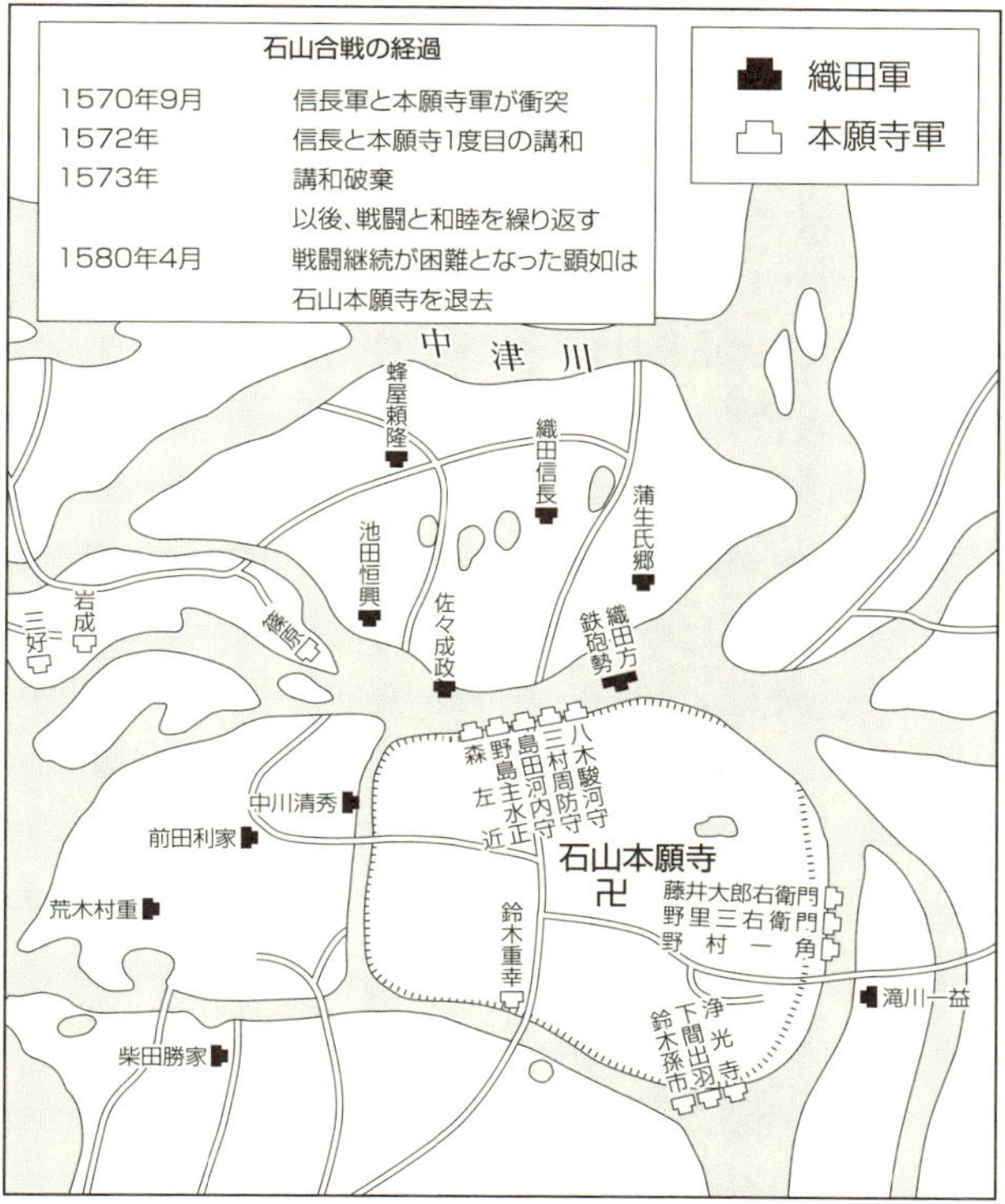
石山合戦の経過
1570年9月 信長軍と本願寺軍が衝突
1572年 信長と本願寺1度目の講和
1573年 講和破棄
以後、戦闘と和睦を繰り返す
1580年4月 戦闘継続が困難となった顕如は石山本願寺を退去
織田軍
本願寺軍
中津川
蜂屋頼隆
織田信長
蒲生氏郷
池田恒興
佐々成政
織田方鉄砲勢
岩成
三好
篠原
八木駿河守
三村周防守
島田河内守
野島主水正
森左近
中川清秀
前田利家
荒木村重
柴田勝家
石山本願寺
卍
藤井大郎右衛門
野里三右衛門
野村一角
鈴木重幸
滝川一益
浄光寺
下間出羽
鈴木孫市

『図説 戦国合戦総覧』(新人物往来社)をもとに作成

ひとくちメモ

難攻不落の日本一の境地と呼ばれていた本願寺は台地に位置し、四方を川に囲まれていた！

長篠の戦い（1575年）

画期的戦法——3000挺の鉄砲隊をどう配備した？

上洛の夢を果たせずに逝った武田信玄の跡を継いだのが、武田勝頼だ。彼は、たびたび三河へ侵攻して徳川家康を悩ませた。そんな家康の同盟者として織田信長が出陣し、戦国時代の戦いに新しい戦法を示したのが長篠の戦いだ。

まず画期的だったのは、大量の鉄砲を使用したこと。そして、その使い方を工夫したことだ。

戦いは、武田から徳川に寝返った長篠城を勝頼が攻撃したことからはじまる。家康はすぐに援軍を送ると同時に、信長にも助けを求めた。

信長は、戦場となる設楽原《したらがはら》で、図のような位置に柵を組ませた。名高い武田騎馬軍団に備えた馬防柵《ばぼうさく》である。さらに、柵の後ろには3000挺《ちょう》の銃を配備した鉄砲隊を3列に並ばせた。これは、当時の火縄銃で、間断なく射撃できる3段打ちの戦法を用いるためだ。

これで騎馬の動きを止められた勝頼軍は大敗、信長・家康は連帯を強めた。

大名たちが、戦に鉄砲が欠かせないことを実感した戦いだった。

― 馬防柵の後方に3000挺の鉄砲を配備し武田軍を撃退 ―

織田・徳川軍
38000
武田軍
15000
武田勝頼
医王寺
馬場
土屋
穴山
一条
武田信豊
小幡
八束穂
信廉
内藤
原
山県
舌呂道
水野
佐久間
丹羽
羽柴
滝川
石川
松平信康
徳川家康
榊原
大須賀
大久保
御堂山
極楽寺山
織田信長
武田軍陣地
織田・徳川軍陣地
馬防柵
本陣
正面からの突入を繰り返した武田軍の騎馬隊は信長軍の鉄砲の前に1度も柵を突破できずに終わる。

出典:『図説 戦国合戦総覧』(新人物往来社)

ひとくちメモ

信長が武田の騎馬隊対策として考え出した馬防柵は、兵士１人につき１本ずつ丸太を持参させてつくらせた。

本能寺の変（1582年）

謀反の知らせを聞いた秀吉、備中高松～山崎間を8日で走破

天下統一まであと一歩となっていた織田信長が、家臣の明智光秀の謀反《むほん》により非業《ひごう》の死を遂げた本能寺の変は、誰もが知る日本史の重大事件だ。

信長は、西国出陣の途中だったが、本能寺で茶会を開くなど、緊張感はなかった。羽柴（豊臣）秀吉による高松城攻めの仕上げを見定めるという、気楽な遠征だったのだ。そのため本能寺には側近数人がいただけで、そうでなければ、命を落とすこともなかったはずだ。

この不運な死を、秀吉は信長の到着を待つ備中高松で知った。ここから秀吉の異才が発揮される。高松城とは急いで和議を結び、京へととって返すのである。これが、有名な「中国大返し」だ。

この時、信長重臣は秀吉同様に各地に出陣していたが、秀吉ほど急いで京に駆けつけた武将はいない。

秀吉が光秀を討って信長の報復を急いだのは、光秀を討つことが信長後継の条件と察知していたからだ。そして予定どおり光秀の首を取り、信長のかわりに天下統一の道へ進んだのである。

― 信長家臣団の遠征先と秀吉の「中国大返し」 ―

森長可
柴田勝家
佐久間盛政
織田信忠
織田信包
本能寺
山崎の戦い
仙石秀久
羽柴秀吉
光秀謀反の知らせを受け備中高松～山崎間をわずか8日間で駆け抜けた秀吉。その行軍は「中国大返し」といわれた。山崎の戦いで秀吉軍に惨敗した光秀は山中で討死した。

ひとくちメモ

2007年 8 月、旧本能寺跡から、「本能寺の変」で焼けたとされる瓦や堀跡が見つかった。

賤《しず》ヶ《が》岳《たけ》の戦い（1583年）

最大の宿敵を破った秀吉の「おびき出しの戦い」

織田信長の急死による後継者選びの清《きよ》洲《す》会議は紛糾した。長男はすでに明智光秀に討たれており、順番なら次男か三男が継ぐはずだが、秀吉は長男信忠の嫡《ちゃく》男《なん》・三法師の正統性を主張した。幼い彼を補佐する家老を置くことを決め、家臣団に家督相続を認めさせる。

この時三男・信孝擁立を主張していたのが、柴田勝家だった。光秀討伐に間に合わなかった負い目から、勝家はその後の恩賞配分でも秀吉に意見を譲り、越前北ノ庄の居城へと戻っている。

しかし、秀吉と勝家のわだかまりは消えず、織田家臣団は以後、秀吉派、勝家派に二分される。勝家は反秀吉勢力を結集して秀吉方の武将の城を攻めたりした。

そんななか、ついに秀吉が勝家おびき出しの戦いを仕掛ける。勝家派の武将を攻めると見せかけ、援軍に出てきた勝家を攻撃し、北ノ庄城へ追い詰めるという戦いだった。

この戦いで、秀吉に従って活躍した武将が「賤ヶ岳の七本槍」として、以後の秀吉の側近となっていく。

― 七本槍の活躍により勝利した秀吉軍 ―

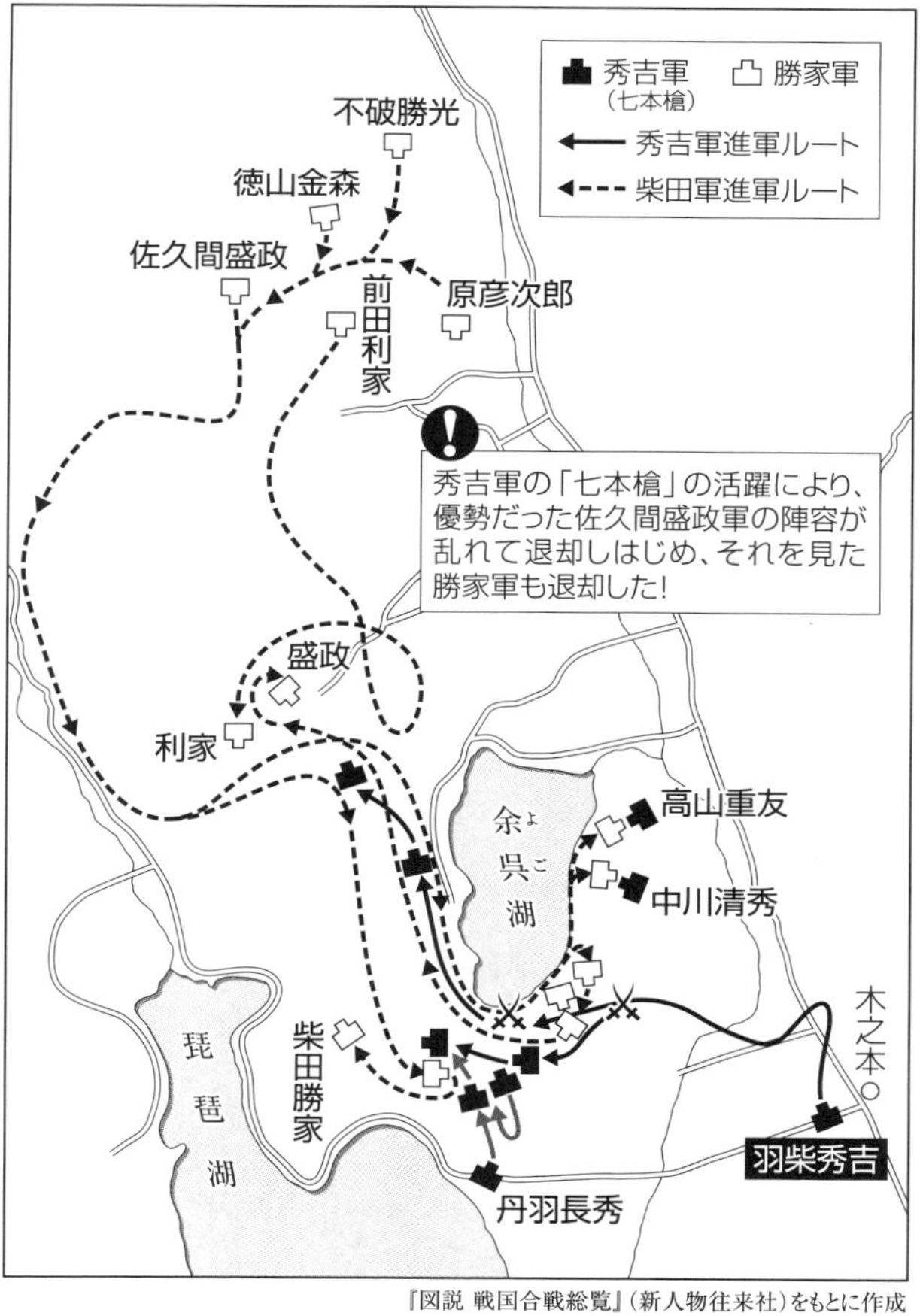
秀吉軍
（七本槍）
勝家軍
秀吉軍進軍ルート
柴田軍進軍ルート
不破勝光
徳山金森
佐久間盛政
原彦次郎
前田利家
秀吉軍の「七本槍」の活躍により、優勢だった佐久間盛政軍の陣容が乱れて退却しはじめ、それを見た勝家軍も退却した！
盛政
利家
余《よ》呉《ご》湖
高山重友
中川清秀
木之本
柴田勝家
琵琶湖
羽柴秀吉
丹羽長秀

『図説 戦国合戦総覧』（新人物往来社）をもとに作成

小田原征伐（1590年）

秀吉、「〝一夜城〟＋水軍」の陣形で北条氏を蹴散らす！

北条氏は、初代早雲が小田原を本拠にして以来100年をかけて関東一円の巨大勢力に成長していた。その自信から、豊臣秀吉が上洛を促しても、決して臣下の礼はとらなかった。それを理由に秀吉は小田原攻めを決める。先鋒隊の徳川家康軍をはじめ、総勢22万の大軍だった。

一方の北条氏は、秀吉の攻撃は覚悟しており、入念な準備の上で籠城作戦をとった。兵力は、支城からも人をかき集めての5万6000だ。

小田原に着いた秀吉は、城の西南にある石垣山に城を築く。そこから小田原城が一望できることを北条方の内通者から家康が聞き出しており、北条氏の籠城で長期戦となることを見越しての築城だった。城の眼下には、参集した大名たちが図のような陣形を敷き、海上も水軍が固めていた。

結局、長い籠城による疲労と相次ぐ支城の陥落に至って北条氏は降伏を余儀なくされた。多くの兵力、物量と時間を注いだ秀吉の思惑どおりの勝利で、関東制圧が成し遂げられたのである。

― 22万の大軍で小田原城を包囲する秀吉軍 ―

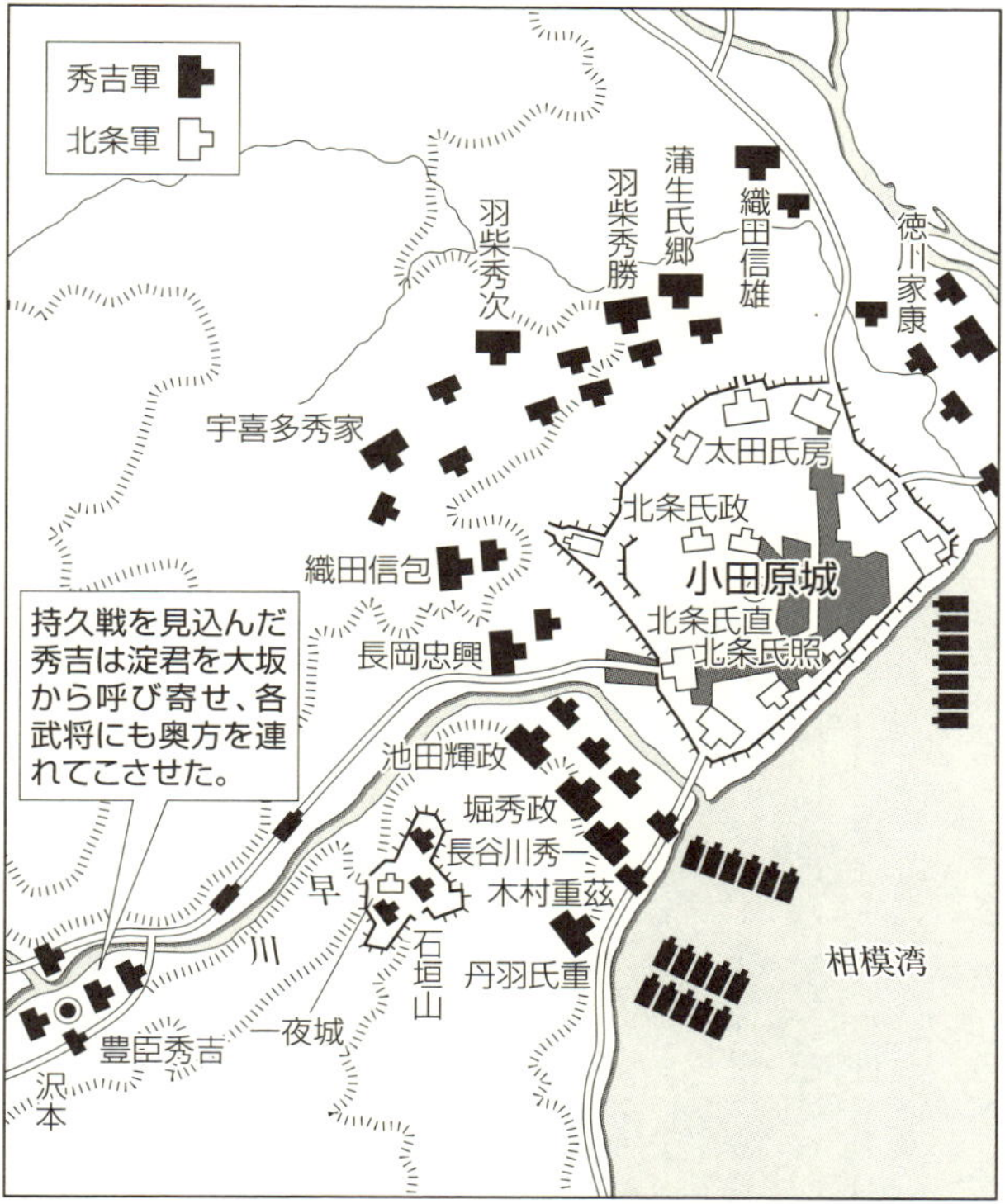
秀吉軍
北条軍
蒲生氏郷
羽柴秀勝
織田信雄
羽柴秀次
徳川家康
宇喜多秀家
太田氏房
北条氏政
小田原城
織田信包
北条氏直
北条氏照
長岡忠興
持久戦を見込んだ秀吉は淀君を大坂から呼び寄せ、各武将にも奥方を連れてこさせた。
池田輝政
堀秀政
長谷川秀一
早
木村重茲
川
石垣山
丹羽氏重
相模湾
一夜城
豊臣秀吉
沢本

『図説 戦国合戦総覧』（新人物往来社）をもとに作成

ひとくちメモ

石垣山の一夜城は実際には完成まで約80日かかったが、完成後に城の周りの山林を伐採したために突如城が出現したように見えた！

豊臣秀吉の天下統一（1590年）

乱世を制し、遂に頂点に上り詰めた天下人に！

織田信長が没した後、明智光秀を討った豊臣秀吉は、その勢いで柴田勝家も倒し、文字どおり信長の後継者となった。

その後、彼が大坂に城を築いて本拠に定めると、秀吉の天下獲りは時間の問題となる。ただ、それに待ったをかけたのが徳川家康。1584（天正12）年に2人は小牧・長久手の戦いを構える。この戦いは決着がつかず、家康もそれ以上の対立は望まず、和議が成立した。

さらに四国平定に成功した秀吉は、1585（天正13）年に関白の座に就く。これにより、秀吉は信長配下の一武将という立場から、朝廷内でも権力をもつ身へと変貌。その上秀吉は、関白就任の翌年には太政大臣にまで上り詰めた。

そのため、これ以後の秀吉の出陣は、戦国大名同士の勢力争いではなくなり、天下統一という大義名分をもつものとなった。島津氏には九州〝平定〟、北条氏には小田原〝征伐〟の名目で出陣したのはそのためだ。その後、残った仙台の伊達政宗も上洛、日本中の武将が秀吉の指揮下に入って天下統一は完成した。

― 秀吉の天下統一までの道のり ―

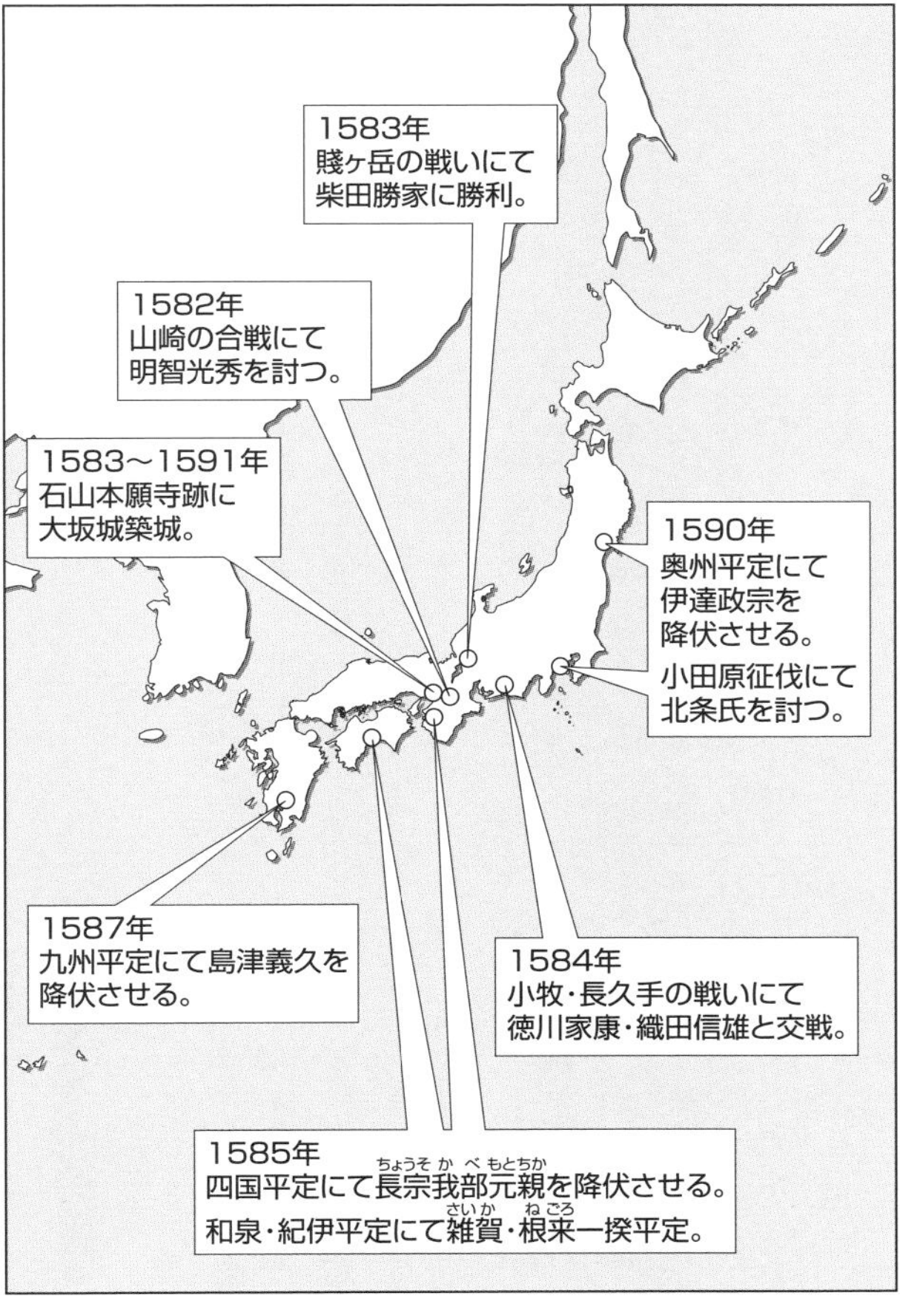
1583年
賤ヶ岳の戦いにて
柴田勝家に勝利。
1582年
山崎の合戦にて
明智光秀を討つ。
1583～1591年
石山本願寺跡に
大坂城築城。
1590年
奥州平定にて
伊達政宗を
降伏させる。
小田原征伐にて
北条氏を討つ。
1587年
九州平定にて島津義久を
降伏させる。
1584年
小牧・長久手の戦いにて
徳川家康・織田信雄と交戦。
1585年
四国平定にて長宗我部《ちょうそかべ》元親《もとちか》を降伏させる。
和泉・紀伊平定にて雑賀《さいか》・根来《ねごろ》一揆平定。

豊臣秀吉の朝鮮出兵（1592〜1598年）

天下統一後、「アジアの盟主」を夢見たが……

天下人となった豊臣秀吉は、戦いに飽きることはなかったようで、朝鮮出兵を命じている。これは、彼が天下統一の過程で中国・明《みん》を征服してアジアの盟主になる夢を抱きはじめていたからだという。朝鮮半島への派兵はその足がかりとしたわけだ。

最初の出兵が1592（文禄元）年の文禄の役で、朝鮮にとっては不意打ちだったため、日本軍は連戦連勝で進軍した。左図の文禄の役のルートを見ればわかるが、短期間で半島を蹂躙《じゅうりん》している。

ところが、翌年には明が朝鮮半島に援軍を送り込んだため、日本は講和に応じた。この講和で秀吉は、半島南部の割譲《かつじょう》を要求するが聞き入れられるはずもない。1597（慶長2）年の2回目の出兵・慶長の役は、その要求拒否に腹を立てての派兵で、14万という兵力が注がれた。

しかし半島の義兵たちの激しい抵抗に、日本軍は苦戦を強《し》いられた。しかも制海権を奪われた日本軍は苦境に立たされてしまう。その状況下で秀吉は没し、政務を引き継いだ五大老は引き揚げを決めた。

―累計30万の大軍で朝鮮に襲いかかった日本軍―

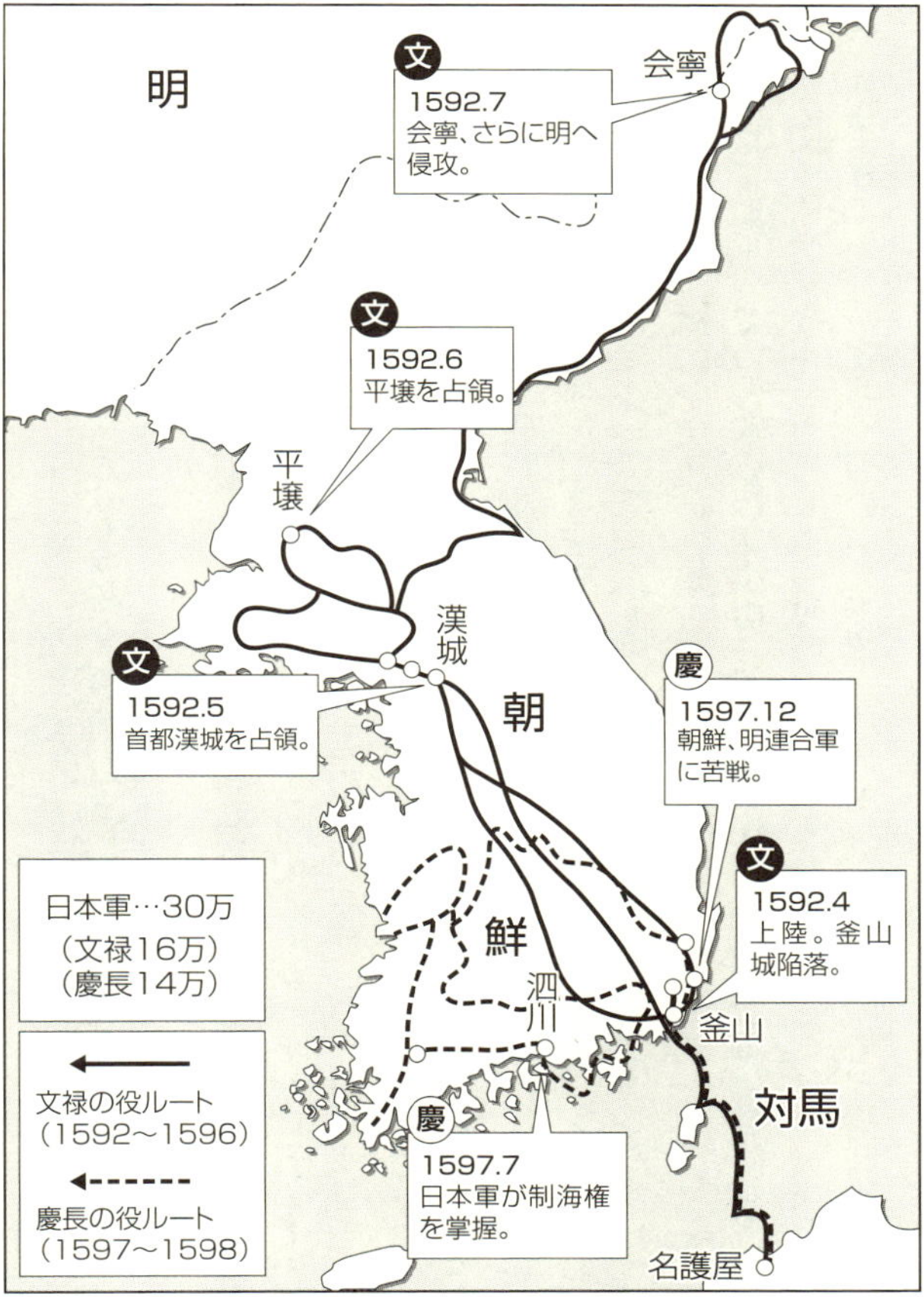
明
文
1592.7
会寧、さらに明へ侵攻。
会寧
文
1592.6
平壌を占領。
平壌
漢城
文
1592.5
首都漢城を占領。
朝
慶
1597.12
朝鮮、明連合軍に苦戦。
文
1592.4
上陸。釜山城陥落。
鮮
泗川
釜山
対馬
日本軍…30万
(文禄16万)
(慶長14万)
文禄の役ルート
(1592〜1596)
慶長の役ルート
(1597〜1598)
慶
1597.7
日本軍が制海権を掌握。
名護屋

『日本史総覧』(東京法令出版)をもとに作成

関ヶ原の戦い（1600年）

東軍が勝った「理由」は地図で一目瞭然！

豊臣秀吉が没した時、後継者の秀頼はまだ幼く、政治は秀吉の決めた五大老・五奉行の合議にゆだねられたが、再び乱世に戻りそうな気配だった。それは五大老の1人、徳川家康の力が抜きん出ていて、彼が天下を望むだろうというのが衆目《しゅうもく》の一致するところだったからだ。

家康の動向をいちばん恐れていたのが、五奉行の1人、石田三成。それがわかっていた家康は、会津で上杉景勝に謀反《むほん》の気配が見えると、秀頼の命《めい》で討伐軍を組織して自ら出陣する。この家康の留守を機会に彼の抹殺を狙った三成は、家康討伐の檄《げき》を豊臣恩顧の諸大名に飛ばして挙兵、家康の京の居城・伏見城を包囲した。

しかし、この会津出陣こそ家康の仕掛けで、三成挙兵を促す作戦の1つだった。関東の小山《おやま》まで進軍していた家康は、小山の軍議で討伐軍参加の諸将の賛同を得てUターン、関ヶ原で三成軍と対峙《たいじ》した。軍議がすんなりまとまったのは、三成が武将たちに疎《うと》まれていたからだ。秀吉の天下統一に貢献した賤ヶ岳の七本槍と称された武人派家臣にとって、文人派の三成が秀頼側近として権力を振るうのはがまんできないことだった。豊臣恩顧の大名たちは一枚岩ではなかったのだ。

家康はその心理も読んで、会津出陣前から諸将への下工作に抜かりがなかった。三成の檄で出陣し、関ヶ原で西軍として陣を構えた大名のなかには、すでに家康に内通していて、決戦の場で動かなかったり寝返ったりした者が少なからずいた。図の陣形のうち、東軍の背後に陣を置いて挟み撃ちに備えていた大名軍が、本来の西軍として家康の本陣を襲っていれば、東軍には勝ち目はなかったはずだ。

さらにいえば、伏見城を落として大垣城に入っていた三成は、この城を拠点にした戦いを主張する西軍武将たちの意見を退けて、関ヶ原へ出陣している。これも攻城戦の苦手な家康の陽動作戦に乗っての出陣だった。戦場経験がないまま独断で軍を指揮する三成の態度に、迷っていた武将は裏切りを決意したのかもしれない。

こうして、兵力に勝りながら、西軍は戦闘開始からわずか2時間あまりで敗れ去る。関ヶ原の戦いでは、小早川秀秋の裏切りが戦いの流れを決めたといわれるが、裏切り者は彼1人ではなかったのである。この戦いに大勝利した家康は、いよいよ本格的に天下獲りの道を歩きはじめることになる。

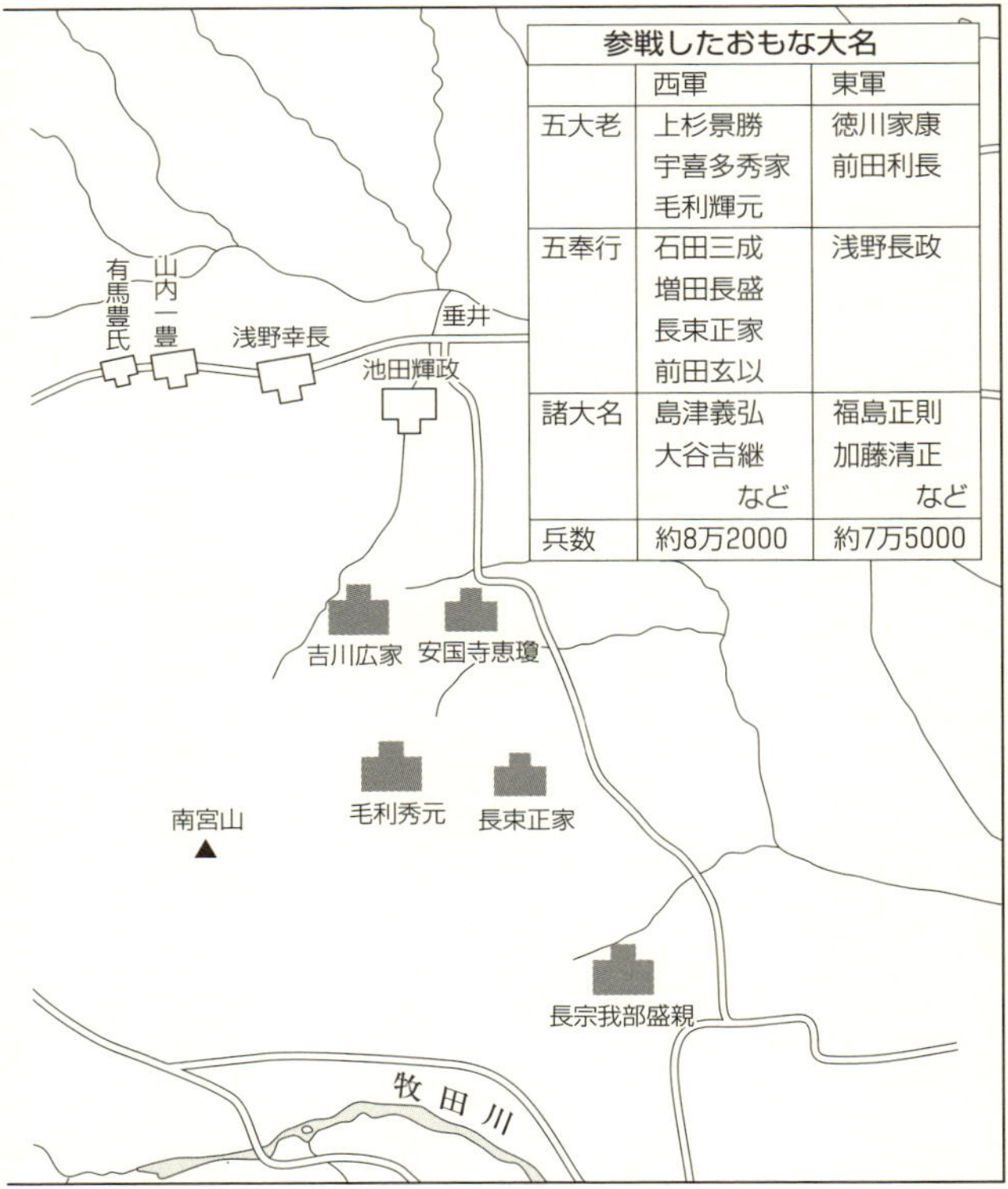

有馬豊氏
山内一豊
浅野幸長
垂井
池田輝政
吉川広家
安国寺恵瓊
毛利秀元
長束正家
南宮山
長宗我部盛親
牧田川

参戦したおもな大名		
	西軍	東軍
五大老	上杉景勝 宇喜多秀家 毛利輝元	徳川家康 前田利長
五奉行	石田三成 増田長盛 長束正家 前田玄以	浅野長政
諸大名	島津義弘 大谷吉継 など	福島正則 加藤清正 など
兵数	約8万2000	約7万5000

ひとくちメモ

西軍の総大将は石田三成のように思われているが、実は毛利輝元。

― 東軍・西軍・西軍を裏切った武将配置図 ―

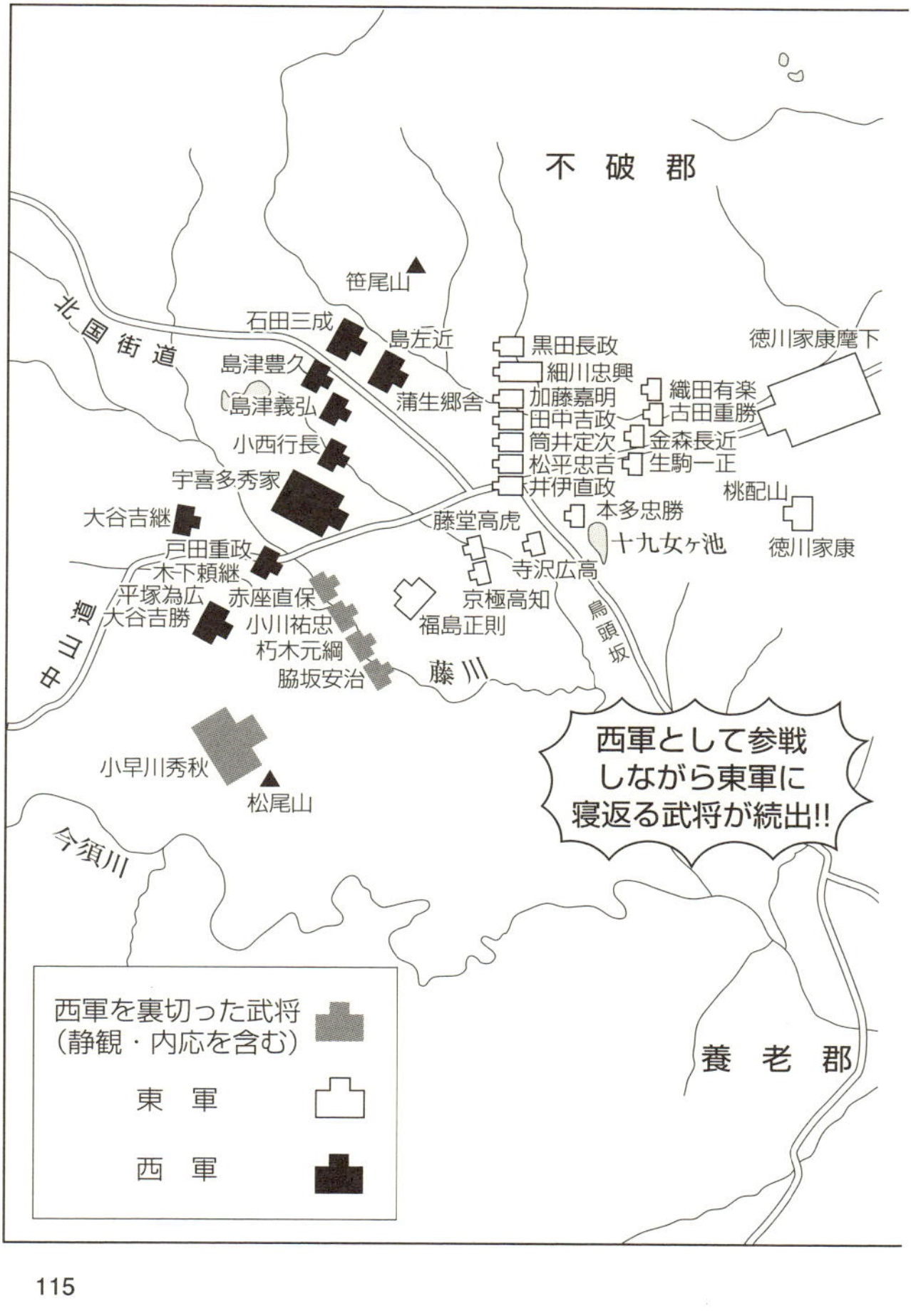

不破郡
笹尾山
北国街道
石田三成
島左近
島津豊久
島津義弘
蒲生郷舎
小西行長
宇喜多秀家
大谷吉継
戸田重政
木下頼継
平塚為広
大谷吉勝
赤座直保
小川祐忠
朽木元綱
脇坂安治
中山道
黒田長政
細川忠興
加藤嘉明
田中吉政
筒井定次
松平忠吉
井伊直政
織田有楽
古田重勝
金森長近
生駒一正
徳川家康麾下
桃配山
徳川家康
本多忠勝
十九女ヶ池
藤堂高虎
寺沢広高
京極高知
福島正則
烏頭坂
藤川
小早川秀秋
松尾山
今須川
西軍として参戦
しながら東軍に
寝返る武将が続出!!
養老郡
西軍を裏切った武将
(静観・内応を含む)
東 軍
西 軍

朝鮮通信使の来航（1607年）

日光まで足を運んだ通信使、文化交流に活躍

室町時代から続いていた朝鮮との通交は、豊臣秀吉による文禄・慶長の役で断絶していたが、秀吉の死後、天下統一を果たした徳川家康は、朝鮮との関係回復を望んだ。なぜなら、国内支配を固めるために外交関係を重視していたからだ。

対馬《つしま》藩の宗義智《そうよしとし》とともに尽力した結果、1609（慶長14）年には己酉《きゆう》約条が結ばれ、ようやく国交が再開したのである。

この国交回復の裏には、国家の安全保障のために日本との関係を修復し対等なつき合いを望んだ朝鮮と、貿易再開を望んだ対馬藩や朝鮮内の商人の思惑があり、それらが重なった結果である。

国交回復後、17世紀末ごろには丁銀を輸出し中国産の生糸《きいと》を輸入するなどして日本は莫大な利益を獲得した。文化的な面では通詞《つうじ》として登用された雨森《あめのもり》芳洲《ほうしゅう》などの儒学者を通して盛んに交流が行なわれた。また、将軍襲職などの祝賀の際には、図のように対馬を通り通信使が来訪し、遠くは日光まで足を運んでいる。この時、古くから珍重されていた朝鮮人参が貢物として日本に持ち込まれている。

― さまざまな使命で来日した通信使 ―

	年代	使命（名目）
第1回	1607年（慶長12年）	国交回復
第2回	1617年（元和3年）	大坂平定祝
第3回	1624年（寛永元年）	家光襲職祝
第4回	1636年（寛永13年）	泰平祝
第5回	1643年（寛永20年）	家綱誕生祝
第6回	1655年（明暦元年）	家綱襲職祝
第7回	1682年（天和2年）	綱吉襲職祝
第8回	1711年（正徳元年）	家宣襲職祝
第9回	1719年（享保4年）	吉宗襲職祝
第10回	1748年（延享5年）	家重襲職祝
第11回	1764年（宝暦14年）	家治襲職祝
第12回	1811年（文化8年）	家斉襲職祝

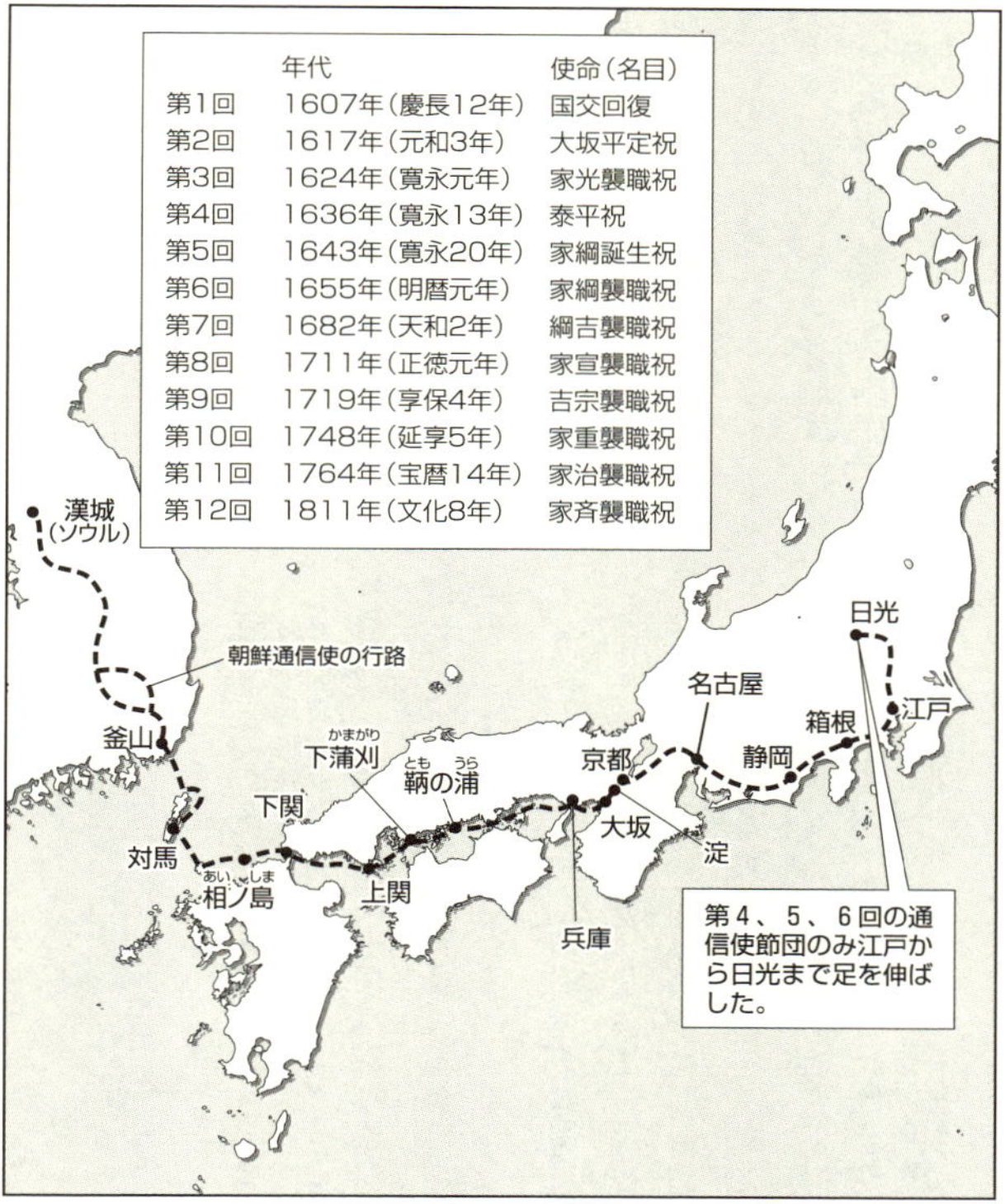
漢城
（ソウル）
朝鮮通信使の行路
釜山
対馬
相《あい》ノ島《しま》
下関
上関
下蒲刈《かまがり》
鞆《とも》の浦《うら》
兵庫
大坂
淀
京都
名古屋
静岡
箱根
江戸
日光
第4、5、6回の通信使節団のみ江戸から日光まで足を伸ばした。

『朝鮮通信使の旅日記 ソウルから江戸―「誠信の道」を訪ねて』辛基秀（PHP研究所）をもとに作成

ひとくちメモ

通信使たちは釜山から大坂までは海路、大坂から京都までは川を渡った。そして、京都から江戸までは陸路を通った。

大坂冬の陣（1614年）

「難攻不落の城」と「100門の大砲」の戦い

「関ヶ原の戦い」により、ほぼ実権を掌握していた徳川家康は、表面上は君主の豊臣秀頼に敬意を示してはいたが、裏では豊臣家の滅亡を画策していた。家康の行動は次第に露骨になり、1614（慶長19）年の「方広寺《ほうこうじ》鐘銘事件」によって豊臣家との開戦に発展する。家康が「大仏の鐘銘に徳川を呪うものがある」と難癖をつけたのである。

そして、10月11日家康は秀頼討伐のため駿府を出発する。茶臼山《ちゃうすやま》に本陣を置いた徳川軍は息子の秀忠の軍と合わせ約20万の大軍である。対する豊臣軍は寄せ集めの浪人などで、その差は歴然であった。しかし豊臣軍には真田幸村などの武将が加勢し、真田丸では鉄砲を用いた奇策で苦しめられることもあった。

大坂城の難攻不落を想定した家康は講和を求めた。しかし、なかなか進展しないことに苛立《いらだ》ち、12月9日に100門の大砲を城内に向け一斉砲撃を開始。連日続く砲撃が淀殿の部屋にも落ちた。これが決め手となり、恐怖した淀殿が秀頼を説得し、12月20日に講和が成立した。

― 真田幸村の活躍で善戦した豊臣軍 ―

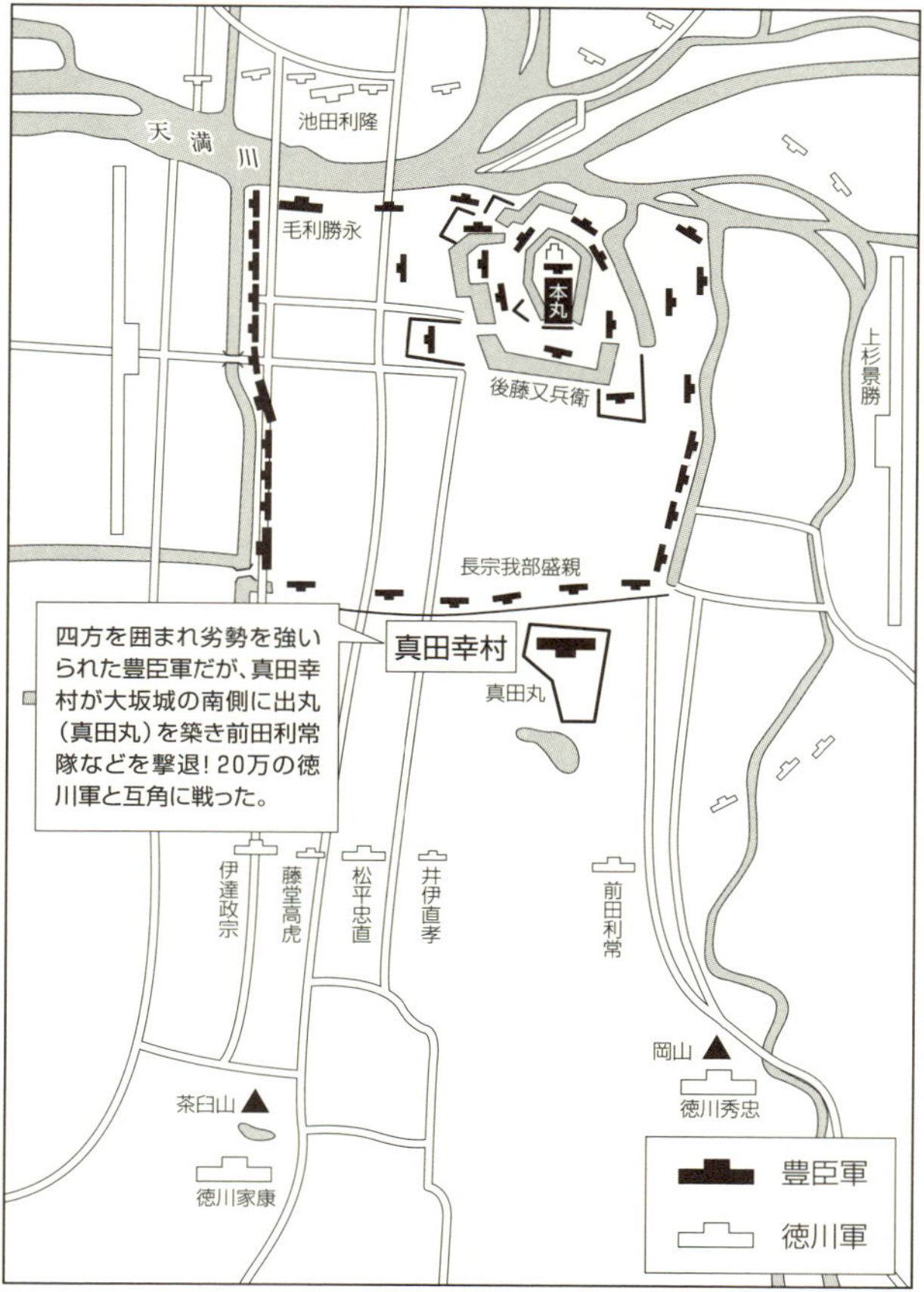
天満川
池田利隆
毛利勝永
本丸
後藤又兵衛
上杉景勝
長宗我部盛親
四方を囲まれ劣勢を強いられた豊臣軍だが、真田幸村が大坂城の南側に出丸（真田丸）を築き前田利常隊などを撃退！ 20万の徳川軍と互角に戦った。
真田幸村
真田丸
伊達政宗
藤堂高虎
松平忠直
井伊直孝
前田利常
岡山
徳川秀忠
茶臼山
徳川家康
豊臣軍
徳川軍

『日本の合戦－こうすれば勝てた』柘植久慶（原書房）をもとに作成

大坂夏の陣（1615年）

豊臣家の最期——起死回生の作戦、失敗に終わる！

1615（慶長20）年3月下旬、豊臣側が再軍備しているという噂が世間を騒がせていた。秀頼は弁解のため大野治長を家康のもとへ送ったが、家康からは反意がないという証拠に、秀頼が大坂城を出るか、浪人をすべて追放するよう求められた。しかしそれは秀頼にとっては、とうてい承知できない内容であった。

4月5日、秀頼から不承知の返事を受け取った家康は、25日に諸大名を引き連れ、大坂へ出陣する。総勢15万の大軍である。対する豊臣軍は半分の5万余であった。形勢は徳川軍有利で進み、茶臼山にまで迫ってきた。それでも、豊臣軍には作戦があった。天王寺周辺に集まった徳川兵の主力を背後から狙うのである。しかし背後に回りこむ前に戦いがはじまってしまい、作戦は失敗に終わる。この戦いで真田幸村が討死し、豊臣軍は大坂城への退却を余儀なくされた。

一方、城内も反乱者による火事などで騒然とし、結局、5月8日の朝に秀頼と淀殿が自害したことで、豊臣一族の栄華は終わったのである。

― 冬の陣と違い城外決戦に臨む西軍 ―

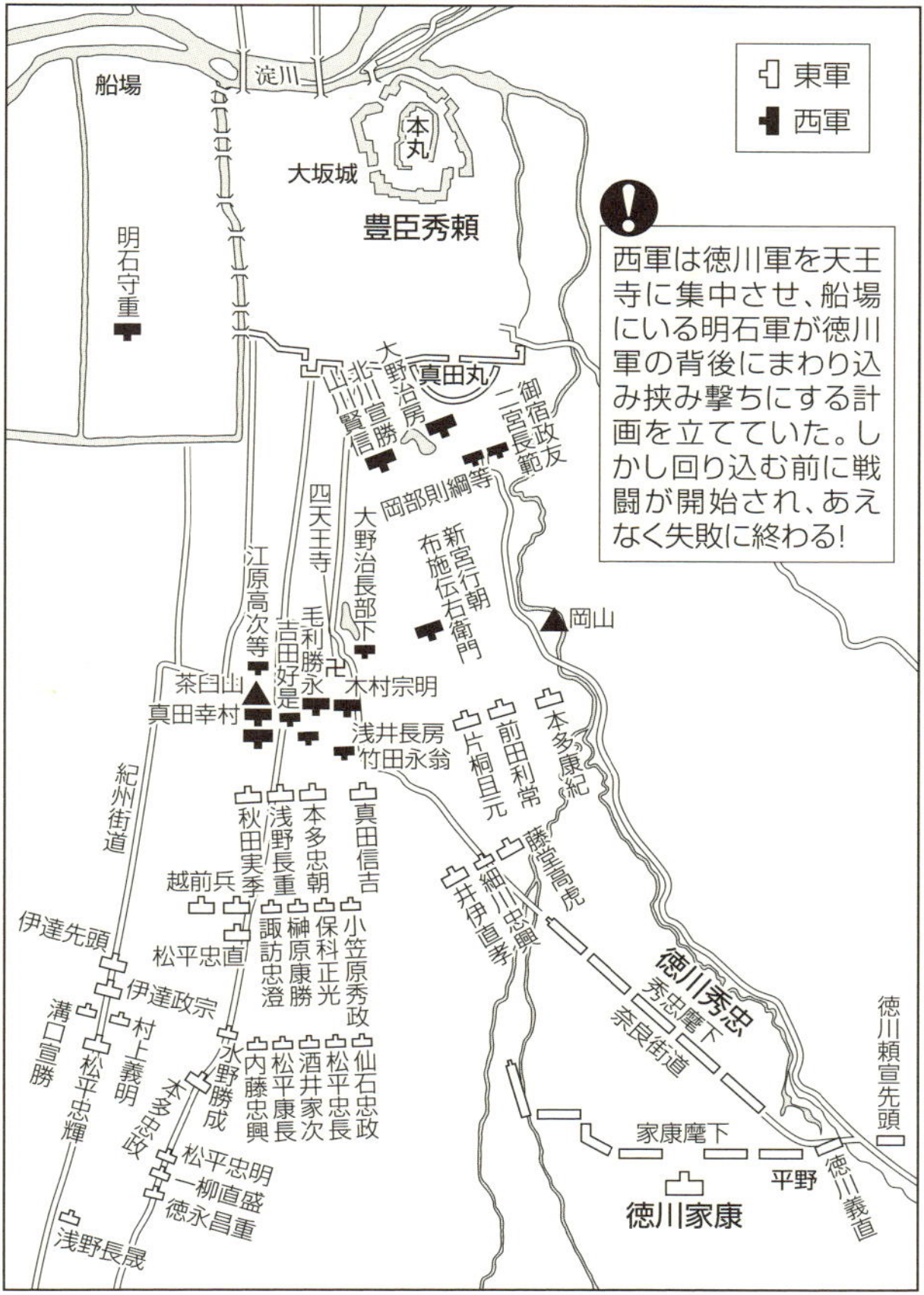
東軍
西軍
西軍は徳川軍を天王寺に集中させ、船場にいる明石軍が徳川軍の背後にまわり込み挟み撃ちにする計画を立てていた。しかし回り込む前に戦闘が開始され、あえなく失敗に終わる!
淀川
船場
本丸
大坂城
豊臣秀頼
明石守重
真田丸
大野治房
北川宣勝
山川賢信
御宿政友
二宮長範
岡部則綱等
四天王寺
大野治長部下
新宮行朝
布施伝右衛門
江原高次等
毛利勝永
吉田好是
茶臼山
真田幸村
木村宗明
浅井長房
竹田永翁
岡山
本多康紀
前田利常
片桐且元
藤堂高虎
細川忠興
井伊直孝
真田信吉
本多忠朝
浅野長重
秋田実季
越前兵
紀州街道
松平忠直
小笠原秀政
保科正光
榊原康勝
諏訪忠澄
伊達先頭
伊達政宗
溝口宣勝
村上義明
松平忠輝
水野勝成
本多忠政
内藤忠興
松平康長
酒井家次
松平忠長
仙石忠政
松平忠明
一柳直盛
徳永昌重
浅野長晟
徳川秀忠
秀忠麾下
奈良街道
家康麾下
徳川家康
平野
徳川頼宣先頭
徳川義直

『大坂の陣 新分析 現代に生きる戦略・戦術』旺文社編（旺文社）をもとに作成

島原の乱（1637年）

幕府によるキリスト教徒・大弾圧がはじまった

外国との貿易が活発になる一方で、キリスト教徒への弾圧は日増しに強まっていった。踏絵《ふみえ》がはじまり、1613（慶長18）年には全国でキリスト教が禁止された。

キリスト教徒の多い九州の島原地方では、領主・松倉氏による火あぶりなどの徹底的なキリスト教徒への弾圧が行なわれた。また、厳しい年貢の取立てなどもあり、農民の不満は高まっていった。

1637（寛永14）年10月、悪政と弾圧に耐えかねた島原・有馬村の農民が代官を殺害する事件が起こり、天草《あまくさ》四郎を中心として農民一揆が各地で勃発するようになる。

1637年の暮れ、農民たちは原城への立て籠もりを決行する。約3カ月に及ぶこの籠城は、翌年の2月27日に幕府軍の一斉攻撃により1日で陥落した。

この総攻撃では女性などの非戦闘員も殺され、その数は約4万人にものぼった。幕府軍も1万人近くの死傷者を出した。

こうして大規模な宗教一揆は鎮圧され、日本は鎖国へと向かうのである。

― 幕府軍による原城総攻撃 ―

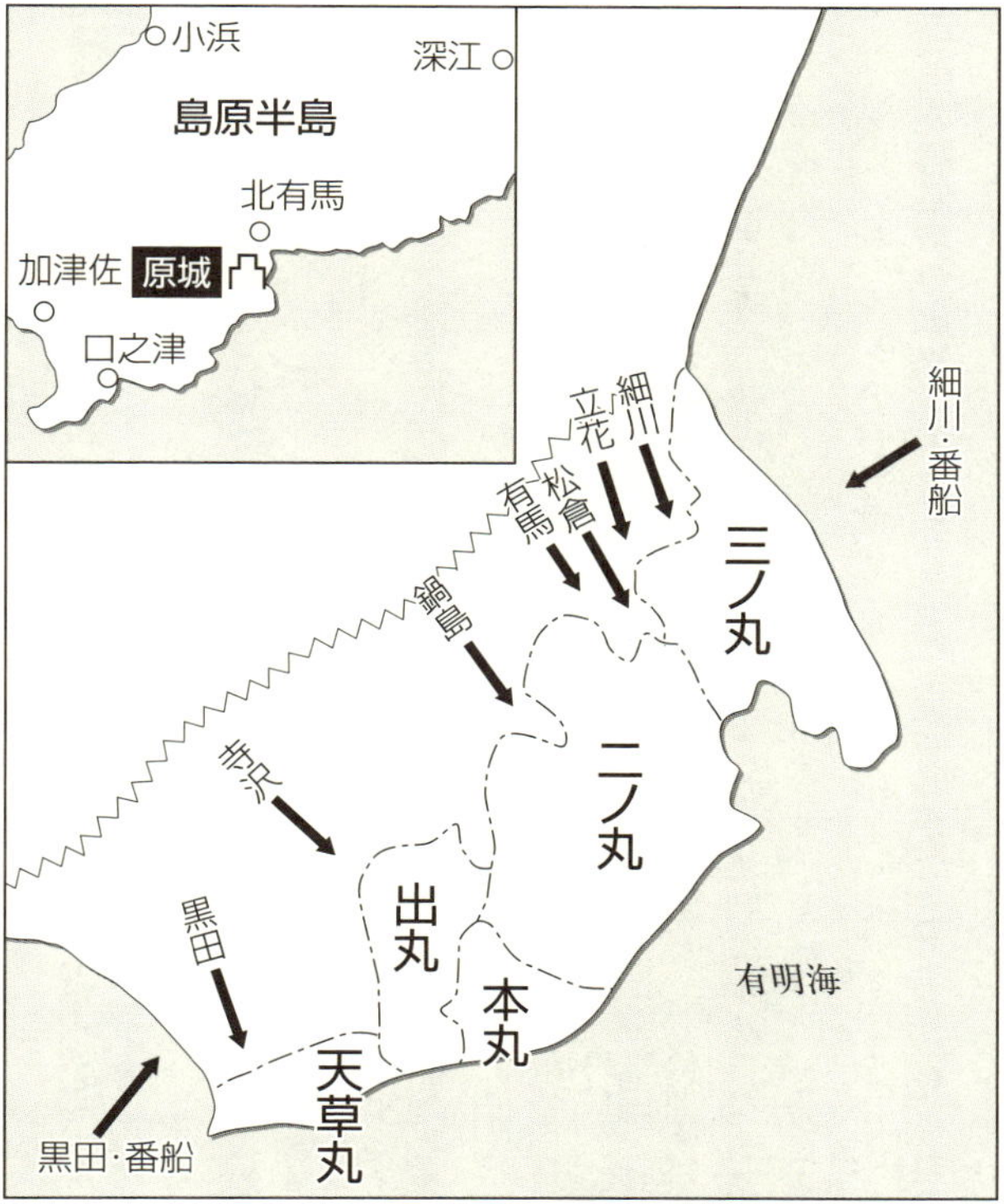
小浜
深江
島原半島
北有馬
加津佐
原城
口之津
細川
立花
有馬
松倉
鍋島
寺沢
黒田
細川・番船
三ノ丸
二ノ丸
出丸
本丸
天草丸
有明海
黒田・番船

『島原の乱』煎本増夫（教育社）をもとに作成

ひとくちメモ

約３カ月に及ぶ籠城の末、女性や子どもの非戦闘員を含めて約４万人が虐殺された。

鎖国令（1639年）

鎖国体制下、外国と交易したのは「長崎・出島」だけではなかった！

戦国時代から貿易港として外国の文化に触れることが多かった長崎では、キリスト教を信仰する者が多かった。外国宗教の浸透を危惧した豊臣秀吉は「バテレン追放令」で宗教弾圧をはかった。しかし、貿易とともに布教活動は広がり、徹底的な禁教にはいたらなかった。

それでも江戸時代になると、幕府はとうとう本格的なキリスト教の弾圧に乗り出す。

1616（元和2）年8月、徳川秀忠は各国船の寄港地を限定し、1639（寛永16）年にはポルトガル船の来航を禁ずることで鎖国が完成した。鎖国下で、日本人の海外渡航は禁止され、西洋との接触も厳しく制限された。一般人の西洋の学問や宗教への道は次第に閉ざされていった。

しかし一方で、幕府が貿易港を統制し管理したことで、貿易額自体は増加した。また、幕府はオランダを通して西洋の情報を手に入れていたことも事実であり、鎖国といっても完全に閉ざされてはいなかったのだ。

― 4つの藩だけが外国に開かれた鎖国体制下の日本 ―

江戸時代より朝鮮通信使の窓口を担う。釜山に倭館を設置。
幕府の直轄地としてオランダと中国の私貿易を行なう。学者なども滞在し文化交流も盛んだった。
松前藩
アイヌ居住地・蝦夷地との交易を行なう。
対馬藩
長崎・出島
薩摩藩
琉球王国との密貿易を行なう。琉球王国は独立国であったが、事実上薩摩藩の支配下にあった。

ひとくちメモ

鎖国体制には幕府が外国との貿易を独占しようという目的もあったため、貿易額自体は増加した！

シャクシャインの蜂起《ほうき》（1669年）

鎮圧されたアイヌは本格的に幕府の支配下へ

北海道の南部を管轄し、アイヌと交易を独占していたのが松前藩。アイヌから交易で得た物は、箱館港などで和人商人に売られた。北陸の商人からの入港税なども大きな収入源の1つであった。

しかし1669（寛文9）年になると松前藩の不正交易や支配に耐えかねたアイヌ民族の一斉蜂起にあう。首長シャクシャインを先頭に起こり、273人の和人が殺され、商船17隻も襲われた。

松前藩から蜂起の知らせを受けた幕府は、急いで津軽藩を鎮圧軍として向かわせるとともに、秋田・南部両藩にも出動態勢をとるよう命じた。アイヌは中国の女真族《じょしん》との交易もあったため、中国も連携して蜂起するのではと危惧を抱いたのである。

しかし、弓矢を用いた旧式装備のアイヌと、鉄砲を使った幕府との力の差は歴然であった。総攻撃により、1671（寛文11）年に蜂起を鎮圧し、幕府は周辺民族を従えることで権威を守ったのである。これ以降、アイヌは全面的に松前藩の支配下に置かれることとなった。

― 松前藩と対立し、蜂起するアイヌの首長シャクシャイン ―

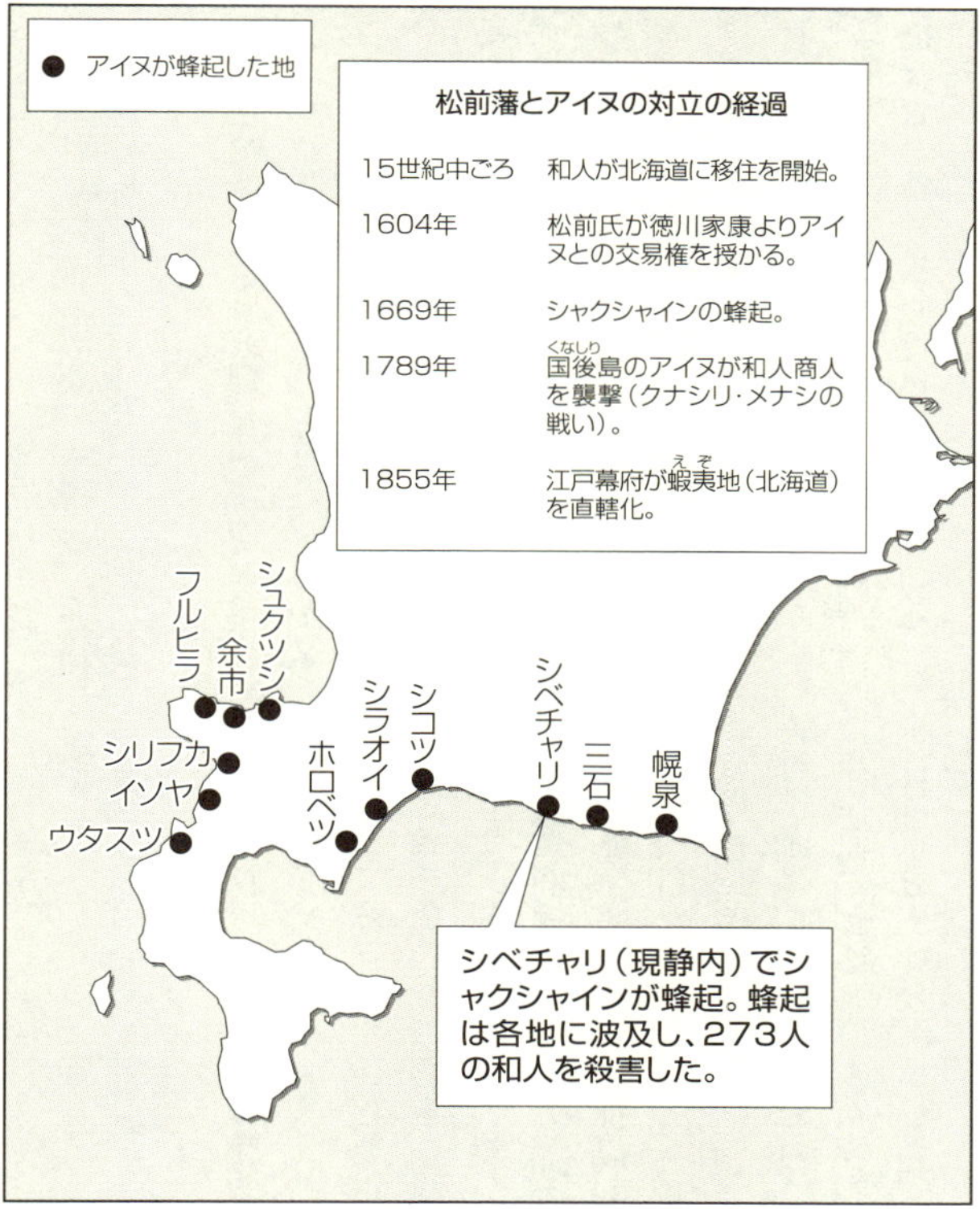
● アイヌが蜂起した地
松前藩とアイヌの対立の経過
15世紀中ごろ　和人が北海道に移住を開始。
1604年　松前氏が徳川家康よりアイヌとの交易権を授かる。
1669年　シャクシャインの蜂起。
1789年　国後《くなしり》島のアイヌが和人商人を襲撃（クナシリ・メナシの戦い）。
1855年　江戸幕府が蝦夷《えぞ》地（北海道）を直轄化。
フルヒラ
余市
シュクツシ
シリフカ
イソヤ
ウタスツ
ホロベツ
シラオイ
シコツ
シベチャリ
三石
幌泉
シベチャリ（現静内）でシャクシャインが蜂起。蜂起は各地に波及し、273人の和人を殺害した。

ココがポイント!

松前藩の圧政にアイヌの首長シャクシャインが立ち上がり、石狩地方を除いた蝦夷《えぞ》地のアイヌがいっせい蜂起。松前藩は津軽藩の援軍とともに蜂起を鎮圧する。

赤穂事件（1702年）

討ち入り——作戦の全貌を、屋敷の上から覗いてみると……

浅野内匠頭《たくみのかみ》は、吉良上野介《こうずけのすけ》を背後から斬りつけたことで切腹処分された。しかし、この事件は吉良の浅野に対する不正などが原因ともいわれ、吉良に対して何の咎《とが》めもない幕府の対応に不備があると非難する声もあった。

そして、世間の浅野への同情が高くなったころ、大石内蔵助《くらのすけ》ら四十七士の吉良への復讐が決行される。1702（元禄15）年12月15日未明のこと。内蔵助ら23名が表門から、大石主税《ちから》ら24名が裏門から吉良邸に突入した。まだ吉良方は寝ている最中であり、この奇襲の勝敗は火を見るより明らかであった。

はたして赤穂浪士の復讐は成功し、世間は忠義を貫いた彼らを「義士」と呼び賞賛した。問題は彼らの処分についてである。世間からは助命を願う声もあり、多くの儒学者も彼らを擁護した。判決が下ったのは2カ月半後で、彼らに下されたのは法治主義に基づく判決であった。赤穂浪士は切腹を命じられ、吉良家は領地を没収されるという喧嘩両成敗でこの事件は幕を引いた。

― 表門と裏門の二手に分かれた吉良邸進入ルート ―

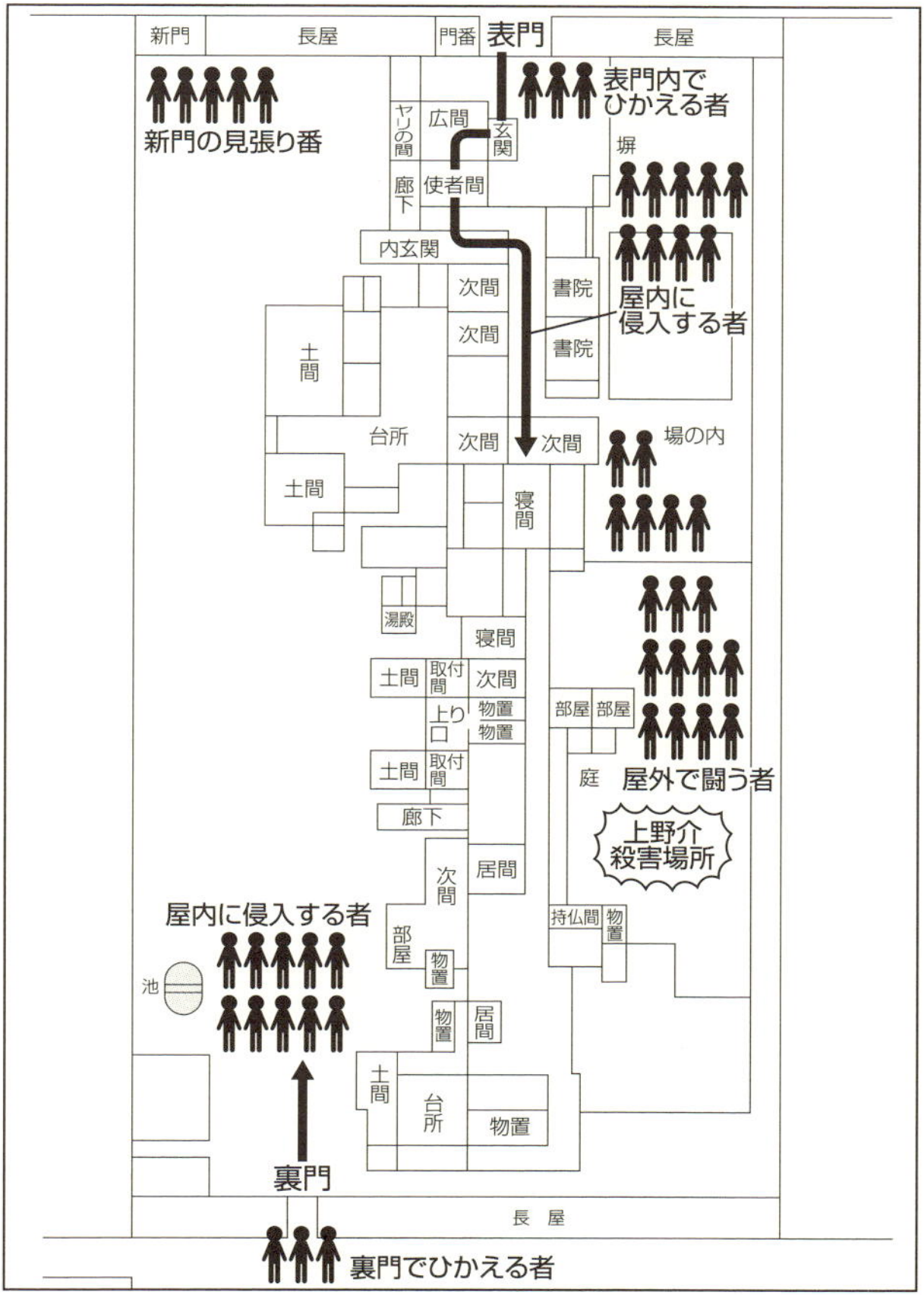
新門
長屋
門番
表門
長屋
新門の見張り番
表門内でひかえる者
ヤリの間
広間
玄関
廊下
使者間
塀
内玄関
次間
書院
屋内に侵入する者
次間
書院
土間
台所
次間
次間
場の内
土間
寝間
湯殿
寝間
土間
取付間
次間
上り口
物置
物置
部屋
部屋
土間
取付間
庭
屋外で闘う者
廊下
上野介殺害場所
次間
居間
屋内に侵入する者
持仏間
物置
部屋
物置
池
物置
居間
土間
台所
物置
裏門
長屋
裏門でひかえる者

『忠臣蔵　時代を動かした男たち』飯尾精（神戸新聞総合出版センター）をもとに作成

藩政改革（18世紀半ごろ）

幕府の財政危機に、全国の藩主が立ち上がる！

天明・天保の大飢饉で農村が疲弊し人口が減少すると、全国諸藩の大名は年貢の徴収ができず、代わりに商人からの借金が増えていった。幕府も財政危機を迎え、藩存亡の危機に陥った諸藩は、傾いた藩の財政を立て直すため、図のようにそれぞれ独自の藩政改革に乗り出した。

なかでも名君として活躍したのが、米沢藩主上杉鷹山《ようざん》だ。

鷹山の改革の中心は倹約と殖産興業だった。費用がかかる儀式や行事は中止し、食事は一汁一菜で、衣服は絹ではなく綿服を着用して自ら率先して倹約に努めた。殖産興業では、漆《うるし》などの植林や養蚕《ようさん》産業に力を入れた。

また鷹山が名君たる所以《ゆえん》は、人材登用の腕にもある。家柄や前例を重んじた時代において、鷹山は能力主義を実践した。時には上級家臣と摩擦を引き起こすこともあったが、有能な家臣なくして改革は成しえなかった。

そして、長州や薩摩藩などの再建に成功した藩は、この後、雄藩として幕府と対峙《たいじ》するほどの力をつけるのである。

― 藩存亡の危機に全国の藩主が改革に乗り出す ―

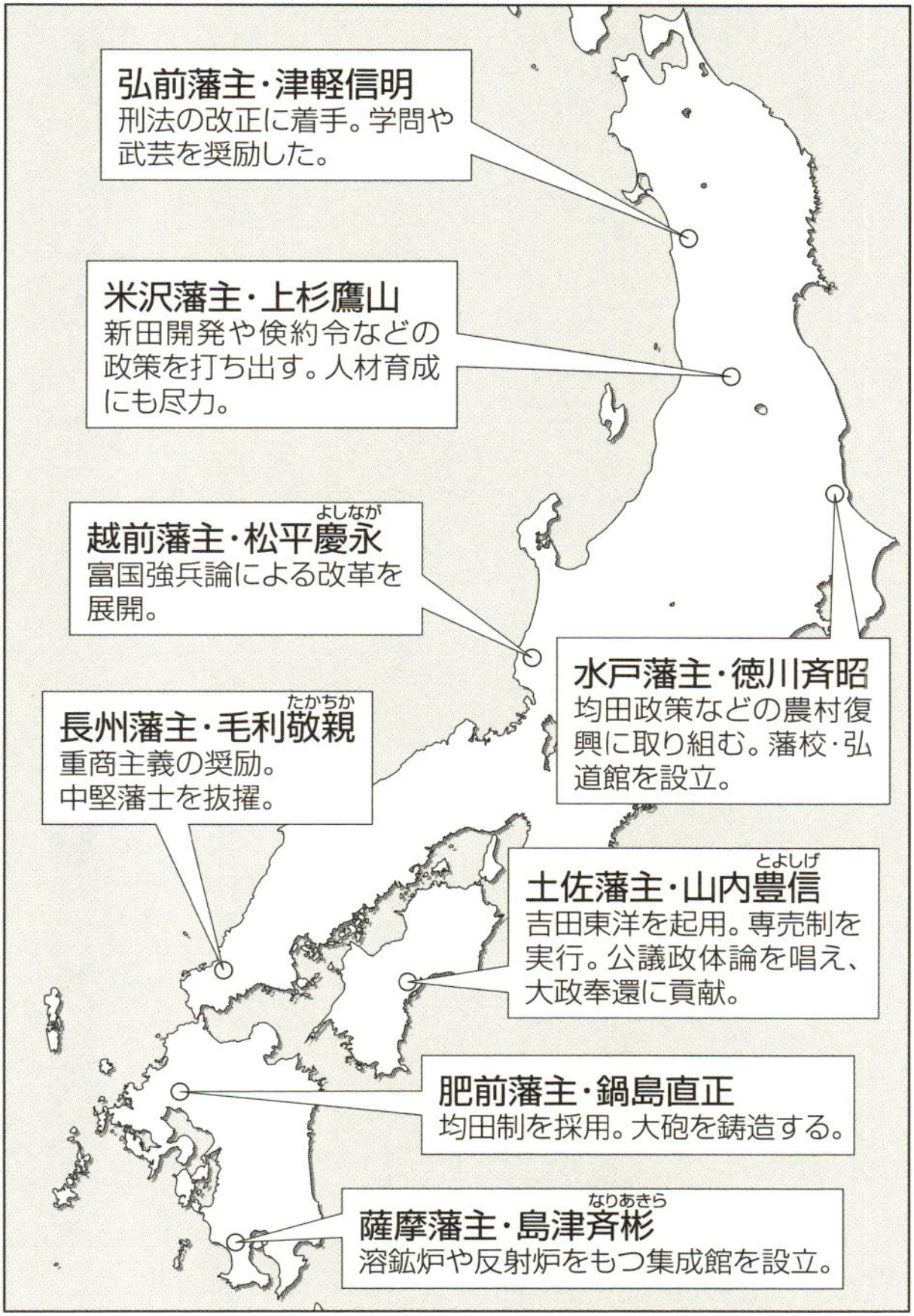
弘前藩主・津軽信明
刑法の改正に着手。学問や武芸を奨励した。
米沢藩主・上杉鷹山
新田開発や倹約令などの政策を打ち出す。人材育成にも尽力。
越前藩主・松平慶永《よしなが》
富国強兵論による改革を展開。
水戸藩主・徳川斉昭
均田政策などの農村復興に取り組む。藩校・弘道館を設立。
長州藩主・毛利敬親《たかちか》
重商主義の奨励。中堅藩士を抜擢。
土佐藩主・山内豊信《とよしげ》
吉田東洋を起用。専売制を実行。公議政体論を唱え、大政奉還に貢献。
肥前藩主・鍋島直正
均田制を採用。大砲を鋳造する。
薩摩藩主・島津斉彬《なりあきら》
溶鉱炉や反射炉をもつ集成館を設立。

幕府の北方探査（1808年）

間宮林蔵による2回の探検……「本当の目的」は？

18世紀半ば、ロシアは東シベリアの経営に乗り出し、日本近海にたびたび姿を見せた。1792（寛政4）年には、ラクスマンが通商を求め根室に来たが、鎖国をしていた日本にこれを拒否される。

1804（文化元）年、ロシアが再び通商を求めて日本を訪れるが、またもや交渉は拒絶される。ロシアの船は日本に燃料と飲料水を渡されて追い返された。たび重なる対応に憤慨したロシアは樺太と択捉島《えとろふ》で報復行動に出た。

一方の幕府は、もはやこれまでの鎖国政策が通じない新しい国際情勢のなかで、何ら対策を立てられず、翻弄されるばかりであった。ロシアとの対立が深まり、北方での緊張が高まると、幕府は間宮《まみや》林蔵らを樺太探査に向かわせ正確な地誌をつくらせた。日本も外国に対する海防の必要性を感じたのである。林蔵は2回北方を探検し、樺太が島であることを確認した。この時の林蔵の探査の成果をシーボルトがヨーロッパに紹介したことにより、「間宮海峡」の名が世界に知られることになった。

― 2回の北方探査を行なう間宮林蔵 ―

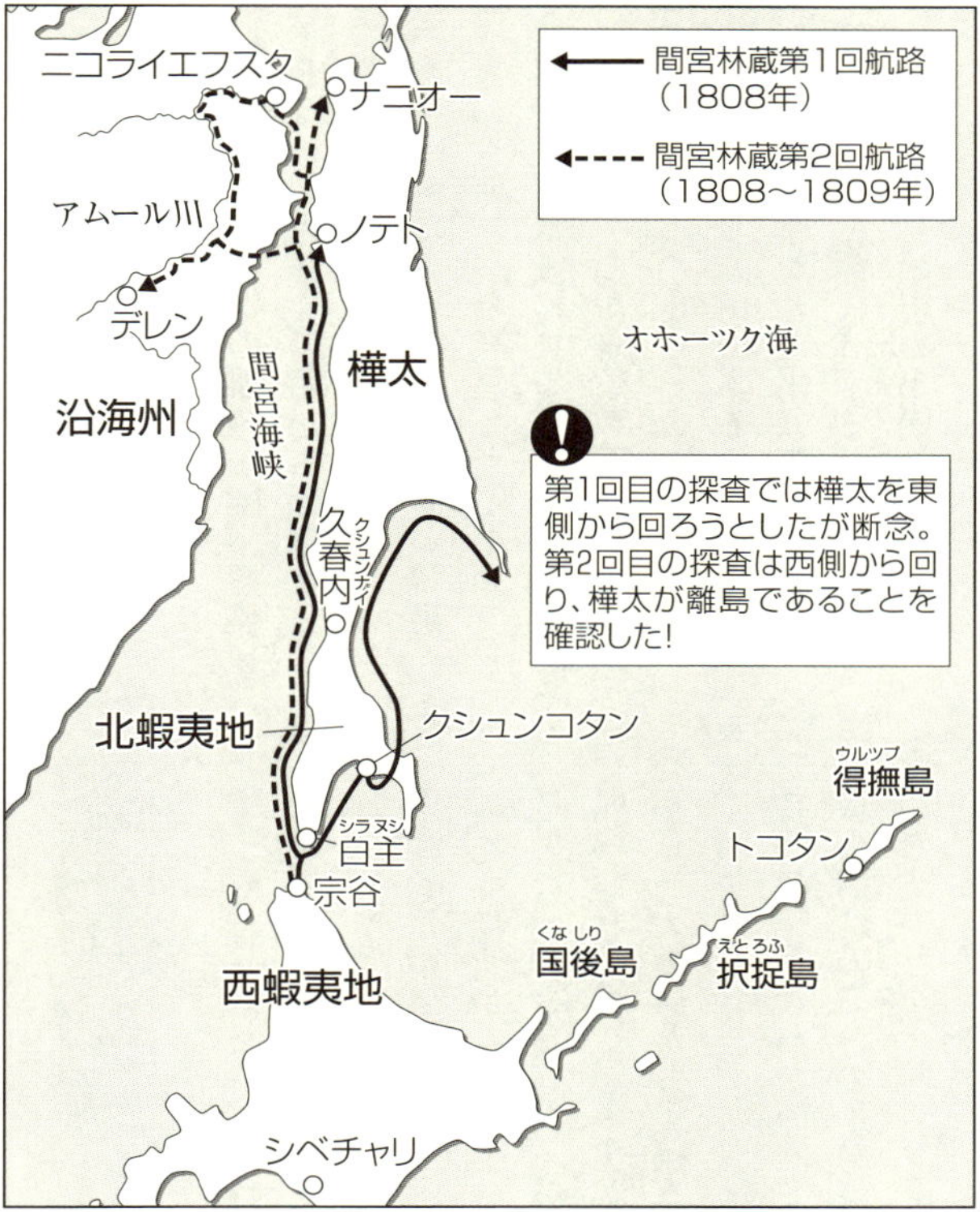
間宮林蔵第1回航路
(1808年)
間宮林蔵第2回航路
(1808～1809年)
ニコライエフスタ
ナニオー
アムール川
ノテト
デレン
オホーツク海
樺太
間宮海峡
沿海州
久春内《クシュンナイ》
第1回目の探査では樺太を東側から回ろうとしたが断念。第2回目の探査は西側から回り、樺太が離島であることを確認した!
北蝦夷地
クシュンコタン
得撫島《ウルップ》
白主《シラヌシ》
トコタン
宗谷
国後島《くなしり》
択捉島《えとろふ》
西蝦夷地
シベチャリ

ひとくちメモ

西蝦夷地は林蔵の樺太探査以前に、最上徳内、近藤重蔵、伊能忠敬が探査を行なった。

大塩平八郎の乱（1837年）

貧困農民らの蜂起！
鎮圧後も各地に反乱が飛び火

江戸時代後期、天保の飢饉が国中を襲う。1833（天保4）年から深刻化したこの飢饉は、1836年には「天下の台所」と呼ばれた大坂でも餓死者が続出するほどの大飢饉へと発展した。というのも、高騰する米価の裏で、豪商などが米の買占めに走ったからである。

この状況下で立ち上がったのが、元奉行所与力《よりき》の大塩平八郎である。高名な陽明学者で人望も厚かった平八郎は、幕府に米蔵を開き窮民を救済するよう要請した。しかし、再三の申し出が拒否されると、業《ごう》を煮やした平八郎は蜂起を決意する。自分の思想を書いた檄文《げきぶん》を村々に配布し、大砲や弾薬を調達すると、1837（天保8）年2月19日、自宅に火をつけ蜂起を開始。平八郎の一団に集まったのは貧民など約300人。彼らは豪商が住む船場《せんば》などを焼き、米や金を奪った。

しかし、大坂城から鎮圧軍が押し寄せると、一揆はその日のうちに鎮圧された。短時間で終わったこの乱だったが、実に大坂市街地の5分の1を焼き払うほどであった。

― 乱の舞台となる大坂町奉行所付近 ―

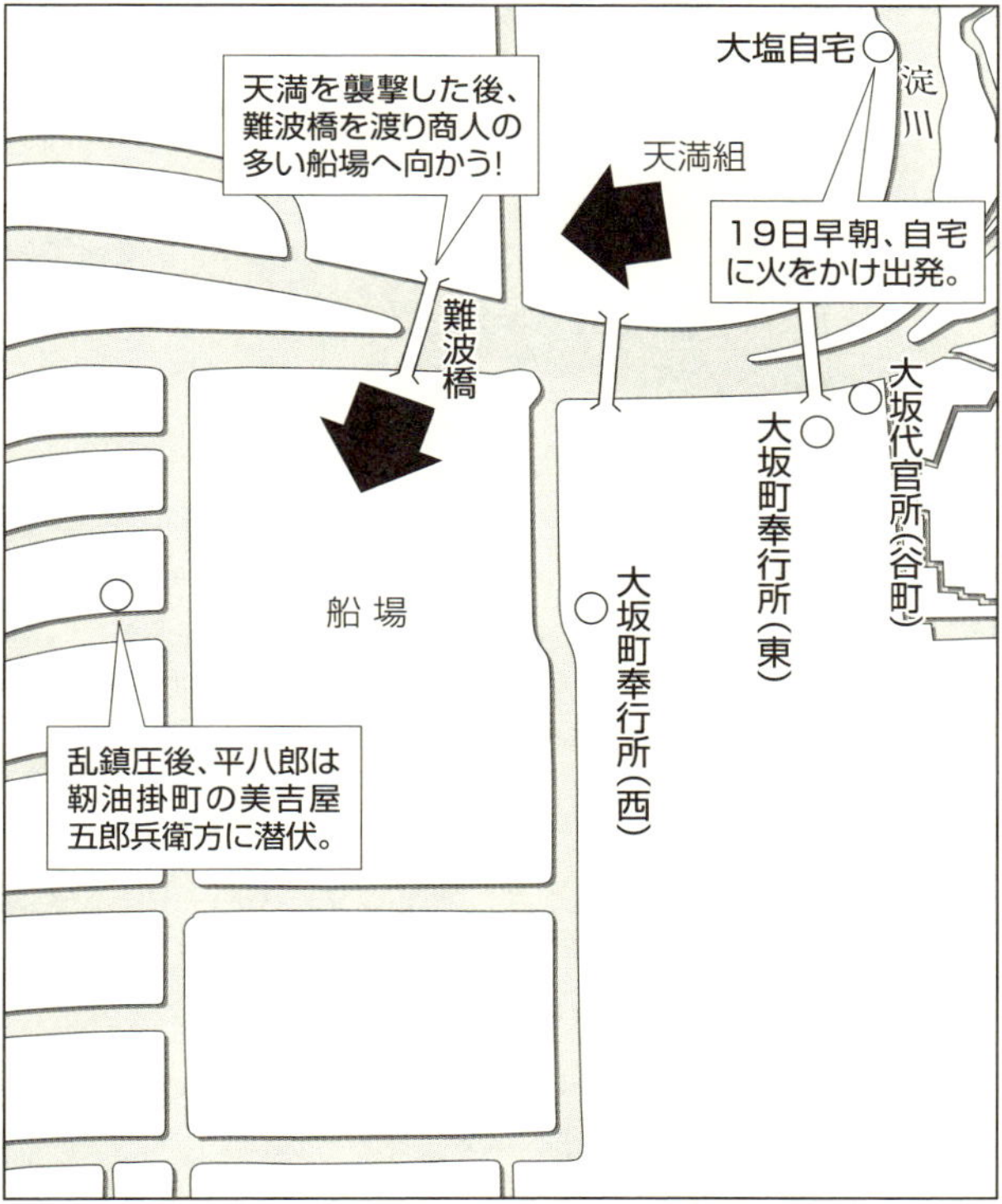

大塩自宅
淀川
天満を襲撃した後、難波橋を渡り商人の多い船場へ向かう!
天満組
19日早朝、自宅に火をかけ出発。
難波橋
大坂代官所(谷町)
大坂町奉行所(東)
船場
大坂町奉行所(西)
乱鎮圧後、平八郎は靭油掛町の美吉屋五郎兵衛方に潜伏。

『歴史地図シリーズ 古地図と年表で見る諸国の合戦争乱地図 西日本編』谷口研語監(人文社)をもとに作成

ひとくちメモ

乱により、天満・船場を中心に約120の町が炎上、約2万軒が焼失。じつに大坂の市街地の5分の1が焼き払われた!

コラム

三択クイズ 近世編

江戸時代、交通網が整備され、東廻り海運、西廻り海運、南海路と呼ばれるルートが確立された。地図上の３つのルートの中で、南海路はどれ？

答えは下部に記載

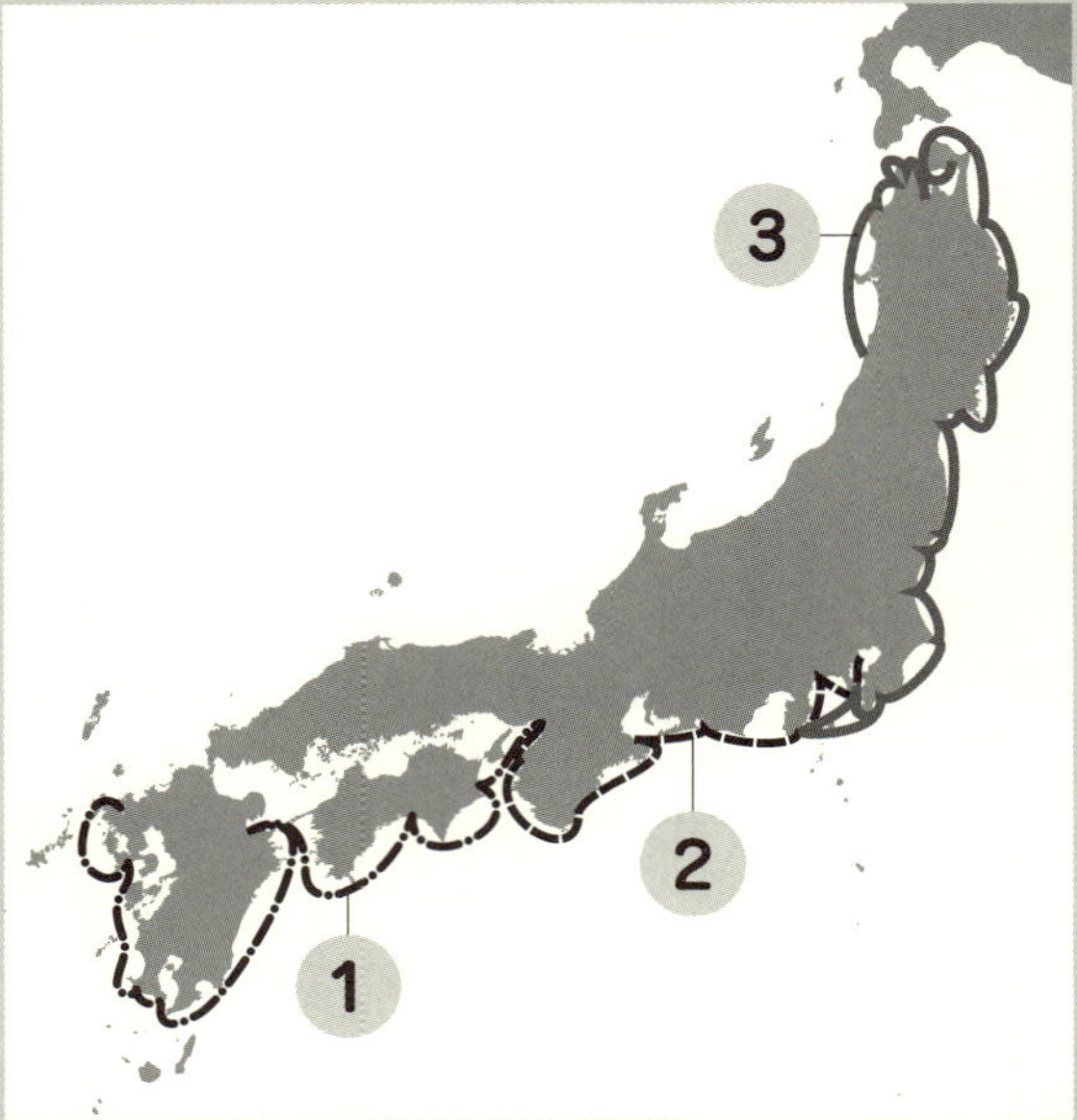

答え：2　南海路は下田、和歌山を通り、江戸‐大坂間を結ぶ太平洋沿いのルート。3は東廻り海運。西廻り海運は蝦夷地〜大坂間を結ぶ日本海沿岸、瀬戸内海を通るルート。

4章【近代】

地図で読む、日本近代国家への「変貌の道」

ペリー来航（1853年）

浦賀だけでなく、「江戸城近く」まで迫った黒船！

19世紀、帝国主義を推し進める欧米諸国は、たびたび日本を訪れ通商を求めたが、鎖国を続ける日本はこれを拒否していた。しかし、隣国の清《しん》がアヘン戦争でイギリスに敗北すると、日本は緩和政策に転じる。迫りくる外圧に国防の危機を感じたからである。1842（天保13）年、ついに薪水《しんすい》給与令を発した。

そして1853（嘉永6）年、ペリー来航により日本は一気に開国へと向かう。浦賀を訪れたペリーは親書を幕府に手渡すと、開国まで1年の猶予を与えた。これまでの外国船と違い、戦闘準備を整えた黒船への対応に、時の老中・阿部正弘は苦心した。朝廷へ報告し、諸大名にも意見を求め、挙国的な対策を立てた。

開国を拒否し戦う主戦論もあったが、結局、半年後に再来航したペリーの圧力により幕府は横浜で日米和親条約を結んだ。内容は燃料や食糧の供給、下田・箱館の2港の開港などであり、ここに200年以上続いた鎖国は終わりを迎える。そしてこれを機に尊攘思想が広がり、幕府への反発が強まっていく。

― ペリーの来航ルートと江戸の防備 ―

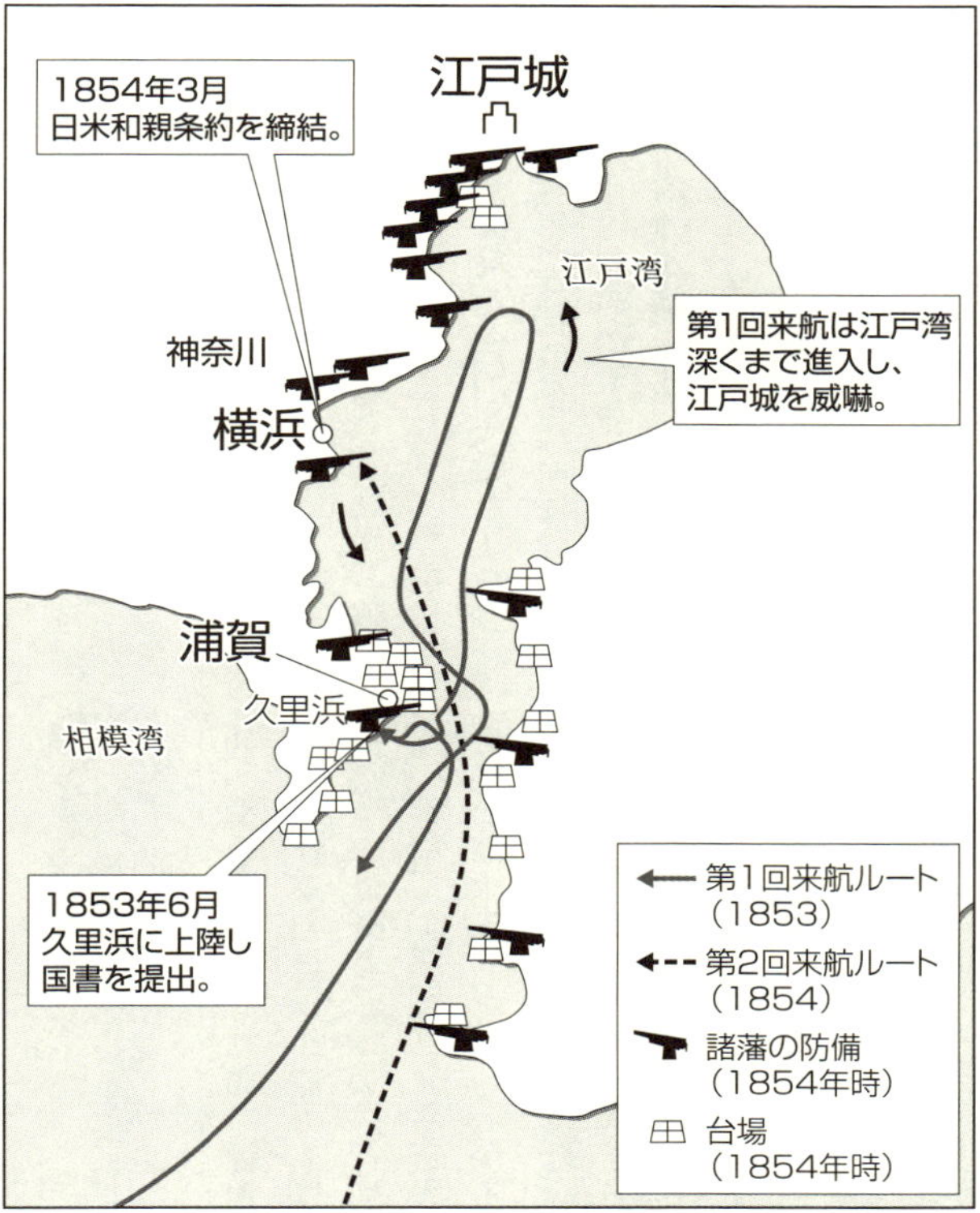
江戸城
1854年3月
日米和親条約を締結。
江戸湾
第1回来航は江戸湾
深くまで進入し、
江戸城を威嚇。
神奈川
横浜
浦賀
久里浜
相模湾
1853年6月
久里浜に上陸し
国書を提出。
第1回来航ルート
(1853)
第2回来航ルート
(1854)
諸藩の防備
(1854年時)
台場
(1854年時)

ココがポイント! 日米和親条約で、下田・箱館の２港の開港、アメリカ船への食糧・燃料の補給などが決定した！

桜田門外の変（1860年）

18人の藩士が井伊直弼側60人の行列を襲撃した現場

1858（安政5）年、大老の井伊直《なお》弼《すけ》は天皇の勅許を待たずに日米通商修好条約に調印した。これに対し朝廷から遺憾のおおせが水戸藩に下される、尊攘派は井伊に対する反発を強めた。これを知った井伊は反対勢力を徹底的に弾圧する。これが世にいう「安政の大獄」である。

そして、藩内の尊攘派は井伊の暗殺計画に動きだす。

暗殺が決行されたのは、1860（安政7）年3月3日で、桃の節句の賀詞のため井伊が登城する日であった。桜田門外に差し掛かった直弼の行列は総勢約60名。まず水戸藩浪士森五六郎が直訴状を持って駆け寄ると、突然行列に斬り込んだ。続いて、関鉄之介ら17人の水戸藩士と薩摩藩士1人が襲いかかると、後は乱戦となった。直弼の首を討ち取ったのは、薩摩藩士有村次左衛門《じざえもん》であった。

直弼暗殺は幕府の威信にかかわるという理由からしばらく公表されなかった。しかし、白昼に大老が討たれた出来事は隠しようもなく、幕府の権威衰退を世に知らしめる結果となった。

― 登城中の直弼を襲撃する水戸藩士 ―

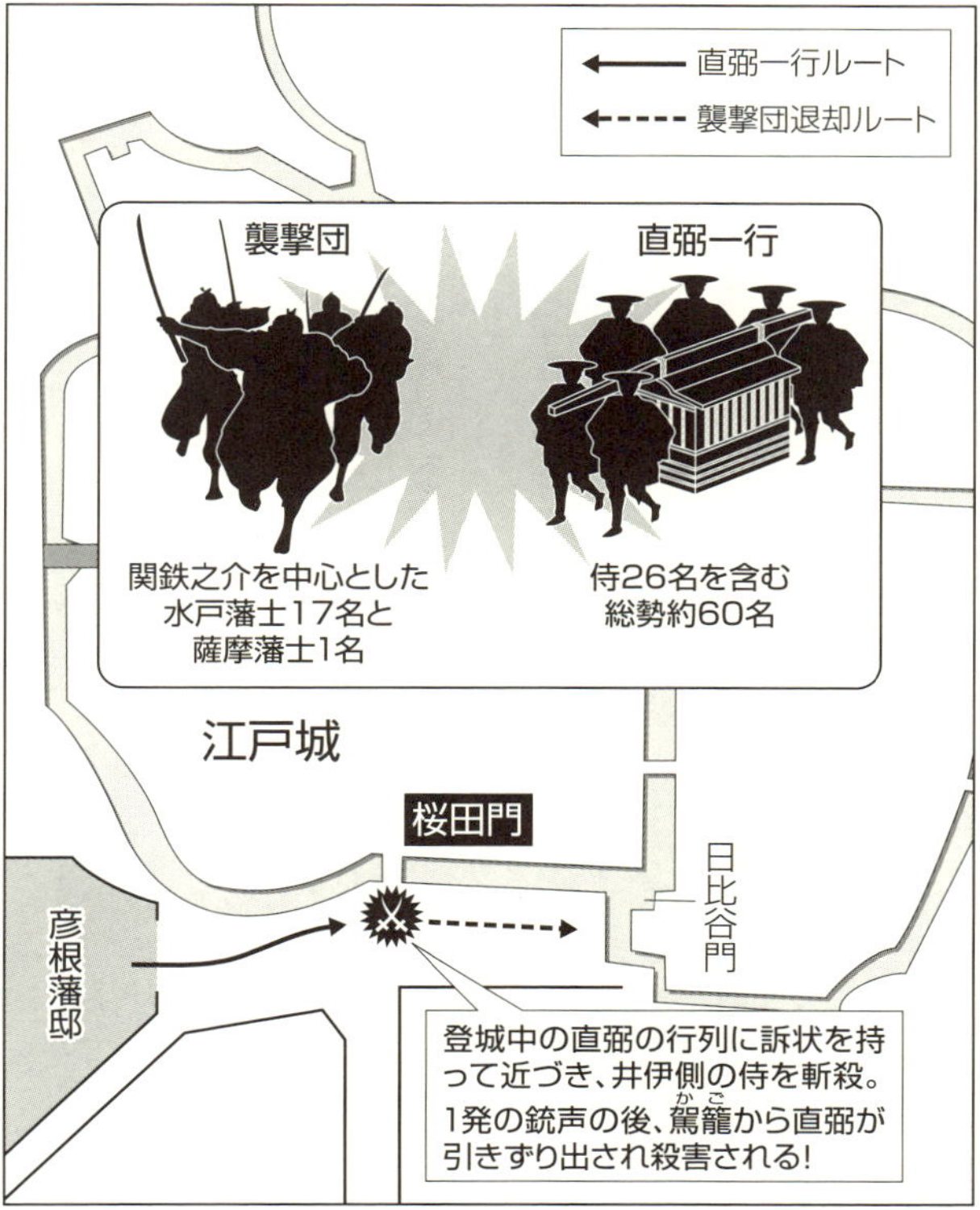
直弼一行ルート
襲撃団退却ルート
襲撃団
直弼一行
関鉄之介を中心とした
水戸藩士17名と
薩摩藩士1名
侍26名を含む
総勢約60名
江戸城
桜田門
日比谷門
彦根藩邸
登城中の直弼の行列に訴状を持って近づき、井伊側の侍を斬殺。1発の銃声の後、駕籠《かご》から直弼が引きずり出され殺害される!

ひとくちメモ

直弼は安政の大獄の大弾圧で、水戸藩主・徳川斉昭に謹慎を命じるなどしたため水戸藩士の恨みを買っていた!

薩英戦争（1863年）

新型アームストロング砲搭載艦隊を退却させた薩摩藩の作戦は？

薩英戦争は、1862（文久2）年8月21日に起きた「生麦事件《なまむぎじけん》」に端を発する。日本の風習を知らないイギリス人が騎乗のまま、島津久光一行の大名行列を横切る無礼を犯し、斬り殺された事件である。これは偶発的に起きた事件であり、薩摩藩としては「無礼討ち」で、攘夷行為のつもりはなかった。

しかし、攘夷の風潮が広がる世間は、この事件を攘夷運動と評価した。日本の実情を詳しく知らないイギリスも、本来は開国派である薩摩藩を攘夷派と勘違いし、誤解を深めたまま両者は交戦する羽目になった。

1863（文久3）年6月末、新型のアームストロング砲を搭載したイギリス艦隊7隻が鹿児島錦江湾《きんこうわん》に現れた。しかし、イギリス側が準備不足だったこともあり、わずか1日半の戦闘でイギリス艦隊は退去した。その後、幕府の仲介で講和交渉が行なわれ、イギリスは薩摩藩の実力を認識するとともに、薩摩藩がじつは開国派であることを知った。そしてこれを機に、薩英間に親善関係が生まれた。

― 7隻のイギリス艦隊と薩摩藩が錦江湾で衝突 ―

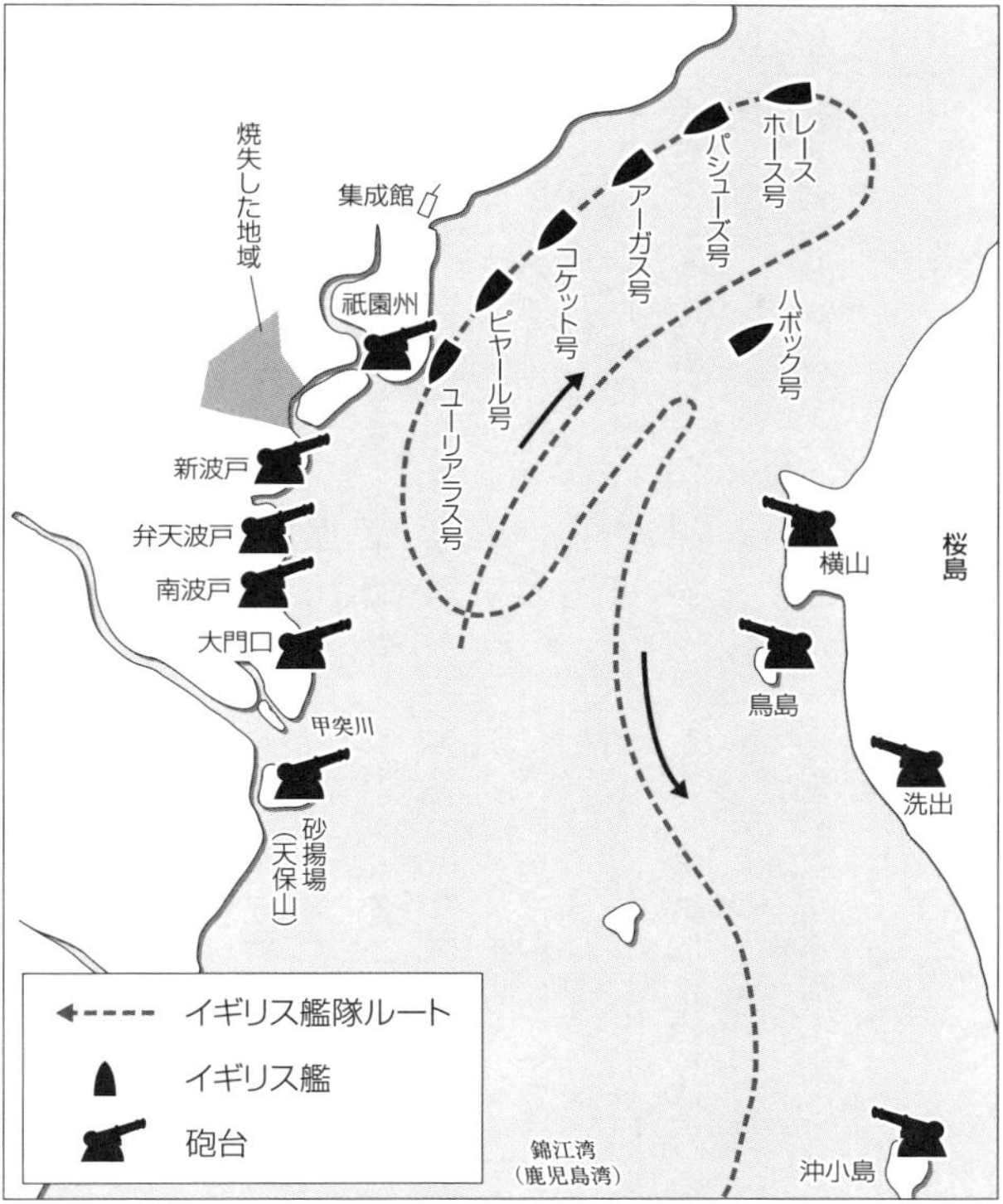
焼失した地域
集成館
祇園州
新波戸
弁天波戸
南波戸
大門口
甲突川
砂揚場（天保山）
レースホース号
パシューズ号
アーガス号
コケット号
ピヤール号
ユーリアラス号
ハボック号
横山
桜島
鳥島
洗出
沖小島
錦江湾（鹿児島湾）
イギリス艦隊ルート
イギリス艦
砲台

『戦乱の日本史（合戦と人物）12 幕末維新の争乱』安田元久監（第一法規出版）をもとに作成

ココがポイント!

新型のアームストロング砲を搭載したイギリス艦隊だったが、準備不足だったこともあり、決着がつかないまま退却した。

天誅組《てんちゅうぐみ》の変（1863年）

尊王攘夷運動のさきがけ「土佐藩志士の決起」

1863（文久3）年8月14日、土佐藩の志士ら38人は尊攘のため方広寺《ほうこうじ》に集結し大和での討幕を決起する。それは攘夷親征である「大和行幸」の詔勅が発せられた翌日のことだった。

天誅組と名乗る彼らは17日、大和五条の代官を殺害し、同町の桜井寺を本陣として占拠すると、この地で五条新政府の樹立を宣言した。

しかし、8月18日の政変で、公武合体派が尊王攘夷派を追放すると政局は一転する。大和行幸は中止され、公武合体派が実権を握ったのである。事の急変に驚いた天誅組だったが、もう後には引けない状態になっていた。そして、焦りながらも十津川《とつかわ》郷士とともに高取城攻撃を開始する。しかし、大和諸藩の出兵などにより形勢は不利であった。次第に十津川郷士も離反し、9月27日、挙兵軍は壊滅した。最終的に逃げ延びたのは、中山忠光ら7人のみであった。

結局は失敗に終わる事件だったが、尊王攘夷運動が頻発する激動の幕末のはじまりともいえる出来事であった。

― 諸藩の追討を受けて敗走する天誅組 ―

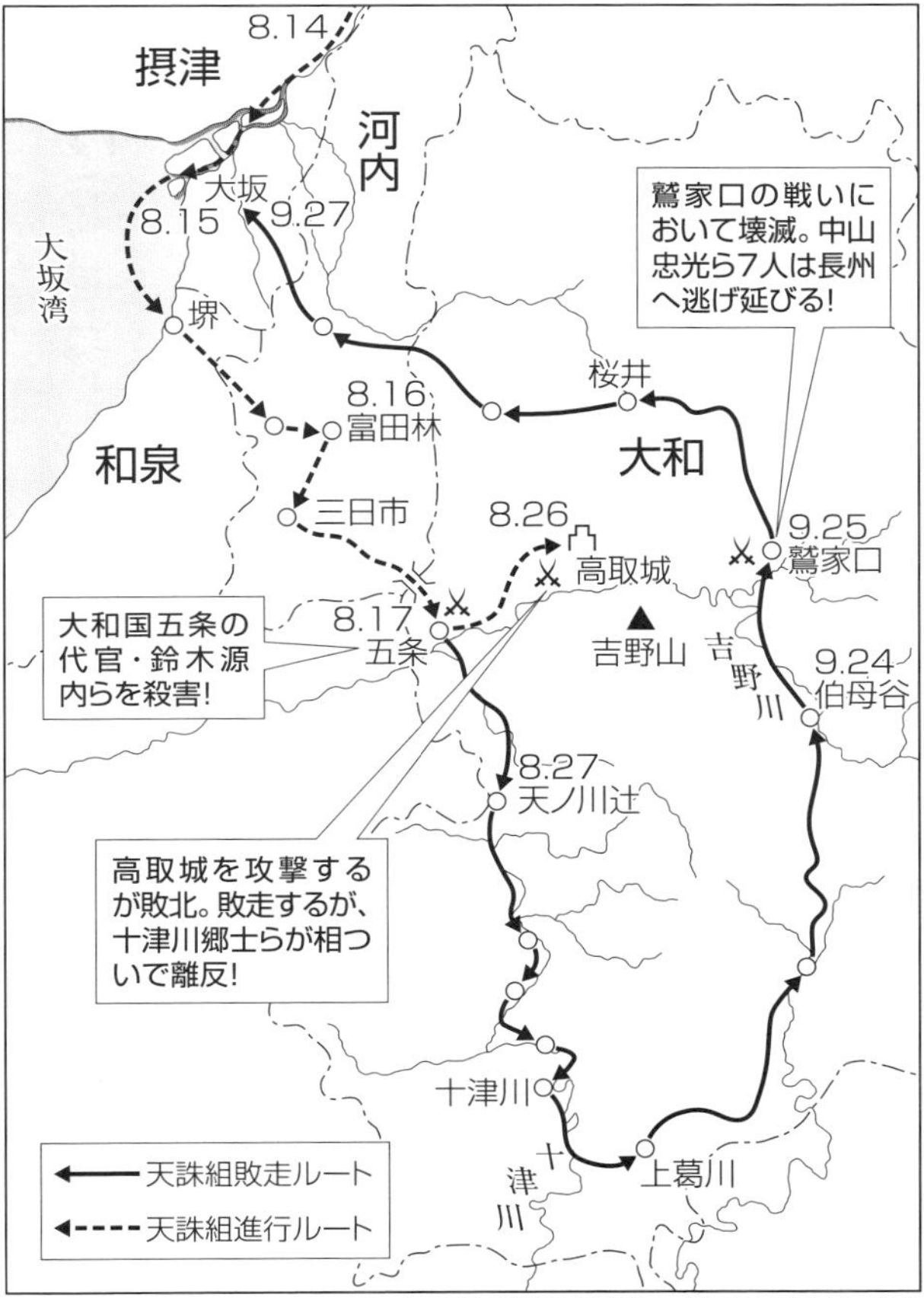
8.14
摂津
河内
大坂
9.27
8.15
大坂湾
堺
鷲家口の戦いにおいて壊滅。中山忠光ら7人は長州へ逃げ延びる!
桜井
8.16
富田林
和泉
大和
三日市
8.26
高取城
9.25
鷲家口
大和国五条の代官・鈴木源内らを殺害!
8.17
五条
吉野山
吉野川
9.24
伯母谷
8.27
天ノ川辻
高取城を攻撃するが敗北。敗走するが、十津川郷士らが相ついで離反!
十津川
上葛川
十津川
天誅組敗走ルート
天誅組進行ルート

『日本の歴史⑮開国と倒幕』田中彰（集英社）をもとに作成

禁門の変（1864年）

禁門とは、いったいどこの門のこと？

8月18日の政変により京都から追放された長州藩などの尊攘派は、再び京都へ進出し、天皇を手中に取り戻そうと考えていた。

1864（元治元）年6月に池田屋事件（148ページ）が起こると、京都に乗り込もうと考える者らはさらにいきりたった。そして、6月中旬、尊攘志士ら約2000名が伏見に集結するのである。この時点での軍事力は尊攘派が有利であった。しかし、尊攘派はすぐに戦闘を開始しなかった。尊攘派であった長州藩は洛中への進軍をためらったのである。

そうこうしている間に幕府側の兵も京都に集まり、軍事形勢は長州側が大きく不利になっていく。

そしてとうとう、幕府との交戦が7月19日京都御所で開始される。この後、尊攘を主張する長州藩へ朝廷から征伐の勅許が下った。

尊攘派の敗北により、戦いはたった一日で終わったが、尊攘派の期待と天皇の意思とのギャップを浮き彫りにした事件であった。

― 京都御所の門の守りを固める幕府軍 ―

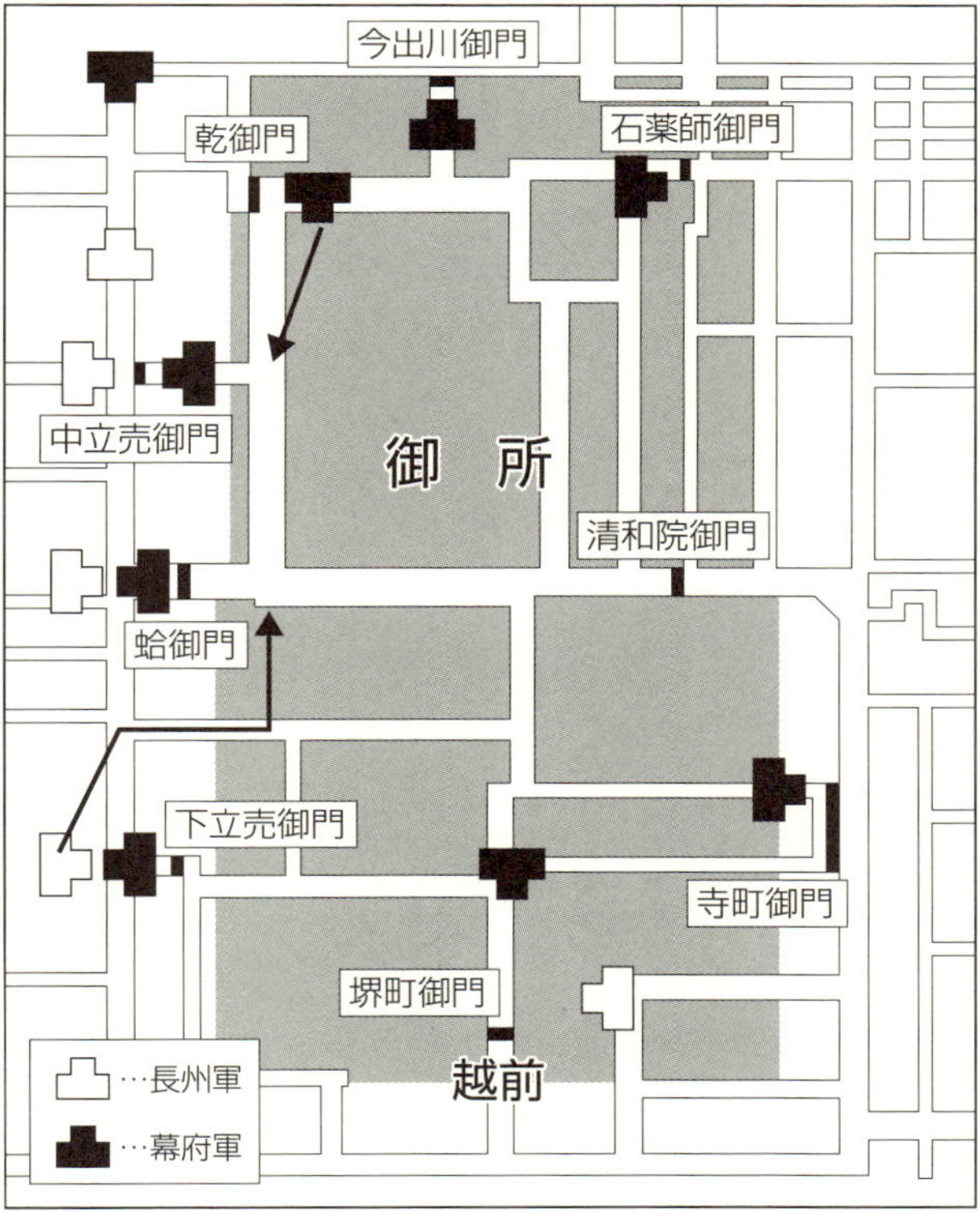
今出川御門
乾御門
石薬師御門
中立売御門
御 所
清和院御門
蛤御門
下立売御門
寺町御門
堺町御門
越前
…長州軍
…幕府軍

ひとくちメモ

禁門とは禁裏の御門の略。禁裏とは皇居を指す。禁門の変は激戦だった蛤御門《はまぐりごもん》での戦いから「蛤御門の変」ともいう。

池田屋事件（1864年）

新撰組の襲撃！ 池田屋の間取りまでリサーチした作戦だったが……

反徒たちによる御所放火と天皇拉致《らち》計画を聞いた新撰組は、武器を調達していた古高俊太郎を捕まえると、反徒が河原町界隈に潜伏している事実を突き止める。

そして1864（元治元）年6月5日、祇園祭の宵山《よいやま》に反徒討伐が実行される。近藤勇《いさみ》をはじめ10人は鴨川の西を、土方《ひじかた》歳三らは鴨川の東を探索し、午後10時ころ、反徒たちの会合場所である池田屋にたどり着く。

そのころ反徒たちは、池田屋の2階で酒を飲みながら挙兵について論じていたという。

近藤らは周囲から池田屋の間取りなどの詳細を聞き、準備が整うと、2階に駆け上がり「御用改め」の声とともに襲い掛かった。

1時間以上に及ぶ戦闘で現場は修羅場と化した。戦いが終わるころには何千人もの幕府の兵が周囲を固めていた。

この戦いにより、11人の反徒が死に、23人が捕縛された。

新撰組が広く世に知られるきっかけとなった事件である。

― 二手に分かれて河原町の近辺追跡をする新撰組 ―

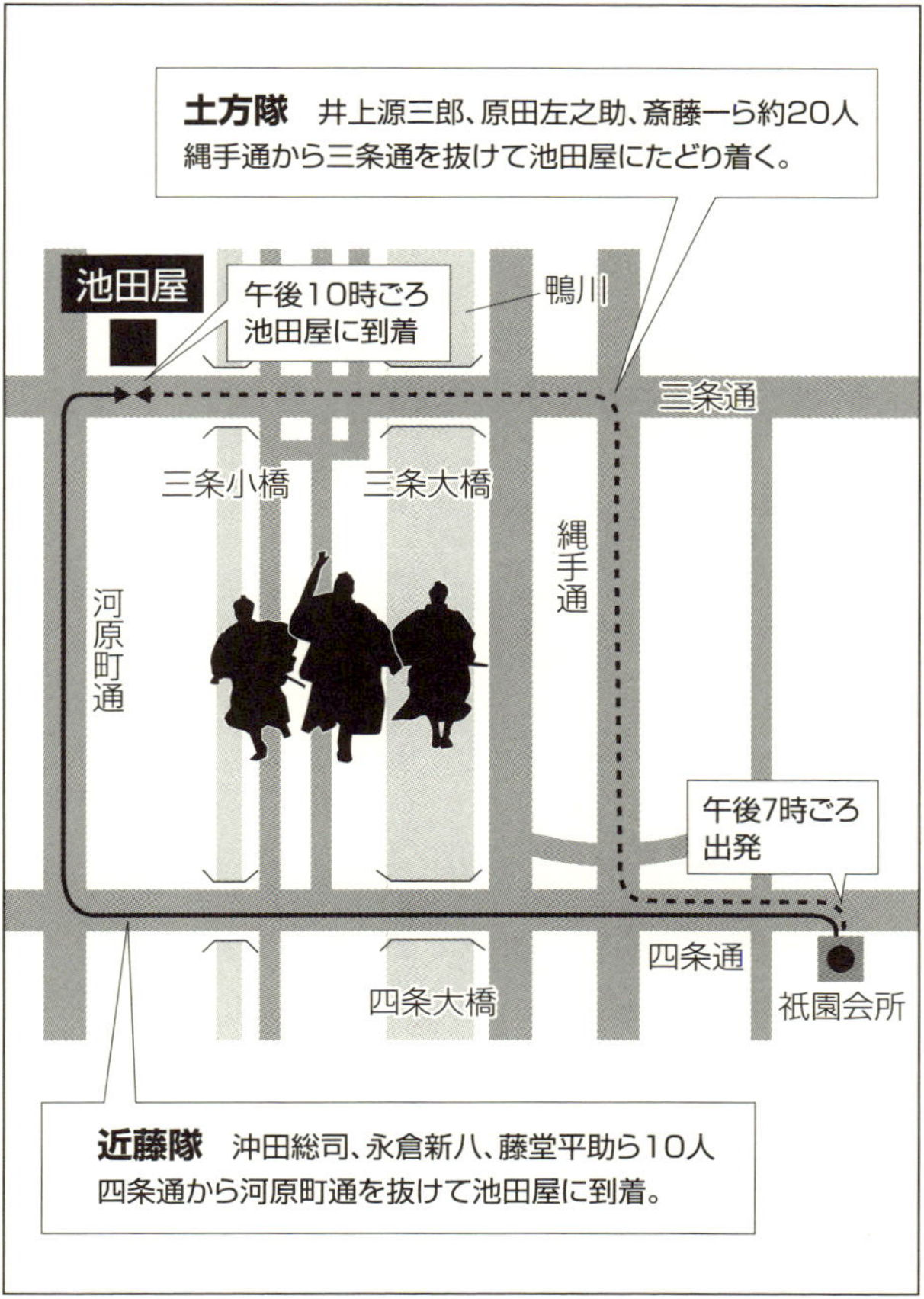
土方隊　井上源三郎、原田左之助、斎藤一ら約20人
縄手通から三条通を抜けて池田屋にたどり着く。
池田屋
午後10時ごろ
池田屋に到着
鴨川
三条通
三条小橋
三条大橋
縄手通
河原町通
午後7時ごろ
出発
四条通
四条大橋
祇園会所
近藤隊　沖田総司、永倉新八、藤堂平助ら10人
四条通から河原町通を抜けて池田屋に到着。

『新選組 知られざる隊士の真影』相川司（新紀元社）をもとに作成

下関戦争（1864年）

長州藩vs.4カ国連合艦隊――戦闘開始1時間で決着！

禁門の変で尊王運動に失敗した長州藩は、1864（元治元）年8月の下関戦争で、攘夷運動でも挫折を味わった。1863（文久3）年4月、長州藩主毛利敬親《たかちか》は攘夷実行の準備をしていた。下関海峡の封鎖と、往来する外国船を撃つ計画である。

5月10日アメリカ商船ペムブローク号が下関沖に停泊すると亀山砲台から号砲を発した。この船は幕府からの公用状を持っていたため一時攻撃を中止したが、強行派の意見により、再び攻撃が開始された。これ以降、長州藩は下関を通る外国船を次々に攻撃する。

外国勢も黙ってはいなかった。長州藩の攘夷行動と下関海峡の封鎖により貿易の衰退を懸念したイギリス公使のオールコックは、フランス、アメリカ、オランダに呼びかけ、下関攻撃を決意。四カ国の連合艦隊は1864年8月4日、下関海峡へ向かい、5日午後4時に旗艦ユーリアラス号などが長州藩への総攻撃を開始。約1時間でほとんどの砲台を潰し、翌日主要砲台も占拠。長州藩に勝利した。

― 17隻の軍艦に旧式砲台で立ち向かう長州藩 ―

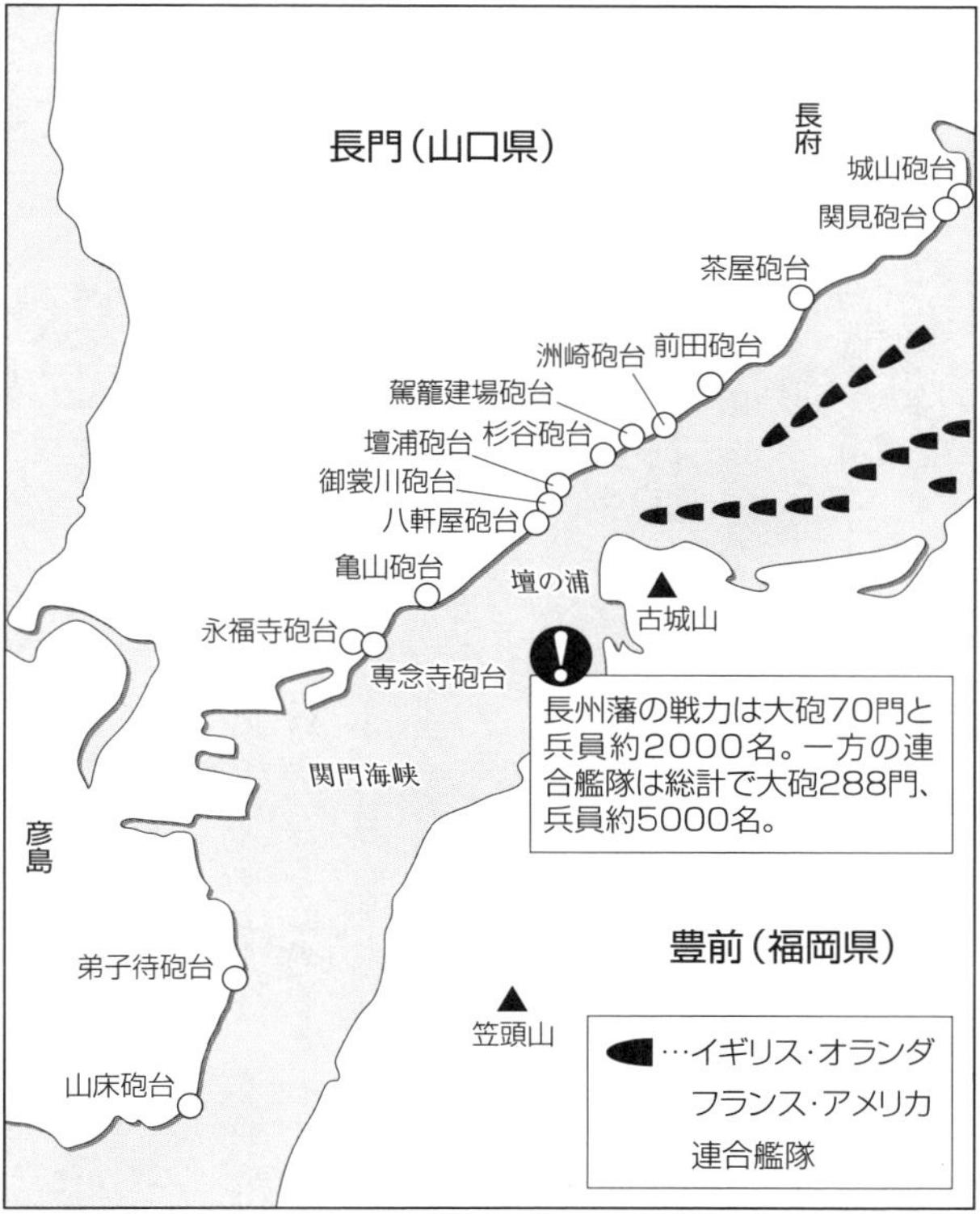
長門（山口県）
長府
城山砲台
関見砲台
茶屋砲台
前田砲台
洲崎砲台
駕籠建場砲台
杉谷砲台
壇浦砲台
御裳川砲台
八軒屋砲台
亀山砲台
壇の浦
古城山
永福寺砲台
専念寺砲台
長州藩の戦力は大砲70門と兵員約2000名。一方の連合艦隊は総計で大砲288門、兵員約5000名。
関門海峡
彦島
豊前（福岡県）
弟子待砲台
笠頭山
山床砲台
…イギリス・オランダ
フランス・アメリカ
連合艦隊

ココがポイント！

5日に開始された戦闘は、開始後約１時間で長州軍がほぼ全滅。６日には主要の前田砲台を連合艦隊に占拠された！

第二次長州征伐（1866年）

長州藩を四方から取り囲んだ幕府側が敗北したのはなぜ？

第一次長州征伐では幕府に屈服した長州側の敗北で終わった。その後、藩内で実権を握ったのは急進的な尊攘派ではなく、幕府に従う俗論派であった。

長州藩の討幕の動きもいったんは終わりを見せたが、1864（元治元）年12月、藩内で再び尊攘派が勢いづく。伊藤俊輔（博文）らとともに挙兵した高杉晋作が藩政を俗論派から奪取したのである。そして、藩の方針を討幕に統一すると、虎視眈々《こしたんたん》と討幕の機会を狙った。

このような長州藩の動きを察知した幕府も再び動きだす。朝廷から長州再征の勅許が幕府に下ると、1866（慶応2）年6月7日、第二次長州征伐が開始された。幕府側は図のように、大島口をはじめ長州藩を四方から囲んで攻め込んだ。

兵は圧倒的に幕府側が多勢であった。しかし、幕府側が重たい鎧《よろい》を着た時代遅れの装備である一方、長州藩は洋式の装備に新式鉄砲という出《い》で立ちであった。戦いの裏では薩長同盟が結ばれ、体制の内部も揺らいでいた幕府はついに敗北を喫し、時代はいよいよ討幕へと向かう。

― 四方面から長州藩に攻め込む幕府軍 ―

石見《いわみ》
石州口
安芸《あき》
長門
芸州口
小倉口
周防《すおう》
下関
大島口
大島
小倉
幕府軍
長州軍

ひとくちメモ

幕府軍が小倉口・大島口・芸州口・石州口の四方から攻め込んだことから第二次長州征伐を四境戦争とも呼ぶ。

坂本龍馬暗殺（1867年）

刺客はどうやって、龍馬に襲いかかったか

薩長同盟を成立させ、大政奉還にも大きく寄与した、新時代の立役者坂本龍馬の死は謎に包まれている。

1867（慶応3）年11月15日、龍馬は京都河原町の醤油商近江屋で刺客に暗殺された。大政奉還直後のことで、まだ京都市内には新撰組などの見回りが多く、討幕派の動きに目を光らせていた。そんななか、龍馬は中岡慎太郎と大政奉還後の世について話し合っていた。

同日の夜、十津川《とつかわ》の郷士と名乗る3人の男が龍馬に面会を求め、近江屋を訪れた。そして龍馬のもとへ案内する下男をいきなり斬りつけたのである。続いて刺客は龍馬のいる奥の八畳間に飛び込み、龍馬の前額部を斬った。これが致命傷となり、龍馬は絶命。龍馬33歳の時である。

龍馬を襲った犯人は新撰組や、土佐藩士など諸説あるが、いずれも確証がなく、目的も不明のままだ。

新時代を見ずしてこの世を去った龍馬の訃報を聞いた岩倉具視《ともみ》と大久保利通は、一刻も早い王政復古を誓い合ったという。

― 近江屋にいたところを襲撃される龍馬 ―

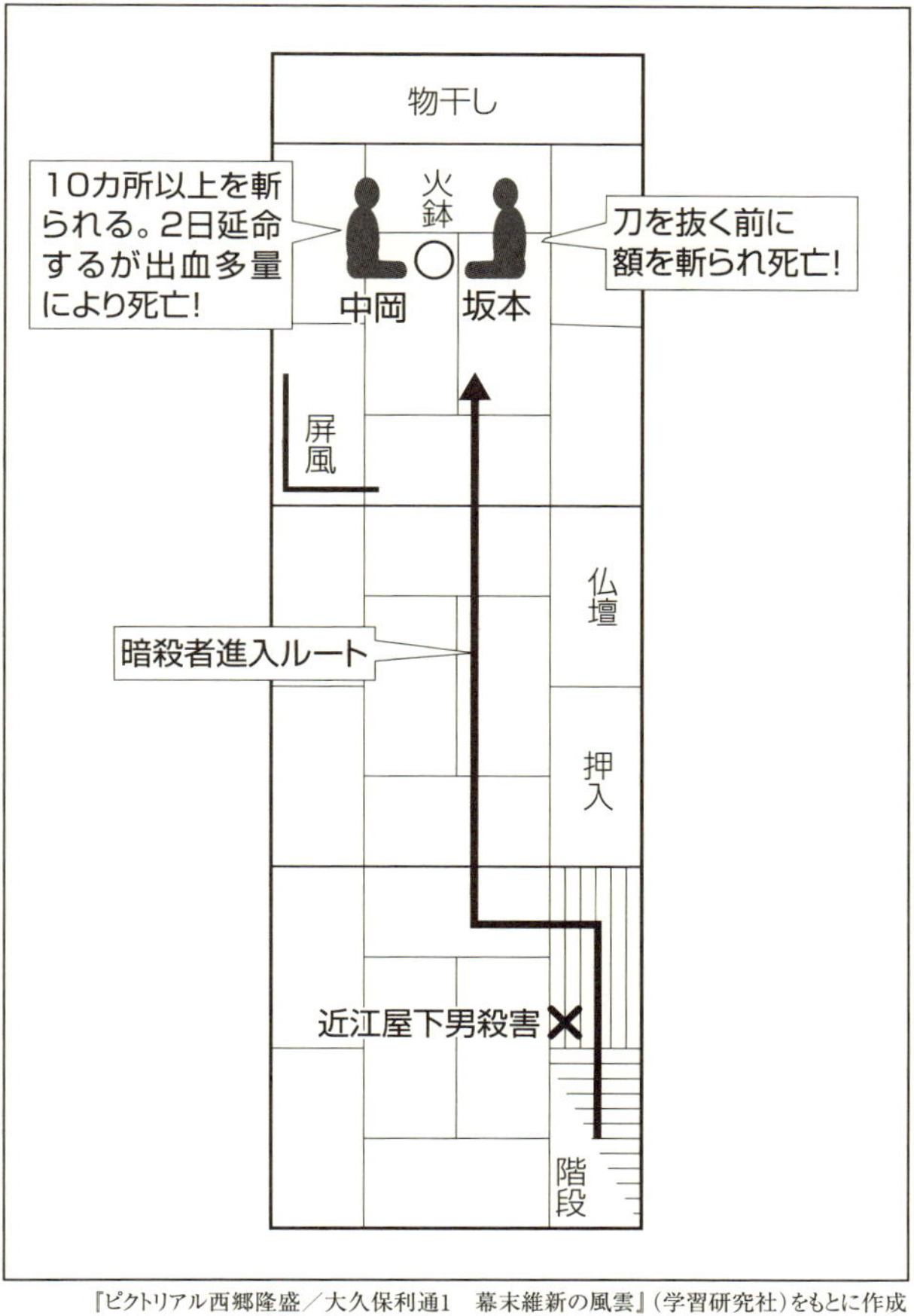
物干し
火鉢
10カ所以上を斬られる。2日延命するが出血多量により死亡!
刀を抜く前に額を斬られ死亡!
中岡
坂本
屏風
仏壇
暗殺者進入ルート
押入
近江屋下男殺害
階段

『ピクトリアル西郷隆盛／大久保利通1　幕末維新の風雲』（学習研究社）をもとに作成

戊辰《ぼしん》戦争①鳥羽《とば》・伏見《ふしみ》の戦い（1868年）

1万5000人の旧幕府軍が、4500人の薩長軍になぜ負けた？

1867（慶応3）年の大政奉還後、徳川慶喜《よしのぶ》は、新政権に加わってそこで主導権を握り、再び徳川家を中心とした統一政権の確立を目論んだが、薩長両藩が王政復古のクーデターを実現させてしまう。新政府から領土返還を迫られた慶喜は、政権奪回のため戊辰戦争を起こす。

明けて1868（慶応4）年1月2日、進撃を開始した旧幕府軍は、旧幕兵・会津藩兵ら総勢1万5000、迎え撃つ薩長軍は4500程度である。慶喜は、諸道から兵を分けて薩長軍を包囲する策をとらず、西郷隆盛が指揮する薩長軍で固められた鳥羽・伏見方面へ全兵力を進ませる拙劣な戦術に出た。

戦いは1月3日から6日にわたり、旧幕府軍は完敗する。刀や槍による幕府軍の戦法はもはや時代遅れで、薩長軍が装備した大砲などの銃撃を浴び、次々と倒された。寄せ集めの傭兵は戦意が低く、真っ先に敗走した。

1万5000もの兵が、4500の兵に敗れたのは、指揮官の能力と軍事力の差といえよう。

― 北上する旧幕府軍を迎撃する薩長軍 ―

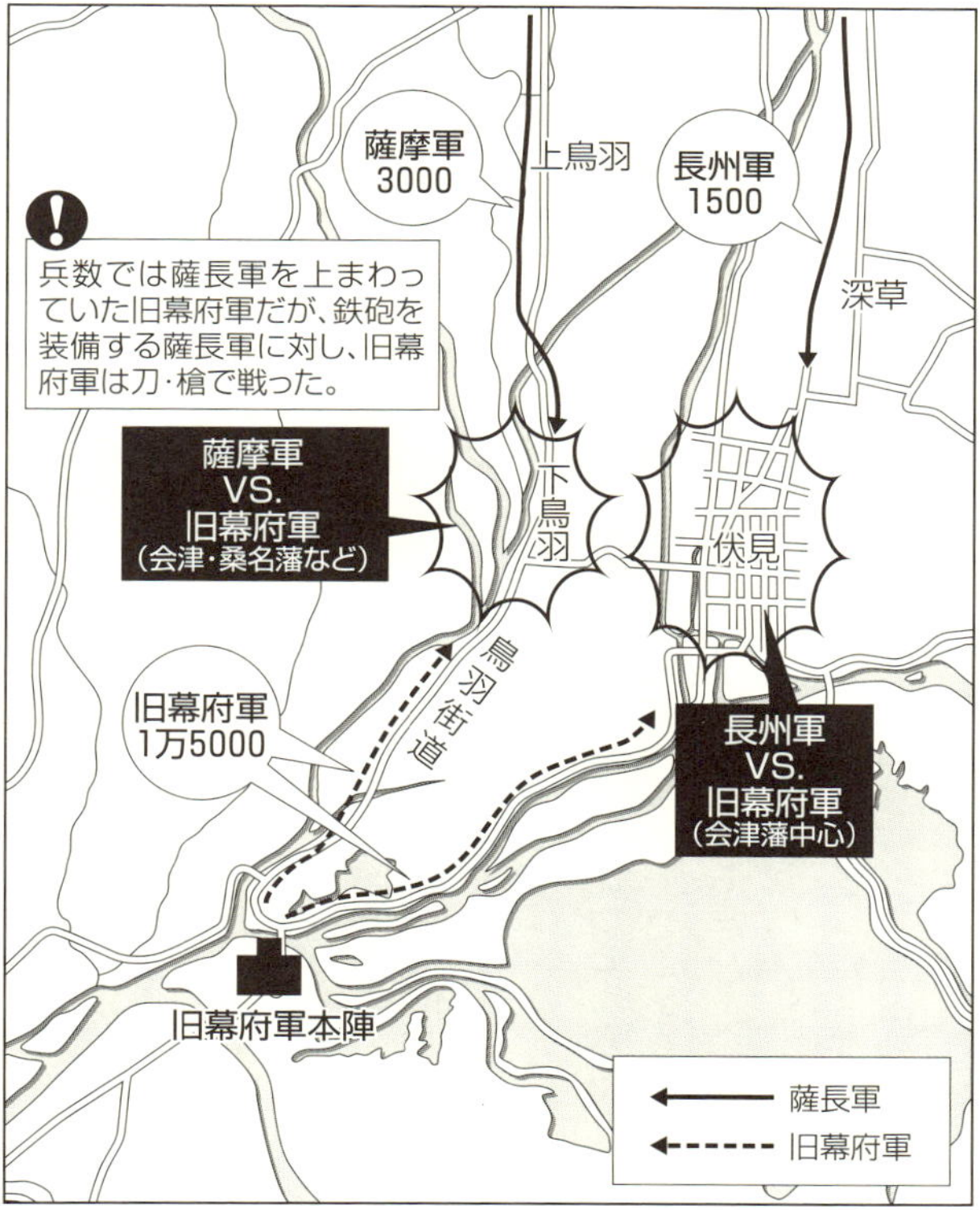
薩摩軍
3000
上鳥羽
長州軍
1500
深草
兵数では薩長軍を上まわっていた旧幕府軍だが、鉄砲を装備する薩長軍に対し、旧幕府軍は刀・槍で戦った。
薩摩軍
VS.
旧幕府軍
（会津・桑名藩など）
下鳥羽
伏見
鳥羽街道
旧幕府軍
1万5000
長州軍
VS.
旧幕府軍
（会津藩中心）
旧幕府軍本陣
薩長軍
旧幕府軍

ココがポイント! 鳥羽・伏見の戦い以降、西日本の藩たちが続々と天皇政府側にまわり、王政復古派が力を持ちはじめた！

江戸城無血開城（1868年）

勝海舟と西郷隆盛の歴史的会談の裏には……

鳥羽・伏見の戦いのあと、大坂城から江戸城に戻った慶喜は、抗戦の意志を持っていたが、やがて形勢不利と見て上野の寛永寺に謹慎する。西日本諸藩が忠誠の意を示し、勢いづいた維新政権は、東征軍を編成し、1868（慶応4）年2月、薩長両藩兵を中心とする総勢5万の官軍が、東海道軍と甲州道軍、中山道軍に分かれ、江戸を目指した。

東海道軍は全く戦闘なしで品川に到着し、甲州道軍は近藤勇の新撰組を打ち破り、一同が江戸に集結して江戸城攻撃に備えた。

そして3月13日・14日、歴史に残る勝海舟と西郷隆盛の会談が行なわれる。新政府側の西郷と旧幕府側の勝の交渉で、江戸城攻撃は中止され、無血開城という成果を得た。

会談が成功した陰には、戦火が横浜貿易にダメージを与えることを心配したイギリス公使・パークスの強い中止要請に西郷が配慮したといわれている。

4月11日、江戸城は官軍に明け渡され、慶喜は水戸で謹慎することになった。

― 三手に分かれ江戸城目前まで迫る東征軍 ―

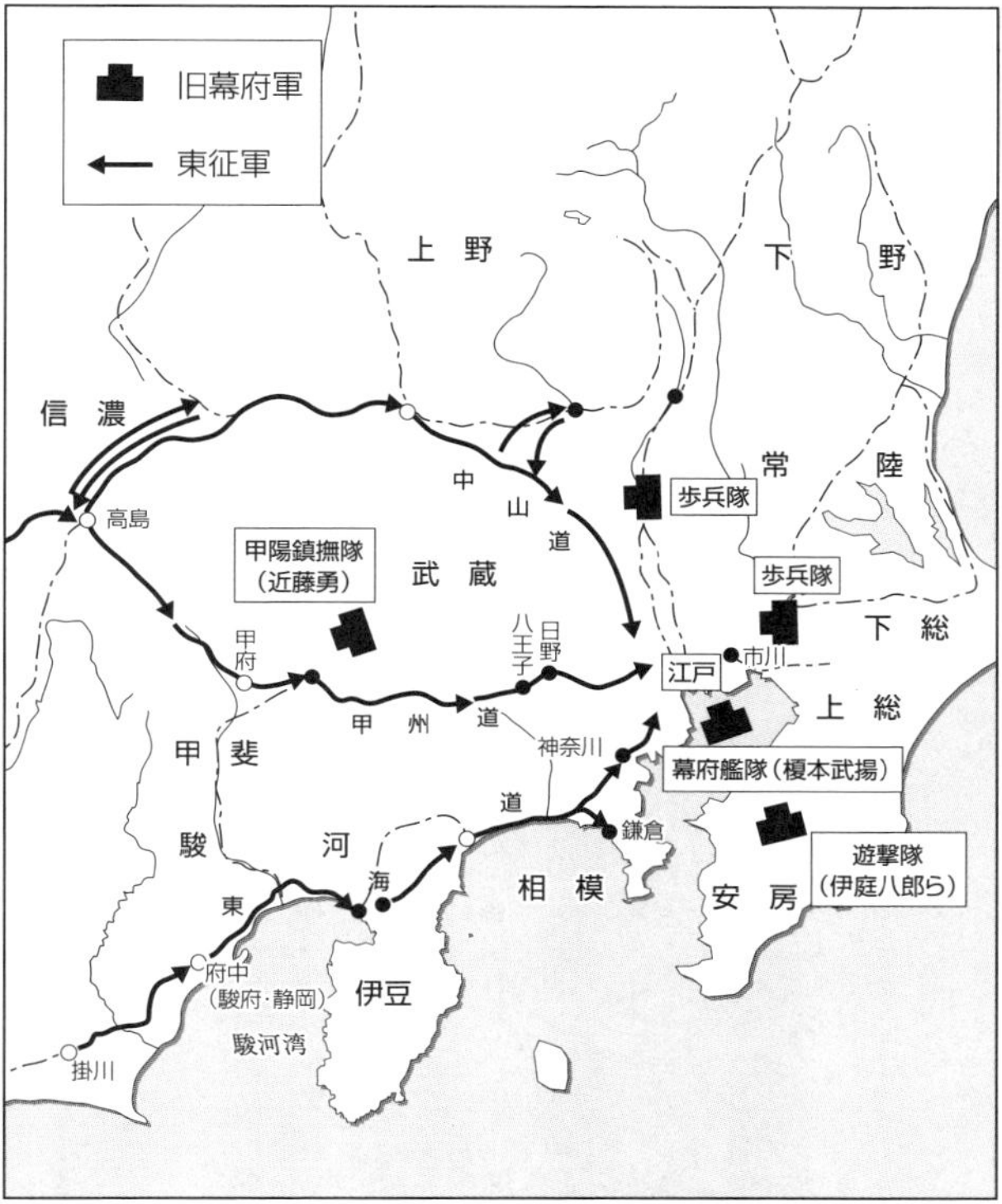
旧幕府軍
東征軍
上野
下野
信濃
常陸
中山道
高島
甲陽鎮撫隊（近藤勇）
武蔵
歩兵隊
歩兵隊
下総
甲府
八王子
日野
江戸
市川
上総
甲州道
甲斐
神奈川
幕府艦隊（榎本武揚）
道
駿河
鎌倉
遊撃隊（伊庭八郎ら）
海
相模
安房
東
府中（駿府・静岡）
伊豆
駿河湾
掛川

『歴史群像2007年8月号』（学習研究社）をもとに作成

ココがポイント！

薩摩藩邸にて開かれた勝と西郷の会談により、
江戸城総攻撃は中止された！

戊辰戦争②会津戦争（1868年）

地元民が新政府軍に教えた「防備の手薄なルート」

戊辰戦争のなかで、最大規模の戦いが会津戦争だ。会津藩主・松平容保《かたもり》は、1862（文久2）年、京都守護職として京都に乗り込み、治安維持を名目に、勤王の志士を弾圧していた。薩摩・長州を中心に編制された新政府軍にとって、戊辰戦争はその仇討ちともいえたのである。

東北の諸大名たちは、新政府軍が会津を攻めることを予想し、会津藩を救うために協議を重ねた。新政府から派遣された奥羽鎮撫総督に寛大な処分を要請したが高圧的な態度で拒否された上、会津討伐を命じられたことに反発し、東北地方25藩と北越6藩が奥羽越列藩同盟を結んで会津藩を支援する。

新政府軍は、白河城、平城、二本松城を次々に陥落させ、鶴ヶ城攻撃へと態勢を整える。会津藩は、新政府軍が鶴ヶ城を攻めるためのルートとして勢至堂《せいしどう》峠と御霊櫃《ごれいびつ》峠を想定し、守備を固めていた。しかし、新政府軍は守備が手薄な母成《ぼなり》峠を突破し、鶴ヶ城へと殺到した。会津藩軍は、1カ月の籠城後、1868（明治元）年9月22日に降伏した。

― 防備の手薄なルートを衝《つ》かれた会津軍 ―

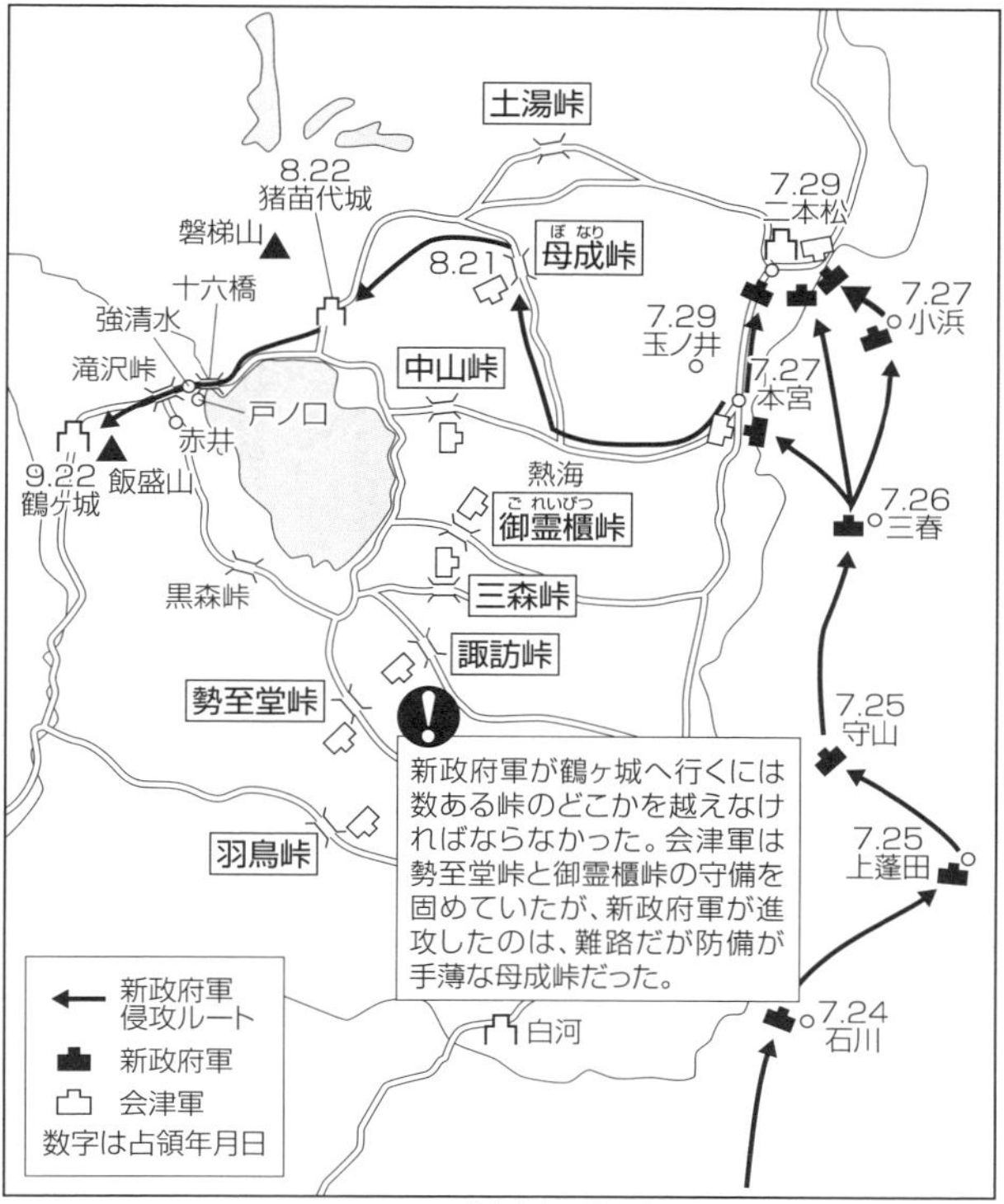
土湯峠
8.22
猪苗代城
磐梯山
8.21
母成《ぼなり》峠
7.29
二本松
7.27
小浜
7.29
玉ノ井
十六橋
強清水
滝沢峠
戸ノ口
赤井
9.22
鶴ケ城
飯盛山
中山峠
7.27
本宮
熱海
御霊櫃《ごれいびつ》峠
7.26
三春
黒森峠
三森峠
諏訪峠
勢至堂峠
7.25
守山
新政府軍が鶴ヶ城へ行くには数ある峠のどこかを越えなければならなかった。会津軍は勢至堂峠と御霊櫃峠の守備を固めていたが、新政府軍が進攻したのは、難路だが防備が手薄な母成峠だった。
羽鳥峠
7.25
上蓬田
新政府軍侵攻ルート
新政府軍
会津軍
数字は占領年月日
白河
7.24
石川

『会津落城』星 亮一（中央公論新社）をもとに作成

ひとくちメモ

母成峠を通過するには道案内が必要だったが、会津藩に見切りをつけていた地元民は新政府軍に積極的に協力していた！

廃藩置県（1871年）

はじめの〝線引き〟に対して続出した「不満」って？

新政権は、明治政府の体制強化のため、さまざまな改革を進める。その1つが1871（明治4）年7月の廃藩置県だ。政府は、それまでの261藩を取り潰し、府県を制定した。国内は3府72県に編成され、県を治めるのも藩主に代わって、天皇に任命され政府から派遣された府知事・県令となった。

3府72県ができた時、1つの府県の面積や人口はほぼ適正になるが、江戸時代に同一の藩の領域にいた人々が別々の県に入れられてしまう場合があったため、それぞれの地方から、県境の線引きに対して多くの不満が出てきた。

その後、何度かの統合が繰り返され、1893（明治26）年、現在とほぼ同じ境界が確定した。

県名は、維新の際に政府に貢献したか否か、つまり忠勤藩と朝敵藩を区別し、忠勤藩の大藩は名称がそのまま県名になり、朝敵藩と日和見藩の藩名はなくされ、新たな県名が付けられた。廃藩置県をきっかけに、それまで築かれてきた藩ごとの文化の独自性は薄れていった。

― 明治4年、日本は3府72県に分けられた! ―

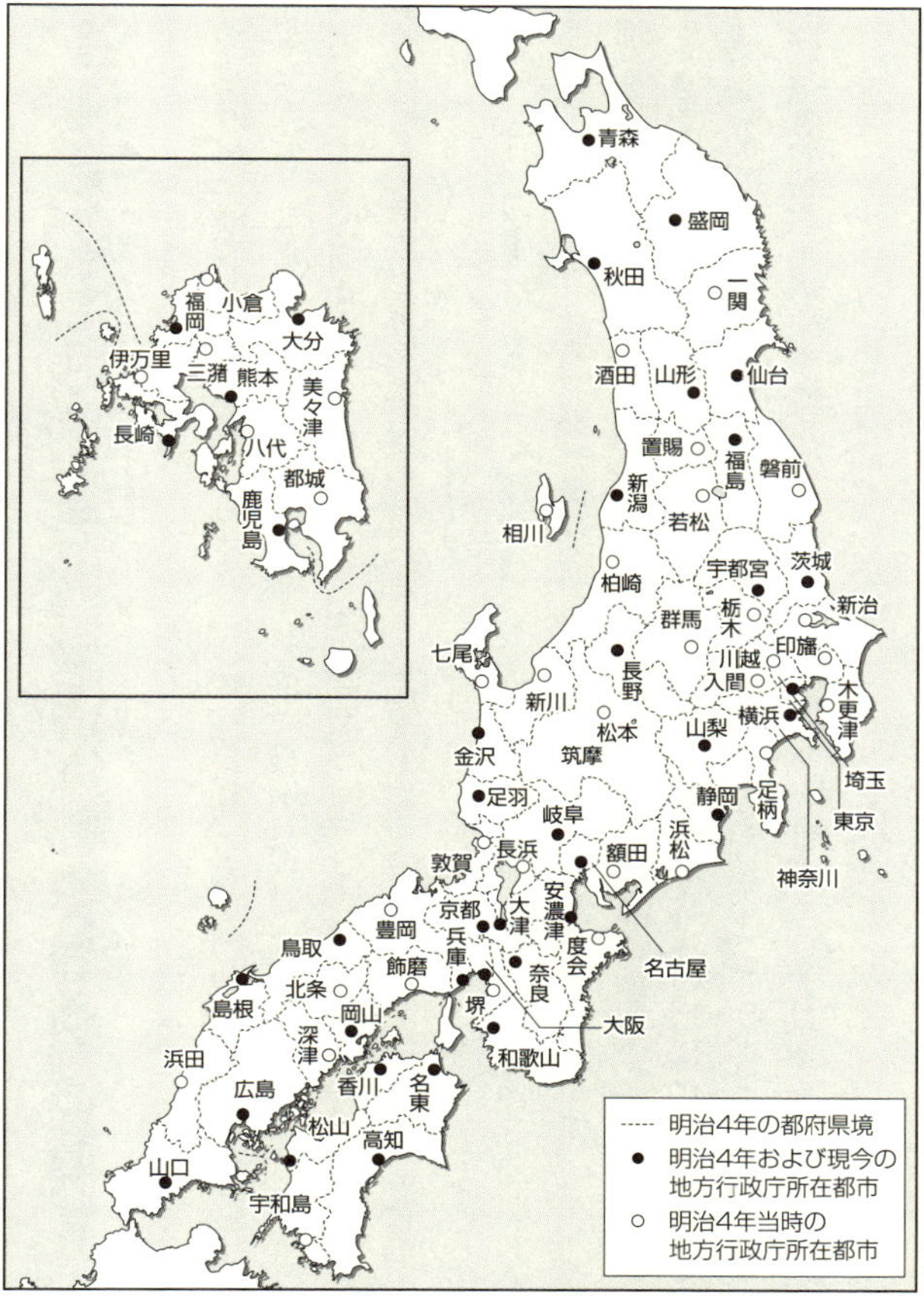
青森
盛岡
秋田
一関
酒田
山形
仙台
置賜
福島
磐前
新潟
若松
相川
宇都宮
茨城
柏崎
栃木
新治
群馬
印旛
七尾
川越
入間
長野
木更津
新川
横浜
松本
山梨
金沢
筑摩
埼玉
足柄
足羽
静岡
東京
岐阜
浜松
敦賀
長浜
額田
神奈川
安濃津
京都
大津
豊岡
鳥取
兵庫
度会
飾磨
奈良
名古屋
北条
島根
岡山
堺
大阪
深津
浜田
和歌山
香川
名東
広島
松山
高知
山口
宇和島
福岡
小倉
大分
伊万里
三潴
熊本
美々津
長崎
八代
都城
鹿児島
明治4年の都府県境
明治4年および現今の地方行政庁所在都市
明治4年当時の地方行政庁所在都市

『藩と日本人　現代に生きる〈お国柄〉』武光 誠(PHP研究所)をもとに作成

岩倉具視《ともみ》遣外使節団（1871～1873年）

約2年で12カ国を歴訪した大プロジェクト

明治政府が廃藩置県を終えたころ、岩倉具視を中心とした遣外使節団が結成され、1871（明治4年）年から1873年にかけて、欧米12カ国を歴訪した。

遣外使節団のメンバーは、岩倉具視を大使とし、副使の木戸孝允、大久保利通、伊藤博文、山口尚芳《ますか》ら46名、随行員18名、津田梅子ら女子留学生を含む43名の留学生からなる107名もの大所帯であった。

当初、欧米歴訪の目的は、条約締盟国を訪問し、条約改正の予備交渉、文物視察だった。しかし、条約改正交渉は不発に終わり、先進国の制度や文物の視察のみに終始した。

図のように、1871年11月に横浜を出発した一行は、12月にアメリカに到着、ヨーロッパに渡り、イギリス、フランス、オランダ、ドイツ、など12カ国を訪問。各国で議会や工場などを視察、法律や制度などを学んだ。

この経験が日本の近代化に貢献する一方、留守を預かっていた西郷隆盛や板垣退助らと征韓論における対立を引き起こすことになる。

― 約1年かけてヨーロッパ諸国を回った使節団 ―

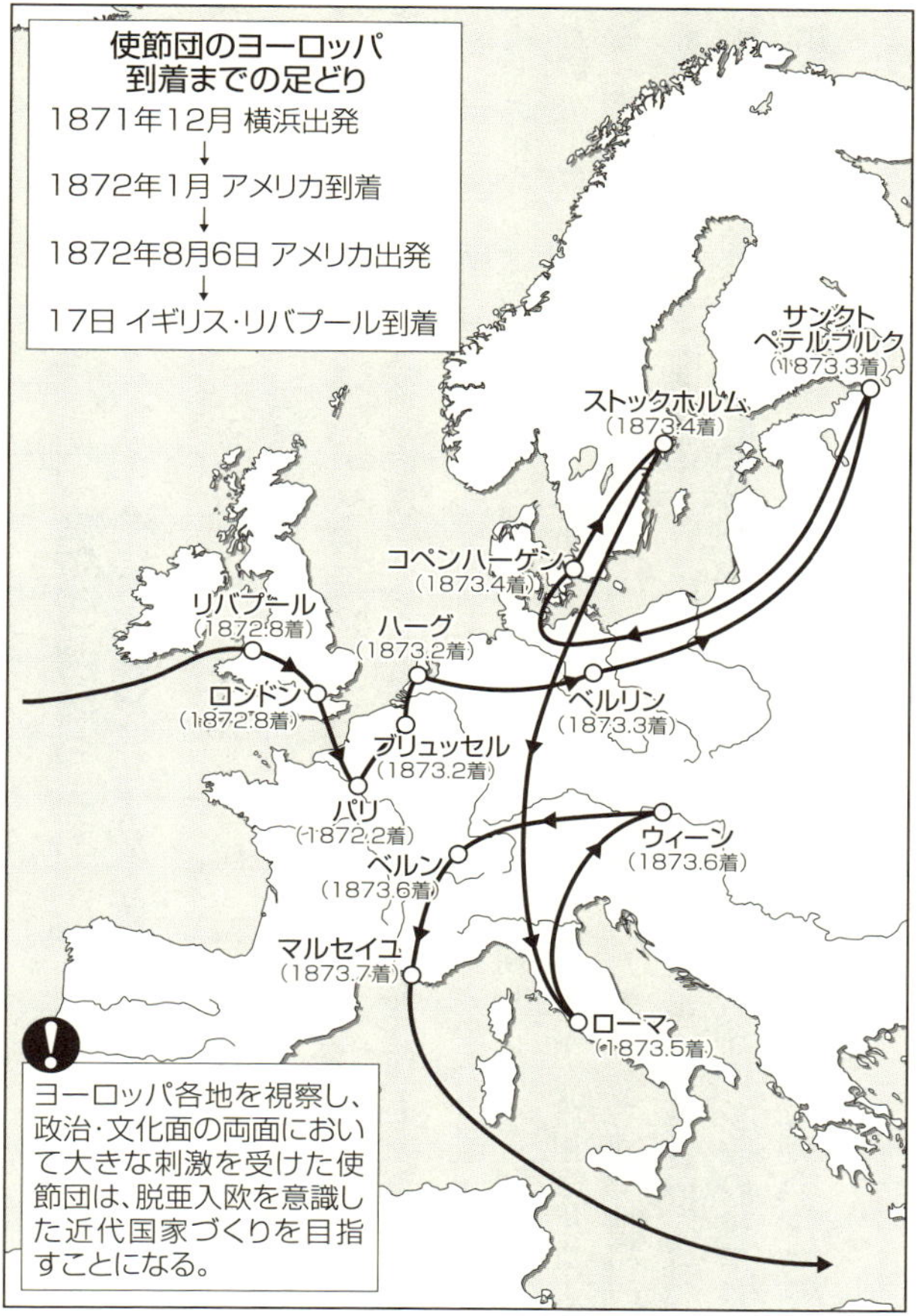
使節団のヨーロッパ
到着までの足どり
1871年12月 横浜出発
↓
1872年1月 アメリカ到着
↓
1872年8月6日 アメリカ出発
↓
17日 イギリス・リバプール到着
サンクト
ペテルブルク
(1873.3着)
ストックホルム
(1873.4着)
コペンハーゲン
(1873.4着)
リバプール
(1872.8着)
ハーグ
(1873.2着)
ロンドン
(1872.8着)
ベルリン
(1873.3着)
ブリュッセル
(1873.2着)
パリ
(1872.2着)
ウィーン
(1873.6着)
ベルン
(1873.6着)
マルセイユ
(1873.7着)
ローマ
(1873.5着)
ヨーロッパ各地を視察し、政治・文化面の両面において大きな刺激を受けた使節団は、脱亜入欧を意識した近代国家づくりを目指すことになる。

地租改正（1873年）

この改正には、農民を苦しめる〝カラクリ〟があった！

明治政府が財政を安定させるために行なった改革が地租改正だ。江戸時代まで年貢という形で米を徴収していたものを現金に改めた。米は天候により収穫が左右されるため税収が不安定で、米価の上下によって租税が変動してしまうのだ。そのため、年貢の金納化をめざして地租改正を実行したのである。

土地の値段（地価）を国が算出し、その3％を、毎年土地所有者が現金で支払う仕組みをつくったのだ。政府は地券を発行し、土地所有権を保証した。地価は収穫量を金額に換算し、種もみ・肥料代・地租などの必要経費を差し引き、残額を利益として利子率をかけて算出した。種もみや肥料代は低く設定されたため、地価は高額になった。

農民たちは、地租改正により税負担が軽減されると期待したが、地租は年貢より減額されなかったので、各地で地租改正一揆が起こった。茨城県の真壁暴動、三重県の伊勢騒動などは、多数の検挙者を出す大騒動になり、政府は地租を地価の2・5パーセントに引き下げた。

― 地租改正反対の暴動を起こす農民たち ―

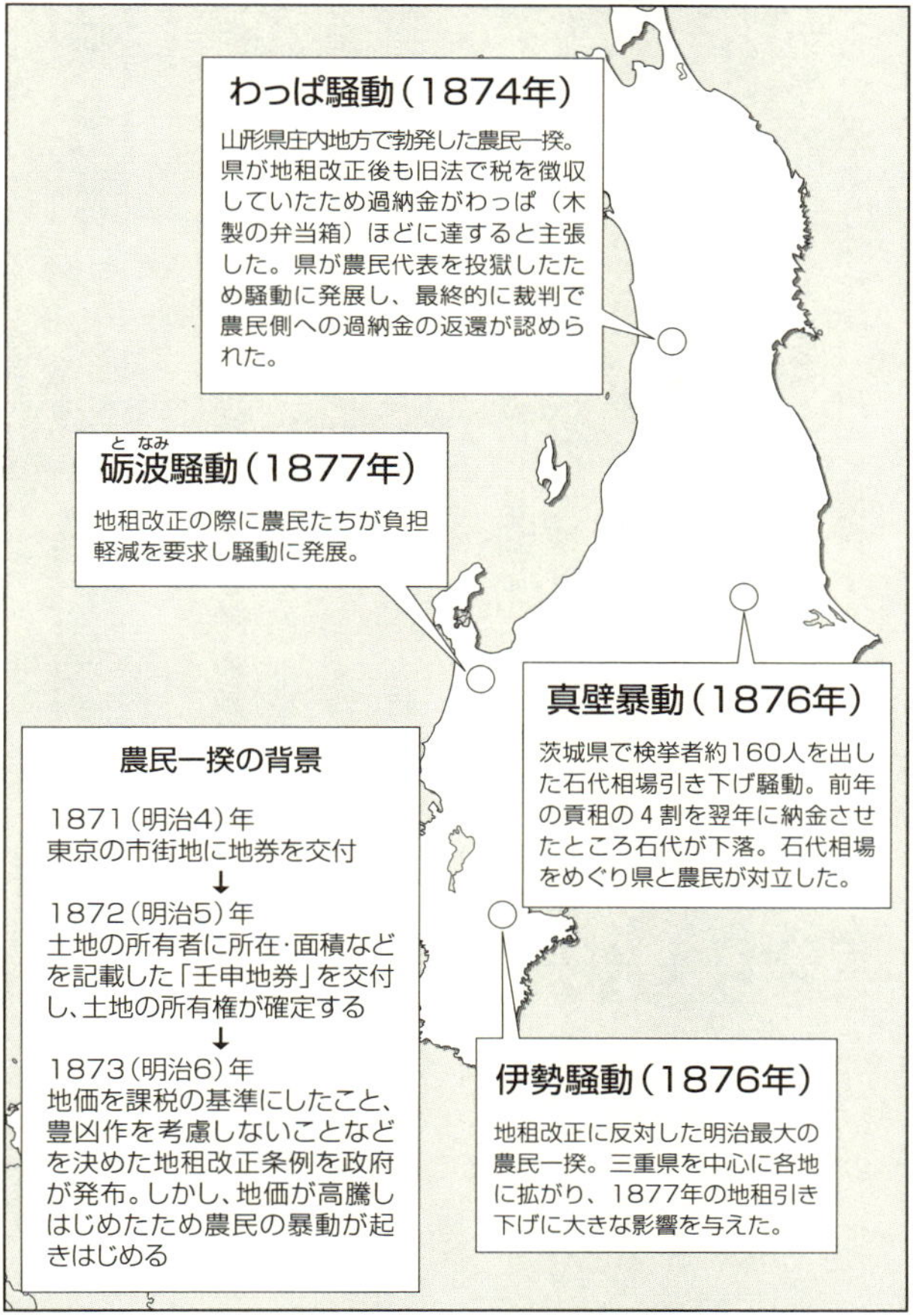
わっぱ騒動（1874年）
山形県庄内地方で勃発した農民一揆。県が地租改正後も旧法で税を徴収していたため過納金がわっぱ（木製の弁当箱）ほどに達すると主張した。県が農民代表を投獄したため騒動に発展し、最終的に裁判で農民側への過納金の返還が認められた。
砺《と》波《なみ》騒動（1877年）
地租改正の際に農民たちが負担軽減を要求し騒動に発展。
真壁暴動（1876年）
茨城県で検挙者約160人を出した石代相場引き下げ騒動。前年の貢租の４割を翌年に納金させたところ石代が下落。石代相場をめぐり県と農民が対立した。
農民一揆の背景
1871（明治4）年
東京の市街地に地券を交付
↓
1872（明治5）年
土地の所有者に所在･面積などを記載した「壬申地券」を交付し、土地の所有権が確定する
↓
1873（明治6）年
地価を課税の基準にしたこと、豊凶作を考慮しないことなどを決めた地租改正条例を政府が発布。しかし、地価が高騰しはじめたため農民の暴動が起きはじめる
伊勢騒動（1876年）
地租改正に反対した明治最大の農民一揆。三重県を中心に各地に拡がり、1877年の地租引き下げに大きな影響を与えた。

台湾出兵（1874年）

戦死者は12名なのに、日本軍の死者が500人を超えたのはなぜ？

1871（明治4）年、琉球の宮古島から台湾・牡丹社に漂着した船の乗組員66名中54名が現地民に殺害される。この事件が明るみになると、台湾に出兵すべしという声が出てきた。当初、征台に反対だった大久保利通は、対外的に琉球を日本の所属と示すことができる点、対内的には不平士族の目を外に逸らすことができる点から、一転して征台を認めた。

大久保は列強の干渉も清国の抗議もないだろうと予測していた。しかし、英公使や米公使が激しく抗議、清国も出兵を非難し、大久保は窮地に陥った。政府は出兵を中止したが、西郷従道《つぐみち》の率いる日本軍はこれをきかず、台湾に向かう。

日本軍艦は社寮港に到着、3方向に分かれて牡丹社に入り、数日の間に陥落させた。日本軍の戦死者はわずか12名だったが、病死者は500名以上を数えた。

戦後、大久保利通は出兵決定の責任者として自ら清国に赴《おもむ》いた。交渉は難航したが、粘り強い努力と英公使ウェードの仲介で、清国に出兵を「義挙」と認めさせ、賠償金を勝ち取った。

― 台湾の南端・牡丹社に侵攻する日本 ―

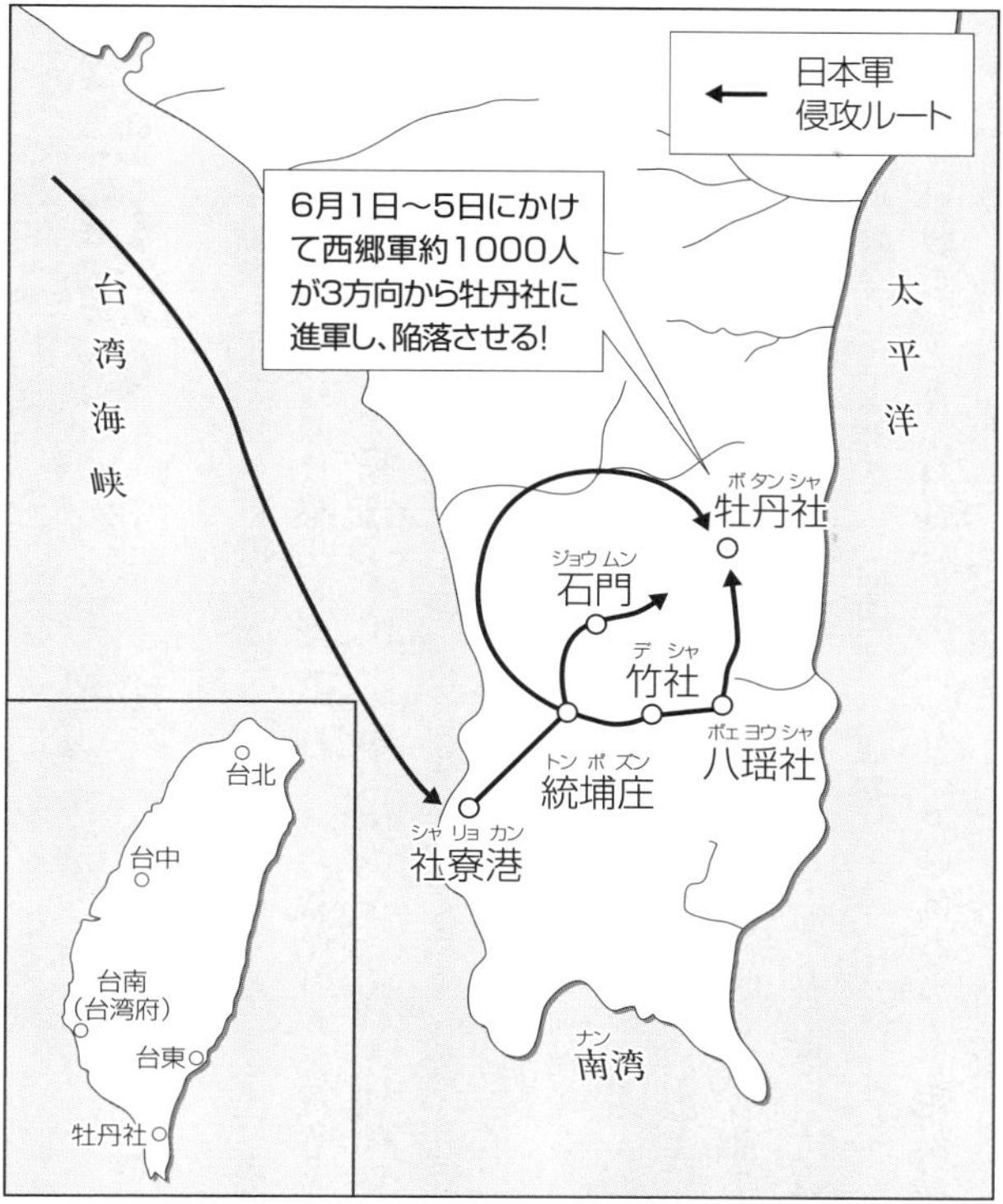
日本軍
侵攻ルート
6月1日〜5日にかけて西郷軍約1000人が3方向から牡丹社に進軍し、陥落させる!
台湾海峡
太平洋
牡丹社《ボタンシャ》
石門《ジョウムン》
竹社《デシャ》
八瑶社《ポェヨウシャ》
統埔庄《トンポズン》
社寮港《シャリョカン》
南湾《ナン》
台北
台中
台南
(台湾府)
台東
牡丹社

『ビジュアル・ワイド明治時代館』(小学館)をもとに作成

ひとくちメモ

台湾遠征による日本軍の戦死者はわずか12名だったが、マラリアなどの病死者は500名以上にのぼったという。

自由民権運動（1874年）

運動は激化し、日本各地で〝テロ〟が勃発!?

1874（明治7）年、板垣退助らが民撰議院設立の建白書を政府に提出したことにはじまった自由民権運動は、全国各地に拡大した。この自由民権運動とは、国民が政治に参加する権利「民権」を要求した運動で、新政府に国会開設を求めていた。

この要求の根底には、人間は生まれながらにして誰からも奪われることのない自由や平等権が与えられているという理念があった。新しい時代を迎え、「自由」とは誇るべき価値だと人々が目覚めたのだ。やがて各地に政治活動や文化活動を行なう民権結社が結成された。板垣退助が自由党をつくり、初代党首に就任したのをはじめとし、政党が続々と誕生する。1890（明治23）年、政府が国会開設を決定する。

やがて、明治政府を一部の藩の出身者が独占していることに反発して起こった運動が全国各地で政治事件を引き起こすことになる。とくに自由党を主体とした運動は徐々にエスカレートし、「激化事件」と呼ばれるテロや暴動に変化した。

― 各地で起こる政府への反乱 ―

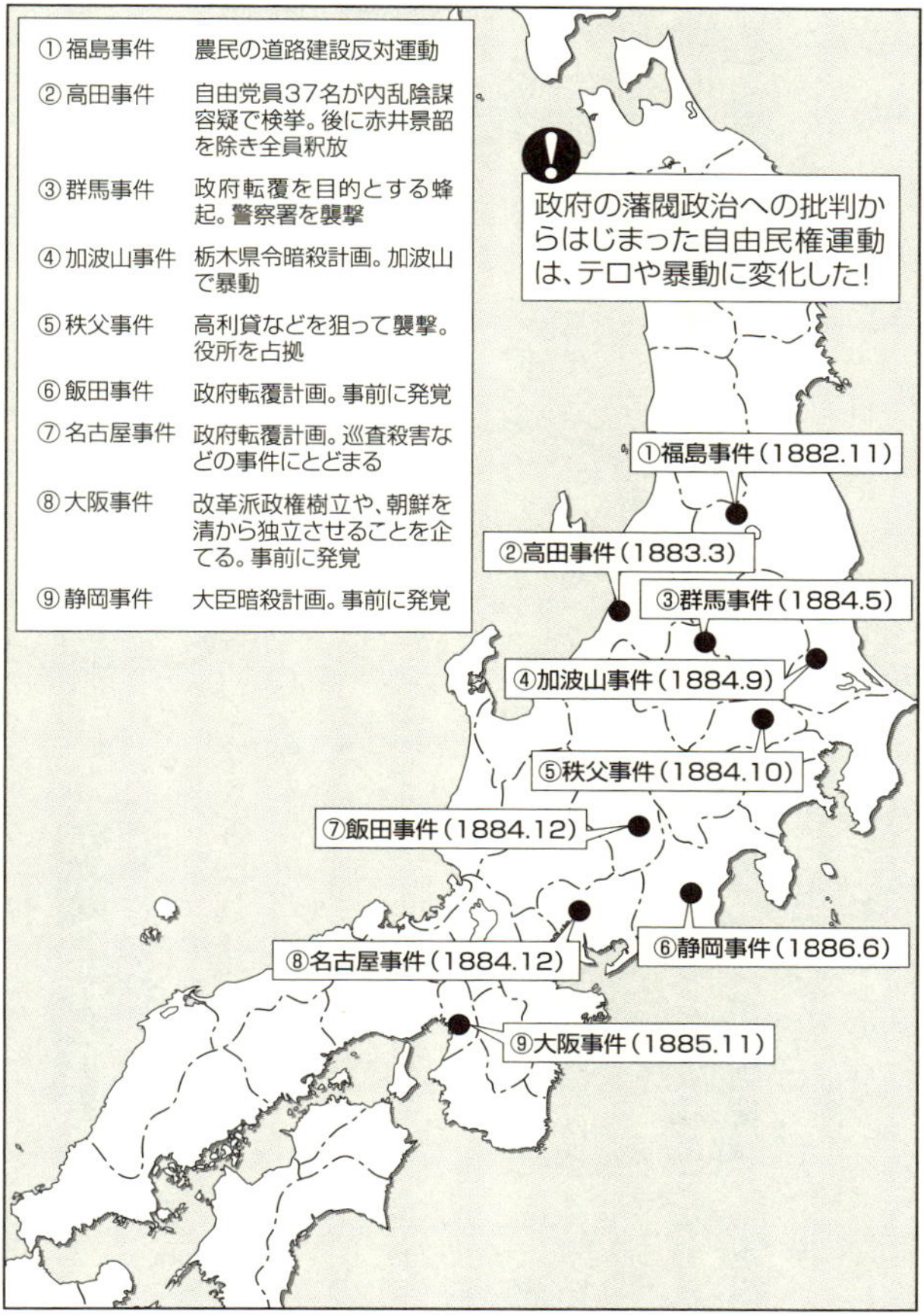
①福島事件 農民の道路建設反対運動
②高田事件 自由党員37名が内乱陰謀容疑で検挙。後に赤井景韶を除き全員釈放
③群馬事件 政府転覆を目的とする蜂起。警察署を襲撃
④加波山事件 栃木県令暗殺計画。加波山で暴動
⑤秩父事件 高利貸などを狙って襲撃。役所を占拠
⑥飯田事件 政府転覆計画。事前に発覚
⑦名古屋事件 政府転覆計画。巡査殺害などの事件にとどまる
⑧大阪事件 改革派政権樹立や、朝鮮を清から独立させることを企てる。事前に発覚
⑨静岡事件 大臣暗殺計画。事前に発覚
政府の藩閥政治への批判からはじまった自由民権運動は、テロや暴動に変化した!
①福島事件(1882.11)
②高田事件(1883.3)
③群馬事件(1884.5)
④加波山事件(1884.9)
⑤秩父事件(1884.10)
⑦飯田事件(1884.12)
⑧名古屋事件(1884.12)
⑥静岡事件(1886.6)
⑨大阪事件(1885.11)

樺太《からふと》・千島《ちしま》交換条約（1875年）

現代にまで引きずる北方領土問題の〝発端〟

樺太は江戸時代に幕府とロシア政府の交渉により、日本人とロシア人が同居する地域になっていた。千島列島は、南の国後《くなしり》、択捉《えとろふ》両島に日本人が、北からウルップ島まではロシア人が進出していた。

ところが1869（明治2）年、ロシアが樺太に進出し、兵営をつくりはじめた。その状況を見極めるため、北海道の開拓使として樺太を視察した黒田清隆は、樺太をロシアに譲るのがよいと報告した。

また、イギリスやアメリカも、日本とロシアが戦争をはじめて、日本が負け、ロシアが北海道まで占拠することを恐れ、樺太を捨てるように進言した。

1875（明治8）年、政府は黒田の熱心な推薦により、榎本武揚《たけあき》を全権公使としてロシアに派遣し、「樺太・千島交換条約」に調印させた。樺太全島をロシアに譲り、その代わりに千島全島を日本領とした。

こうして、1855（安政2）年の日露和親条約では国境未計画地域だった樺太は、1875年の「樺太・千島交換条約」によってロシア領となった。

― 樺太を譲る代わりに千島列島を獲得した日本 ―

1855年　日露和親条約

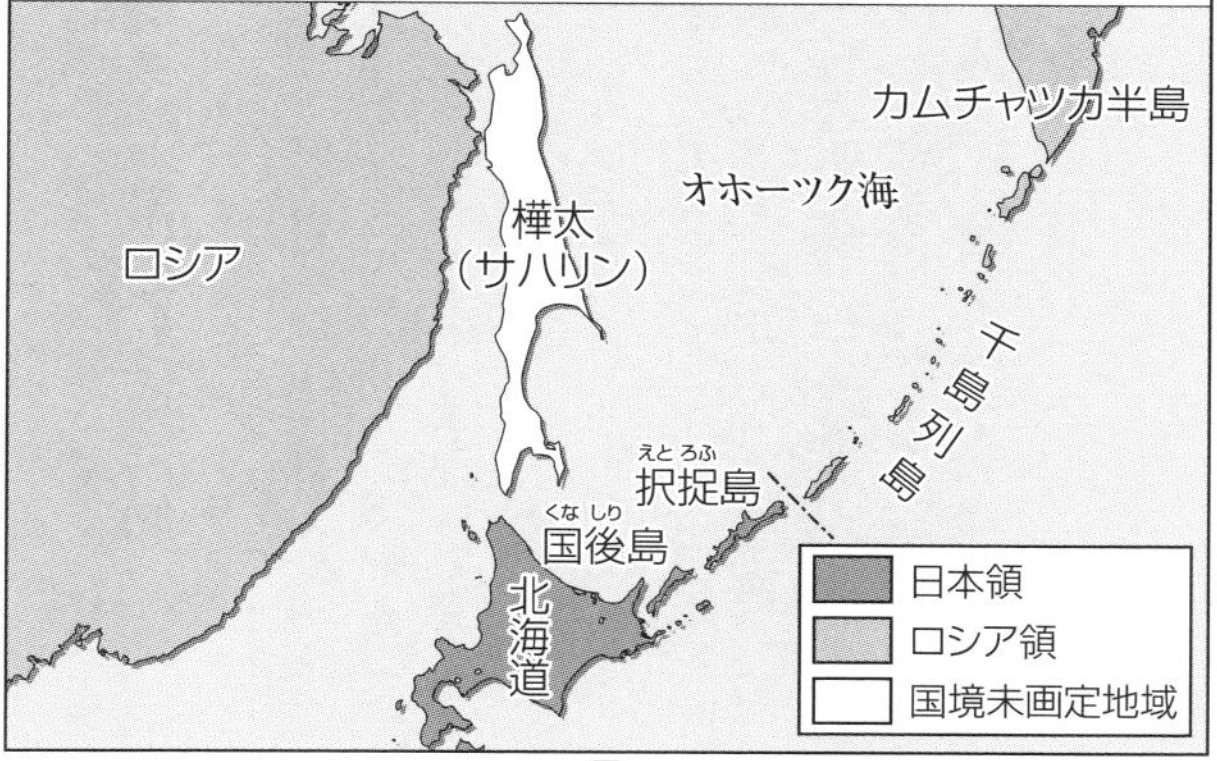
カムチャツカ半島
オホーツク海
樺太
(サハリン)
ロシア
千島列島
択捉島《えとろふ》
国後島《くなしり》
北海道
日本領
ロシア領
国境未画定地域

1875年　樺太・千島交換条約

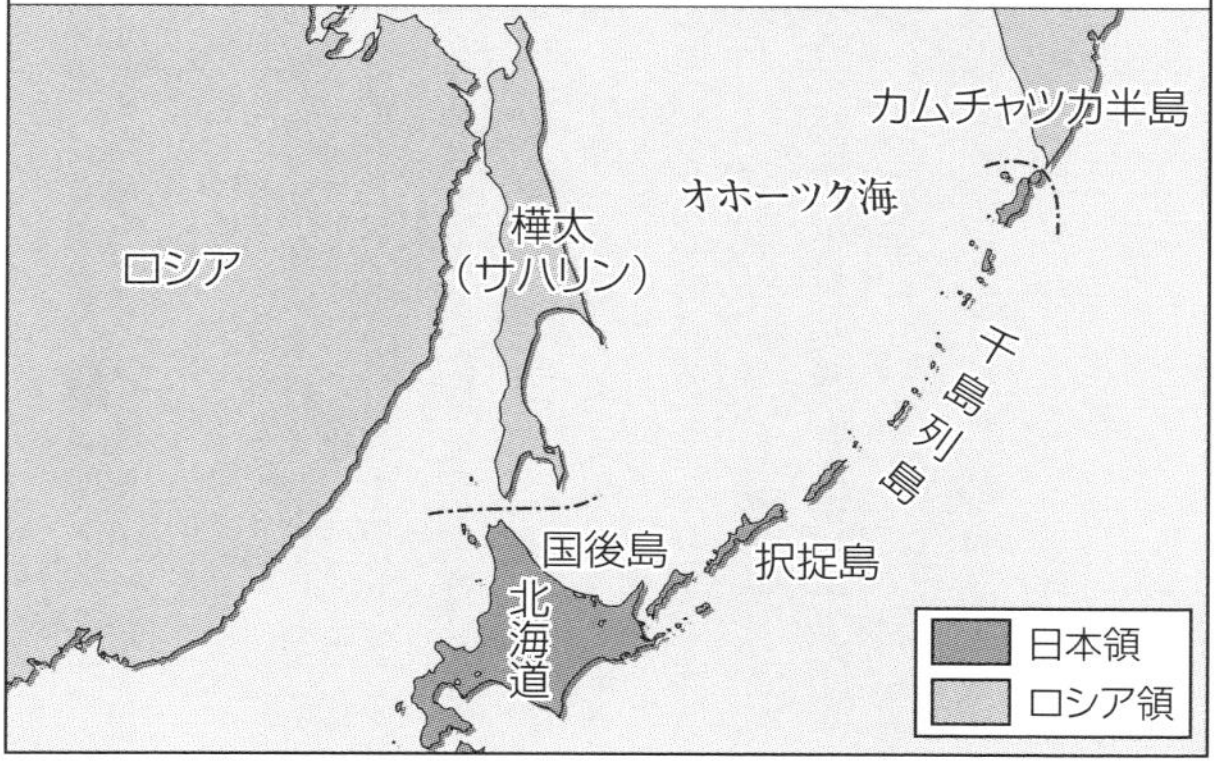
カムチャツカ半島
オホーツク海
樺太
(サハリン)
ロシア
千島列島
国後島
択捉島
北海道
日本領
ロシア領

江華島事件《こうかとう》（1875年）

朝鮮に国交更新を求めるための「強硬な方便」

事件は1875（明治8）年9月20日、朝鮮の江華島で起こった。日本軍艦が、朝鮮の江華島に測量のため無許可で接近、飲料水を手に入れようとしたところ、朝鮮砲台から砲撃を受けた。翌日、日本軍は発砲して反撃、22日には要塞に乗り込んで制圧し、さらに永宗島に上陸、占領した。江華島に接近して朝鮮を挑発したのは、政府の朝鮮侵略のための意図的な行為だった。この事件をきっかけに、国内には征韓論が再び高まった。

政府は12月、黒田清隆を特命全権弁理大臣として、朝鮮に送る。ただし、この派遣は、朝鮮との戦闘行為を目的にしたものではなく、朝鮮に国交更新を求めるためのものだった。

黒田一行は、1876（明治9）年2月10日に江華島に上陸、27日には日本の朝鮮における治外法権や貿易の関税の撤廃などを決めた日朝修好条規に調印する。これは、交渉というより、幕末にペリーが艦隊でやってきて、幕府に示威しながら和親条約を押しつけたやり方と同じである。

― 江華島に接近し、朝鮮軍と激突する日本軍 ―

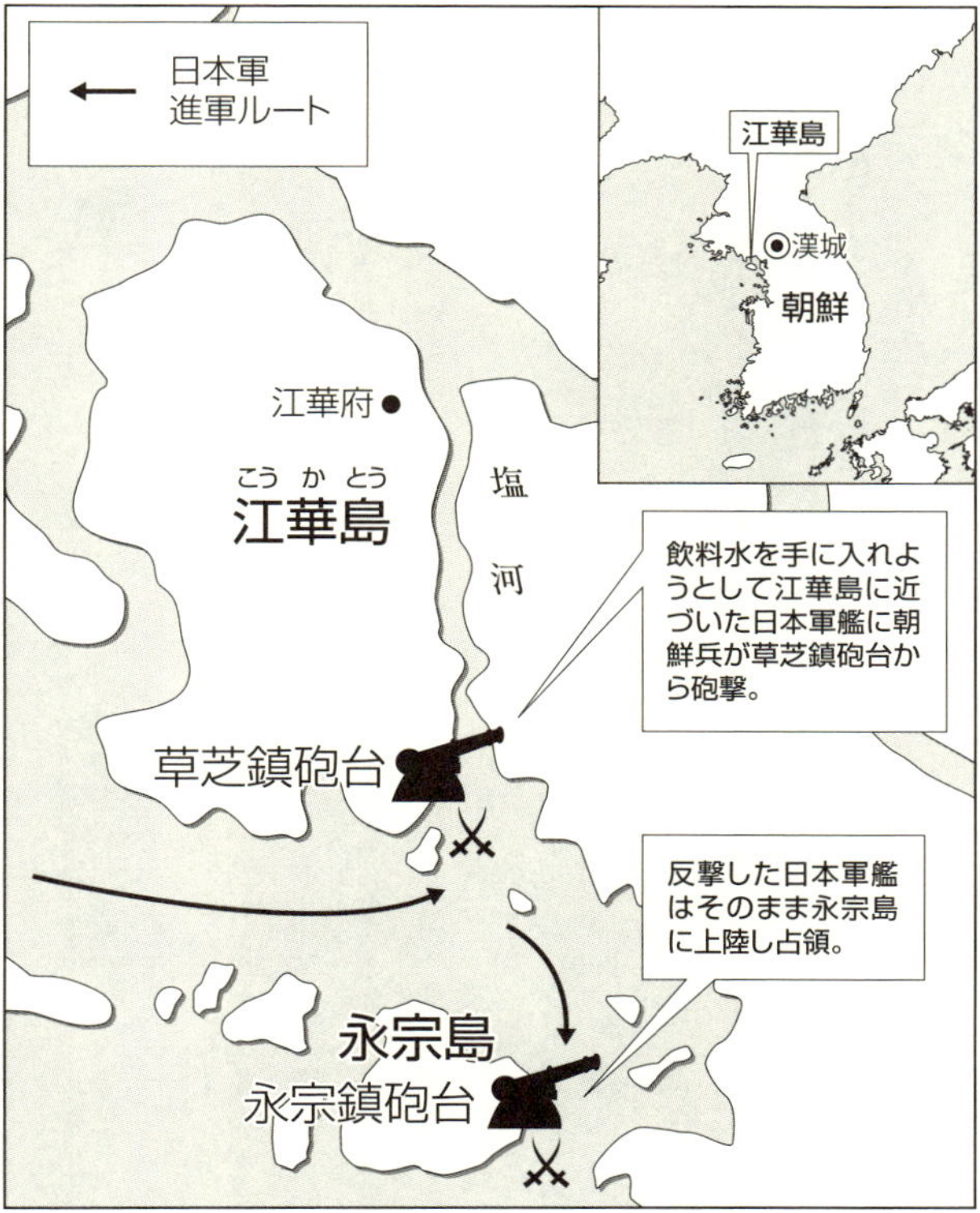

日本軍
進軍ルート
江華島
漢城
朝鮮
江華府
江華島《こうかとう》
塩
河
飲料水を手に入れようとして江華島に近づいた日本軍艦に朝鮮兵が草芝鎮砲台から砲撃。
草芝鎮砲台
反撃した日本軍艦はそのまま永宗島に上陸し占領。
永宗島
永宗鎮砲台

ココがポイント!

日本軍が江華島へ近づいて朝鮮を挑発したのは朝鮮侵略へのきっかけづくりが目的だった！

西南戦争（1877年）

西郷隆盛を中心とした「最大で最後」の士族の乱！

明治政府が実行した四民平等の政策により、士族は次々に特権を奪われ、廃刀令と秩禄《ちつろく》処分が出されると、士族の政府への不満は爆発した。政府のやり方に不平を持つ士族たちは、佐賀の乱、秋月の乱など、各地で相次いで反乱を起こす。

そして、最大で最後の士族の乱・西南戦争が勃発する。

1877（明治10）年、西郷隆盛は、1万3000の軍勢を率いて上京を決意する。鹿児島を出発し、政府軍の谷干城《たてき》を司令官とする熊本鎮台を攻めた。しかし失敗に終わり、田原坂《たばるざか》の激戦に突入するが、政府軍に追い詰められて敗走する。さらに鹿児島や熊本へ奇襲上陸され、熊本城に入城されるなど、優位に戦いを進められてしまう。劣勢となった西郷軍は、ついに鹿児島へ敗走する。

同年9月24日、西郷軍は政府軍に鹿児島の城山総攻撃をかけられる。小倉壮九郎らが次々と倒れ、西郷隆盛も自刃、50年の生涯を終えた。西南戦争は、九州全土を巻き込む戦いとなり、政府軍と西郷軍の戦いはじつに14度に及んでいた。

― 九州全土を巻き込む薩摩軍と政府軍の14度の戦い ―

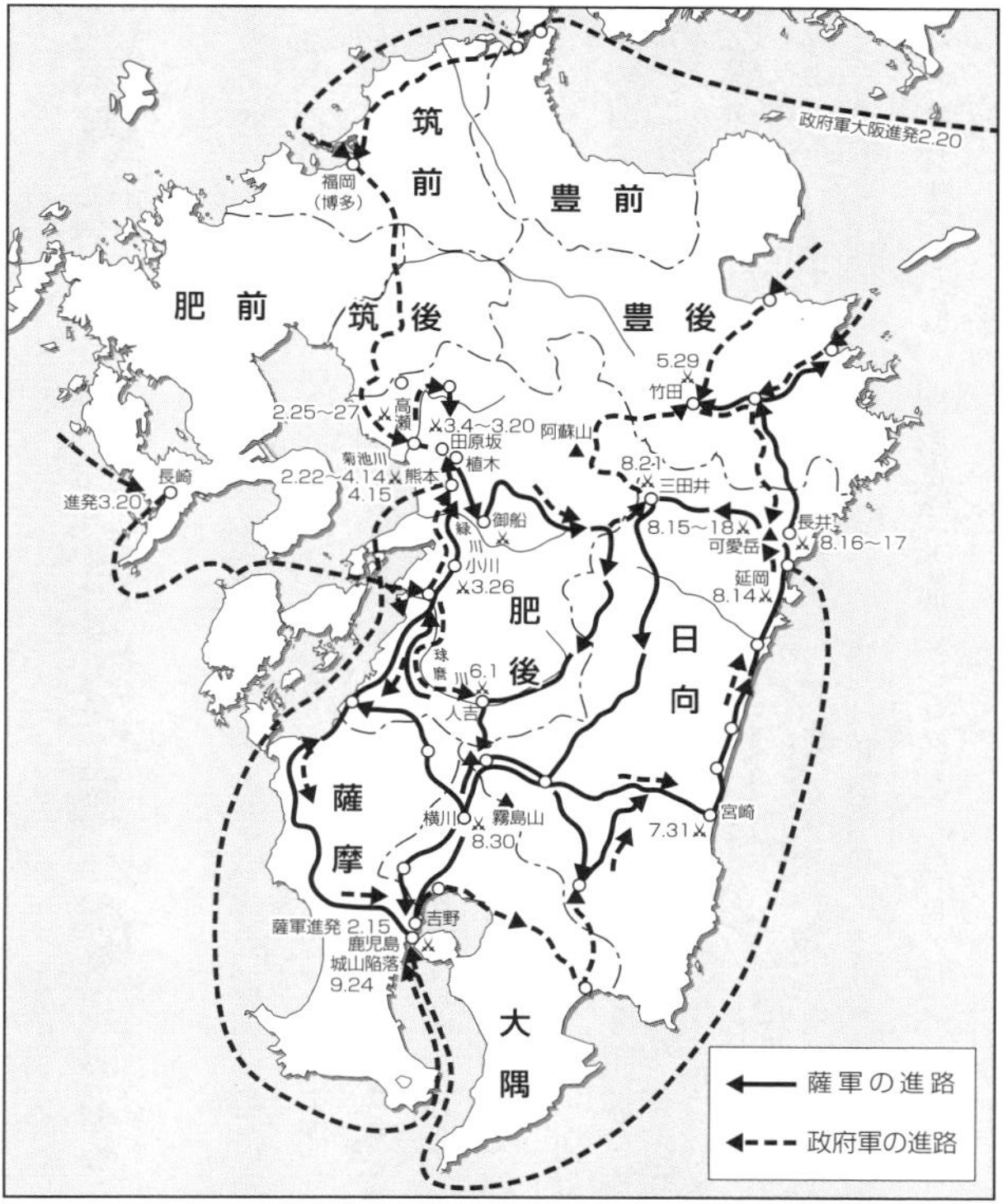

出典:『図説 西郷隆盛と大久保利通』芳即正・毛利敏彦編著(河出書房新社)

ひとくちメモ

九州全土を巻き込んだ戦争は薩摩軍5000名以上、政府軍6000名以上の戦死者を出した!

竹橋事件（1878年）

その原因は「近衛兵の給与削減」だった？

1878（明治11）年8月、「竹橋事件」と呼ばれる近衛兵の反乱が勃発。当時、東京麹町区竹橋にあった近衛砲兵大隊の兵士約260名が蜂起し、宇都宮茂敏少佐と深沢巳吉《みきち》大尉を殺害し、近衛砲兵営のうまやに火を放った。さらに、兵士約90名が、自分たちの主張を天皇に直訴するため、半蔵門を突破し、当時仮皇居だった赤坂離宮に向かったが、門近くで近衛兵によって鎮圧される。わずか2時間半の蜂起で、55名が死刑に処された。

蜂起した兵士たちは、西南戦争で命を賭けて戦ったのに、幹部たちが受けたような褒賞もなく、むしろ給与が削減されたことに不満を持っていた。

政府首脳は天皇と政府に忠誠を誓うべき近衛兵の反乱に狼狽《ろうばい》した。山県有朋《ありとも》は、陸軍すべての兵士に『軍人訓戒』を配布し、忠実・勇敢・服従を軍人精神の3大要素であるとして、軍人の政治的発言を禁じた。さらに1882（明治15）年、明治天皇が軍人すべてに『軍人勅諭』を下し、軍人の政治への関与を否定、軍の統制と服従、規律の厳正を強調した。

― 天皇に直訴するため仮皇居に向かう近衛兵 ―

近衛砲兵営
靖国神社
田安門
近衛歩兵営
練兵場
砲兵隊少佐、大尉を殺害! うまやに放火し、大砲を発射。
四ッ谷門
麹　町
半蔵門
坂下門
皇　居
仮皇居付近警備の近衛歩兵によって鎮圧される!
仮皇居(赤坂離宮)

『日本の歴史⑰ 日本近代の出発』佐々木 克(集英社)をもとに作成

ひとくちメモ 事件後、明治天皇が軍人すべてに『軍人勅諭』を下し、軍人の政治への関与を否定、軍の統制と服従、規律の厳正を強調した。

大津事件（1891年）

ロシア皇太子暗殺未遂事件の「一部始終」を検証！

1891（明治24）年5月11日、滋賀県大津市で起こった大津事件は、日本政府に大きなショックを与えた。事件当日、ロシアの皇太子ニコライは、ギリシアのゲオルギオス親王と、琵琶湖周遊に出かけた。

有栖川宮威仁《たけひと》親王をはじめとする接伴員や随行員、ロシアのシェーヴィチ公使らの一行が大津市下小唐崎町あたりにさしかかった時である。守山警察署から動員されていた津田三蔵巡査が、2台目の人力車に乗っていたニコライに、いきなりサーベルを抜いて斬りかかった。突発的なことで防ぎようがなく、ニコライは頭上部に傷を負う。再度斬りかかった津田巡査をゲオルギオス親王と2人の車夫、巡査たちが取り抑えた。

津田巡査は裁判にかけられ、無期徒刑となる。この裁判では、政府側の主張が一切採用されず、津田巡査は一般人の殺人に適用される謀殺未遂として判決を受けた。この事件は、日本の司法権が独立した存在であることを世界に知らしめ、その後の条約改正交渉に影響を与えた。

— 皇太子に斬りかかる立番中の巡査 —

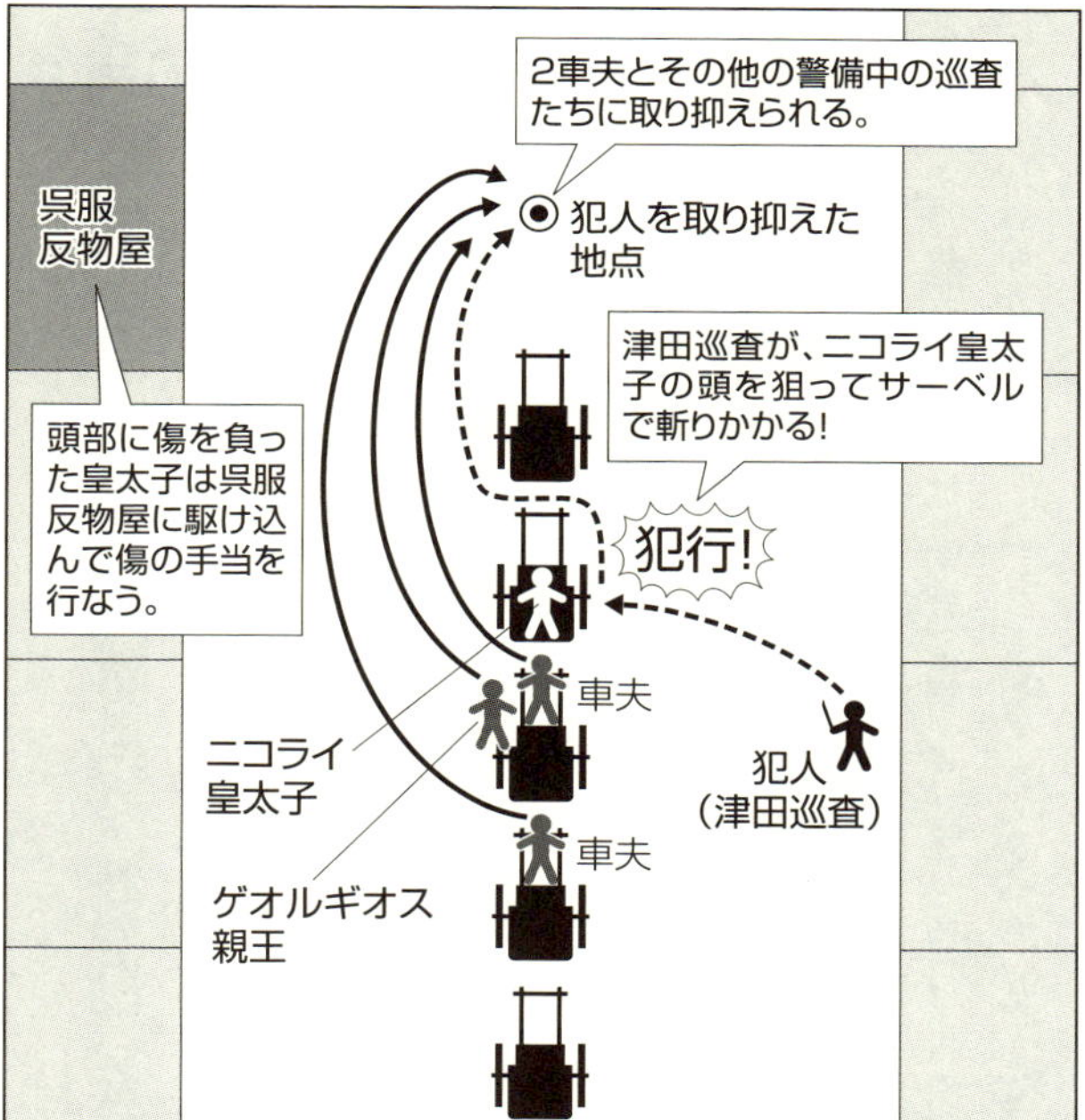
2車夫とその他の警備中の巡査たちに取り抑えられる。
呉服反物屋
犯人を取り抑えた地点
津田巡査が、ニコライ皇太子の頭を狙ってサーベルで斬りかかる!
頭部に傷を負った皇太子は呉服反物屋に駆け込んで傷の手当を行なう。
犯行!
車夫
ニコライ皇太子
犯人（津田巡査）
車夫
ゲオルギオス親王
人力車

『大津事件 露国ニコライ皇太子の来日』野村義文（葦書房）をもとに作成

ひとくちメモ

犯人を取り抑えた2人の車夫は事件後ロシア軍艦に招待され、勲章と勲位を授与された。

日清戦争（1894年）

眠れる獅子・清に「陸・海」で快勝！

1880〜90年代、東アジアでは朝鮮支配をめぐり日本と清国の対立が深刻化し、やがて日清戦争へとなだれ込んでいく。1876（明治9）年の日朝修好条規以降、朝鮮は近代化を進めようとするが、国王の父と王妃が対立するなどしたため、思うように進展しなかった。このような朝鮮内部の不安定な状況が清国や日本の介入を招き、壬午《じんご》軍乱などの日清間の武力紛争を起こした。

1894（明治27）年4月、朝鮮で起きた甲午《こうご》農民戦争が引き金となり、朝鮮国内で清国軍と日本軍がにらみ合う。やがて7月、日本軍は豊島沖で清国軍を攻撃、続いて成歓《せいかん》の戦いで勝利する。そして8月1日、日本は清に宣戦布告し、日清戦争がはじまった。日本軍は平壌の戦い、黄海海戦で勝ち、遼東半島に上陸、この時日本軍による旅順虐殺事件が起こる。1895（明治28）年には威海衛《いかいえい》、遼東半島、澎湖《ほうこ》諸島などを占領し、日本軍の勝利を決定づけた。

4月17日、日清講和条約が下関で締結、この戦争が朝鮮支配のきっかけになる。

― 山東半島、遼東半島まで侵略を広げる日本軍 ―

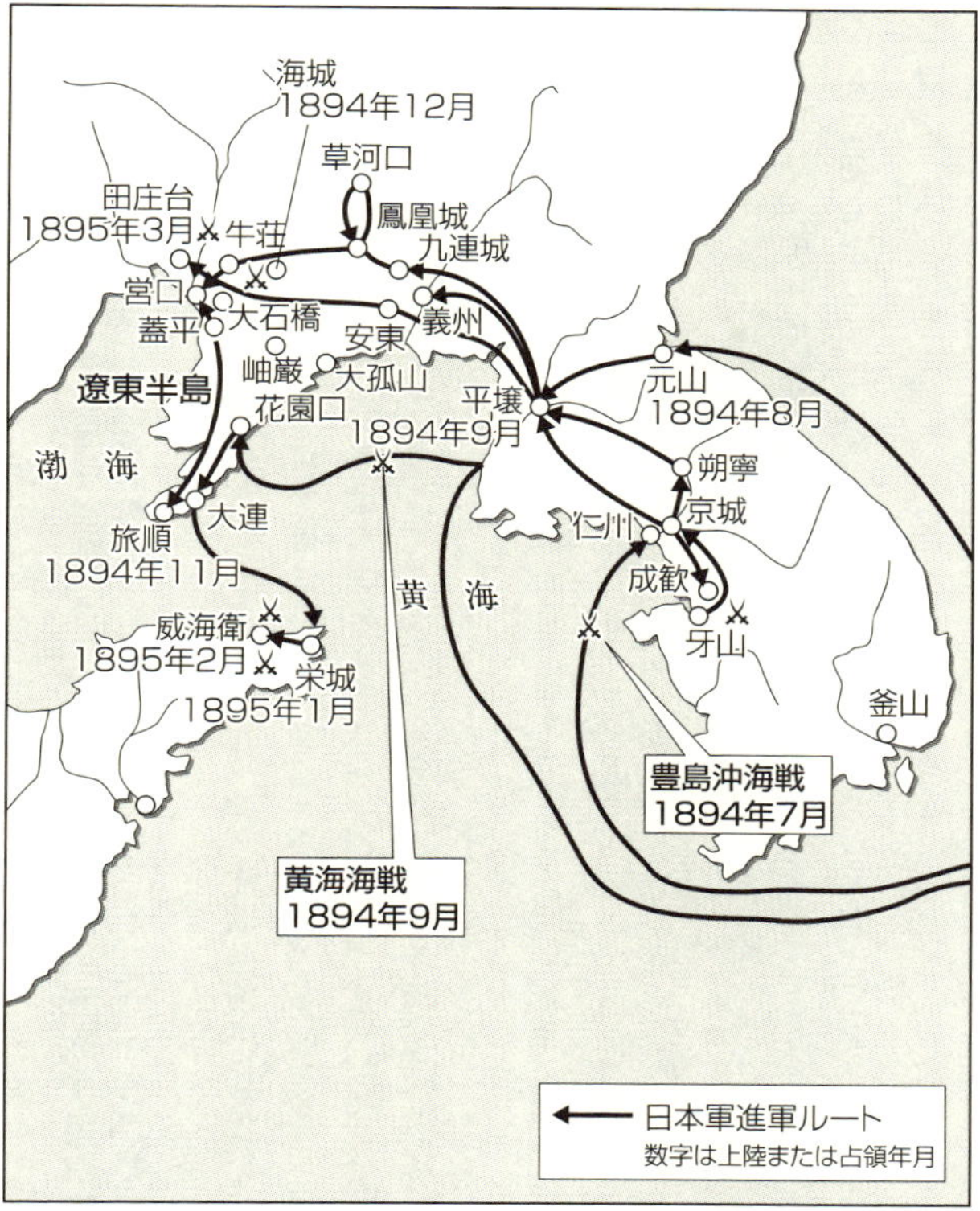
海城
1894年12月
草河口
田庄台
1895年3月
牛荘
鳳凰城
九連城
営口
大石橋
蓋平
安東
義州
岫巌
大孤山
遼東半島
花園口
平壌
1894年9月
元山
1894年8月
渤　海
朔寧
京城
仁川
大連
旅順
1894年11月
黄　海
成歓
威海衛
1895年2月
牙山
栄城
1895年1月
釜山
豊島沖海戦
1894年7月
黄海海戦
1894年9月
日本軍進軍ルート
数字は上陸または占領年月

ココがポイント!

戦争に勝利した日本は下関条約を締結し、遼東半島南部・台湾・澎湖諸島などを植民地化することを決める。

足尾銅山鉱毒問題（1901年）

鉱毒の被害は、こんなにも広範囲に広がっていた！

足尾銅山は、1610（慶長15）年に鉱脈が発見されて以来、盛んに発掘されていた。しかし、精錬の際に多量の煙を排出、鉱石を洗った水は垂れ流しだった。その上、鉱石を取り出した残りカスは、近くの山に捨てるという有様で、煙から出る亜硫酸ガスによって山野の植物は枯れ、垂れ流しの水に含まれる鉱毒が渡良《わたら》瀬《せ》川に流れ込むようになった。川に流れ出た鉱毒は、ふだん川底に沈んでいるが、洪水が起こるたびに流域に流れ出ていく。それは、図のように東京や茨城にまで及び、流域の魚や作物に大きな被害を与え、農民を苦しめた。

しかし政府は、富国強兵のために銅の生産が第一と考え、農民らの被害を問題視しなかった。このような状況を見かねて立ち上がった栃木県選出代議士・田中正造は、1901（明治34）年、天皇に直訴するが、政府は彼を相手にしなかった。政府はその後世論に押され、鉱毒調査会を設置するものの、鉱毒問題を治水問題にすり替え、鉱毒の中心地・谷中《やなか》村を潰すことで、強引に幕を下ろした。

― 川を伝わり東京・茨城に広がる鉱毒 ―

鉱毒に汚染された地域
渡良瀬川
足尾銅山
栃木県
群馬県
宇都宮
鬼怒川
栃木川
結城
小山
古河
利根川
茨城県
栗橋
旧荒川
土浦
霞ヶ浦
北浦
粕壁
埼玉県
岩槻
浦和
江戸川
手賀沼
佐原
利根川
東京府
東京
印旛沼
銚子
佐倉
稲毛
隅田川
大川
中川
千葉県

出典：『ビジュアル・ワイド明治時代館』（小学館）、
『足尾銅山鉱毒被害地全略図』水野政舟筆（佐野市郷土博物館蔵）

ココがポイント!

銅山の精錬の際の煙から出る亜硫酸ガスによって山野の植物は枯れ、垂れ流していた鉱石の洗浄水に含まれる鉱毒が渡良瀬《わたらせ》川に流れ込むようになった。

日露戦争①奉天会戦（1905年）

日本軍25万、ロシア軍35万の10日間の激戦

満州問題について、ロシアと日本の意見の食い違いはなくならず、1904（明治37）年、日本政府は日露国交を断絶、日露開戦を決定した。2月8日、朝鮮の仁川に入った日本艦隊がロシアの軍艦を攻撃する奇襲作戦ではじまった。日露戦争は、日本とロシアの戦争だが、戦場は清国の領土・満州である。

1年半にわたる日露戦争で、最大の戦闘が遼陽、旅順、奉天での戦いだ。遼陽では、ロシア・日本両軍兵士たちの凄惨な死闘が繰り返された。とくに8月31日の首山堡《しゅざんぽ》のロシア陣地攻撃は大変な苦戦で、数度にわたる反撃のため、約1200名の死傷者を出し、9月4日にようやく日本軍が占領した。旅順でも多くの犠牲者を出しながら、二〇三高地を占領した。

最後の奉天会戦は、日本陸軍が総力を挙げて戦った。日本軍25万、ロシア軍35万が10日間に及ぶ激戦を繰り広げた。

この奉天会戦あたりから、日本軍は兵力も弾薬も消耗し尽くし、戦線を北上するほど、戦争続行が困難となった。

― 戦線を北上する日本軍 ―

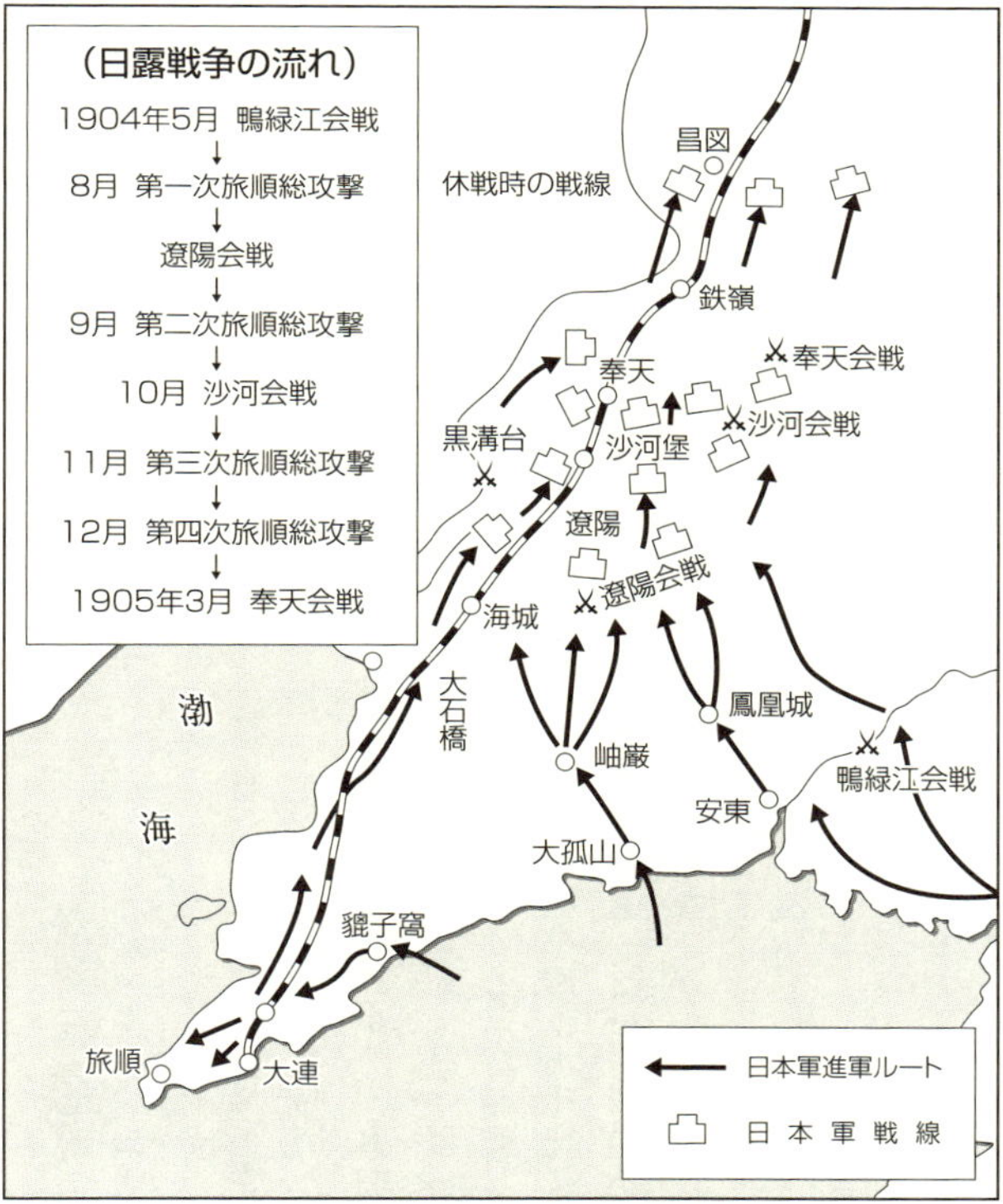
（日露戦争の流れ）
1904年5月 鴨緑江会戦
↓
8月 第一次旅順総攻撃
↓
遼陽会戦
↓
9月 第二次旅順総攻撃
↓
10月 沙河会戦
↓
11月 第三次旅順総攻撃
↓
12月 第四次旅順総攻撃
↓
1905年3月 奉天会戦
休戦時の戦線
昌図
鉄嶺
奉天会戦
奉天
沙河会戦
黒溝台
沙河堡
遼陽
遼陽会戦
海城
大石橋
渤
海
岫巌
鳳凰城
安東
鴨緑江会戦
大孤山
貔子窩
旅順
大連
日本軍進軍ルート
日本軍戦線

『国民の歴史20 日清・日露戦争』藤井松一（文英堂）をもとに作成

ココがポイント! 次々とロシア軍を撃破していった日本軍だが、奉天会戦のころには戦力が消耗し、戦争継続が困難になっていた。

日露戦争②日本海海戦（1905年）

バルチック艦隊を撃破した日本・連合艦隊の戦法

奉天会戦後、日露戦争の舞台は日本海へと移された。ハルビンを奪われ、ウラジオストックを陥落されたロシアではあるが、まだ多大な兵力を動員する戦力はあった。ロシアは、38隻の戦闘艦を含む50隻のバルチック艦隊を編成、バルト海から極東を目指す。

ロシアが対馬海峡突破を決めて進路をとる一方で、日本の連合艦隊もロシア軍が対馬海峡を通ることを予想、長崎・五島列島の西方沖でバルチック艦隊を発見して、海戦に突入する。

連合艦隊は、戦艦「三笠」を先頭にバルチック艦隊の前を横切り、さらに方向を逆転して、バルチック艦隊に並航する形をとった。バルチック艦隊はチャンスとみて砲撃するが、並航しながらの砲撃戦は、訓練を重ねた連合艦隊に分があった。主力艦「スワコフ」「アレクサンドル3世」などが次々に撃沈し、戦闘開始数時間後にはロシア側の敗戦が決定的となった。翌日、再びはじまった合戦によりロシアの戦艦はほとんど破壊され、あえなく降伏した。

― 10回の合戦によりロシアの戦艦を壊滅させた日本軍 ―

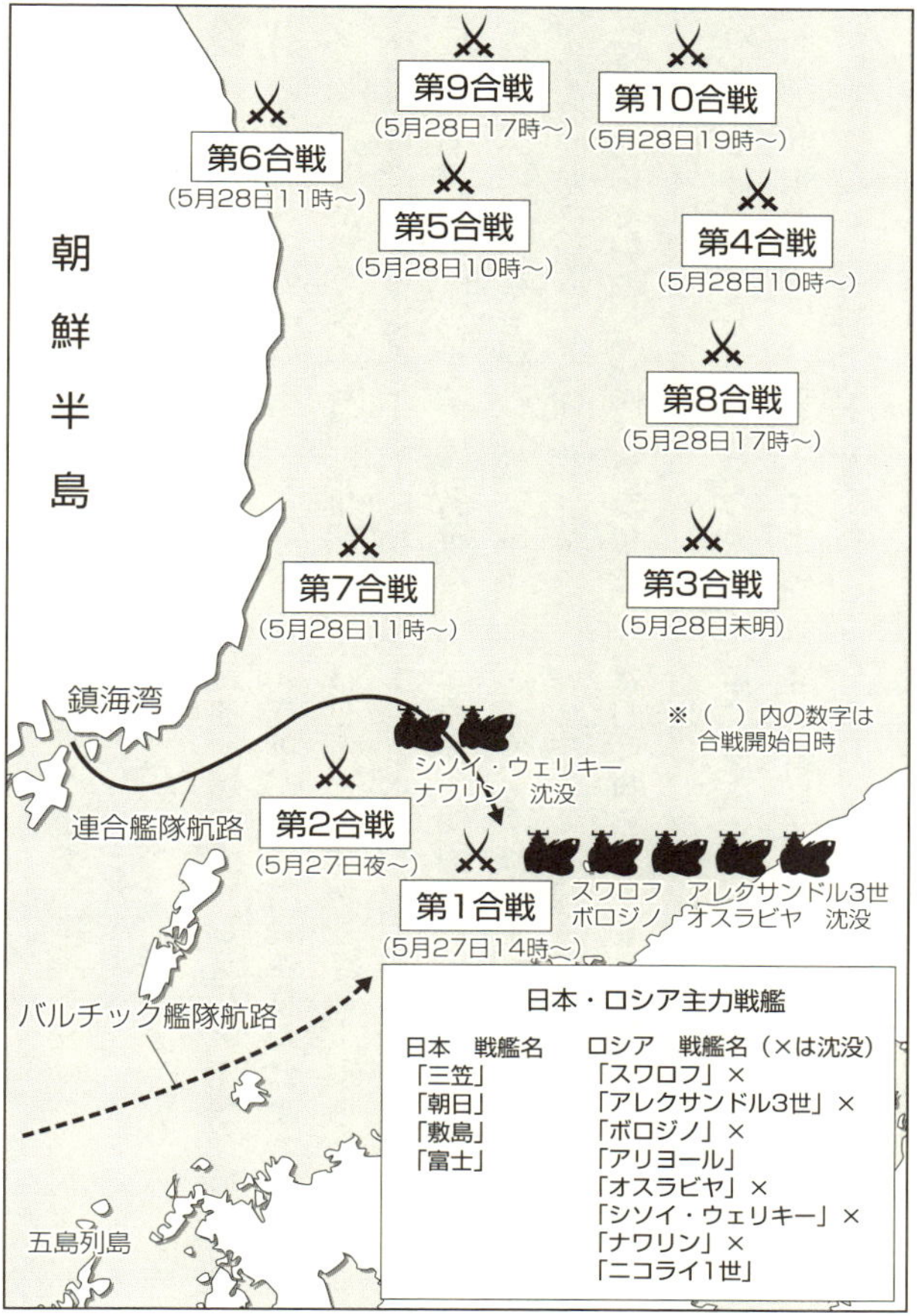
第9合戦
(5月28日17時〜)
第10合戦
(5月28日19時〜)
第6合戦
(5月28日11時〜)
第5合戦
(5月28日10時〜)
第4合戦
(5月28日10時〜)
朝鮮半島
第8合戦
(5月28日17時〜)
第7合戦
(5月28日11時〜)
第3合戦
(5月28日未明)
鎮海湾
※( )内の数字は
合戦開始日時
シソイ・ウェリキー
ナワリン 沈没
連合艦隊航路
第2合戦
(5月27日夜〜)
第1合戦
(5月27日14時〜)
スワロフ アレクサンドル3世
ボロジノ オスラビヤ 沈没
バルチック艦隊航路
五島列島
日本・ロシア主力戦艦
日本 戦艦名
「三笠」
「朝日」
「敷島」
「富士」
ロシア 戦艦名(×は沈没)
「スワロフ」×
「アレクサンドル3世」×
「ボロジノ」×
「アリヨール」
「オスラビヤ」×
「シソイ・ウェリキー」×
「ナワリン」×
「ニコライ1世」

韓国併合（1910年）

朝鮮総督府を設置し、着実に広がる「日本の領土」

日清・日露戦争を経て、日本の朝鮮半島への影響は増大していった。

1904（明治37）年の日露戦争開始後、3週間目に日韓議定書を、1905年8月に第1次日韓協約を結び、内政・外交・軍事への発言権を得た。日露戦争後は伊藤博文が大使として朝鮮へ赴き、第2次日韓協約を締結、韓国の外交権を奪い、日本の保護国とした。

このような日本の圧力に、韓国の人々は当然、不満を募らせる。農民を中心とした義兵が蜂起し、各地で独立を求めて反乱を起こす。しかし、1907（明治40）年、第3次日韓協約によって、韓国は日本に内政権を手に入れられて、実質上、日本の支配下に入る。これを機に、ますます韓国民の抵抗運動は激化した。

1909（明治42）年、伊藤博文がハルビン駅で暗殺されると、翌年日本政府は日韓併合条約を結ばせ、植民地支配を行なう。図のように1875（明治8）年の樺太・千島交換条約以降、1910年の日韓併合まで、日本は着実に領土を拡大していった。

― 朝鮮支配を開始した頃の日本の領土 ―

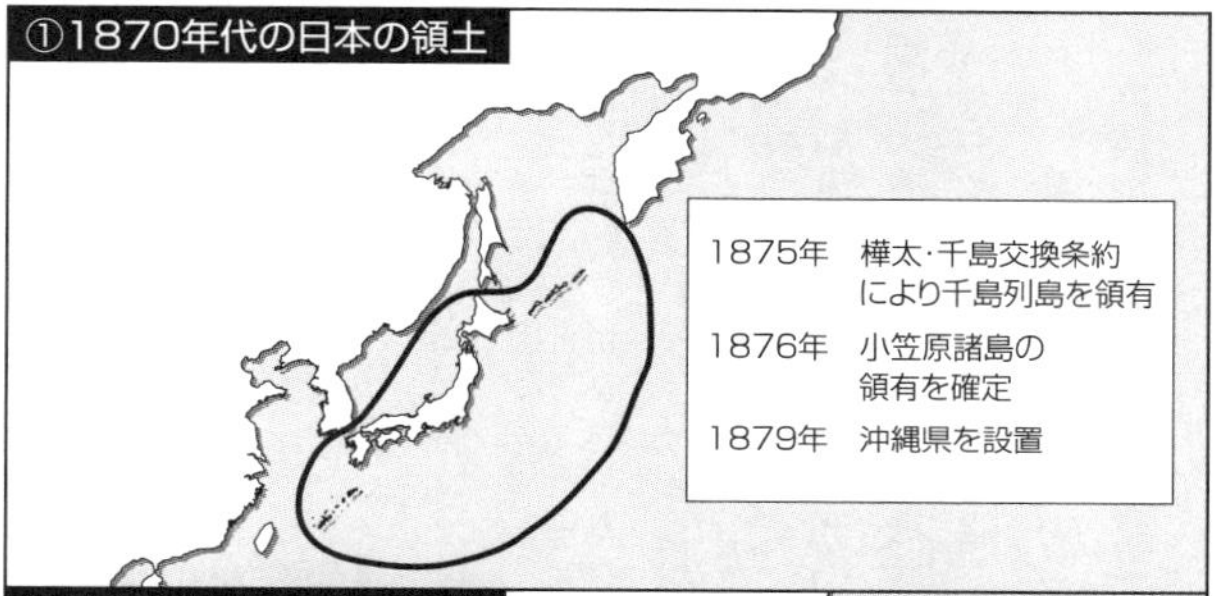
①1870年代の日本の領土
1875年　樺太·千島交換条約により千島列島を領有
1876年　小笠原諸島の領有を確定
1879年　沖縄県を設置

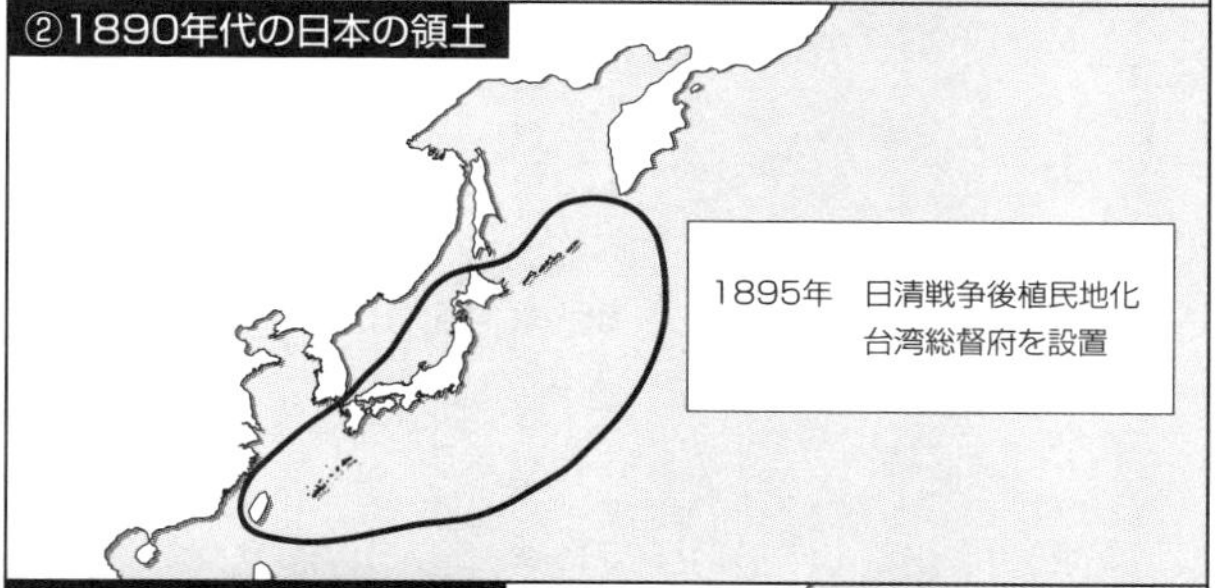
②1890年代の日本の領土
1895年　日清戦争後植民地化 台湾総督府を設置

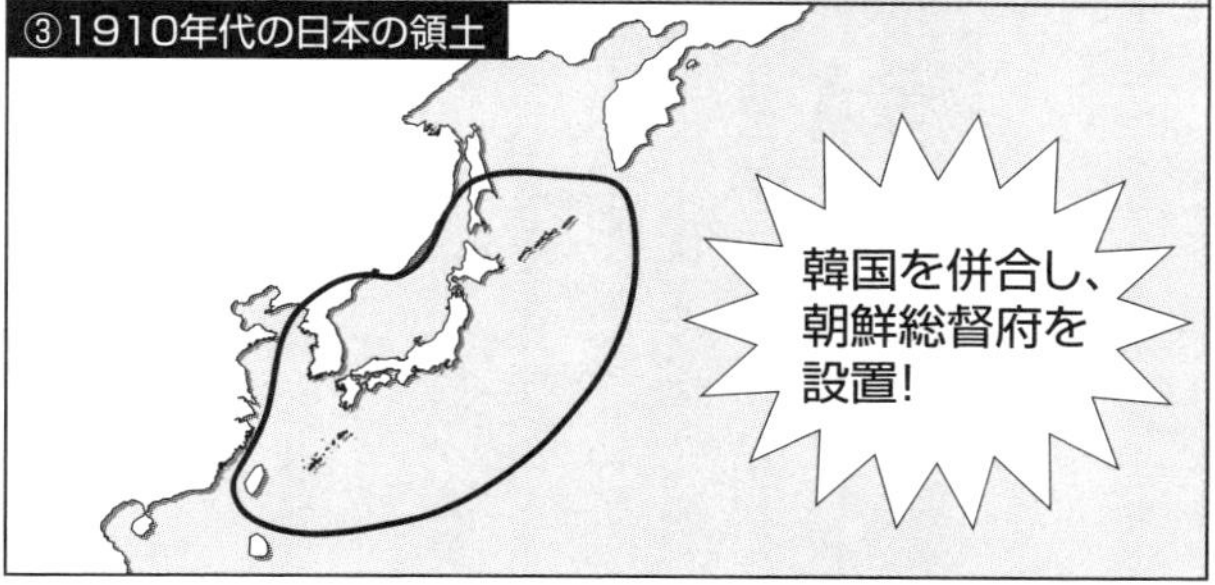
③1910年代の日本の領土
韓国を併合し、朝鮮総督府を設置!

第一次世界大戦①青島出兵（1914年）

日英同盟を理由に参戦したが、本当の目的は……？

1914（大正3）年、サラエボを訪問中だったオーストリアのフェルディナント皇太子が暗殺されたことに端を発し、第一次大戦がはじまる。イギリスと日英同盟を結んでいた日本は、グリーン駐日大使の「太平洋のドイツ武装船を捜索、または撃沈してほしい」との依頼を承諾、ドイツに宣戦布告をして、当時ドイツの租借地だった中国・青島を攻撃する。日本には太平洋のドイツ武装船を攻撃するより、その基地である青島を攻め、ドイツから権益を奪おうという思惑があった。

日本海軍は図のように、8月27日に膠《こう》州《しゅう》湾《わん》を封鎖、9月2日には第18師団が上陸して、包囲作戦を開始する。ドイツ軍は300人近い戦死者を出しながら抵抗するものの、11月7日に降伏する。

2カ月後の1915（大正4）年1月、北京の日置益《ひおきえき》日本公使が当時の中華民国大統領・袁世凱《えんせいがい》を訪ね、山東省のドイツ権益の日本への譲渡などを盛り込んだ5号21カ条を提示する。この日本の要求は中国政府の抵抗にあいながらも最終的に受諾された。

―ドイツの租借地・青島を占領する日本軍―

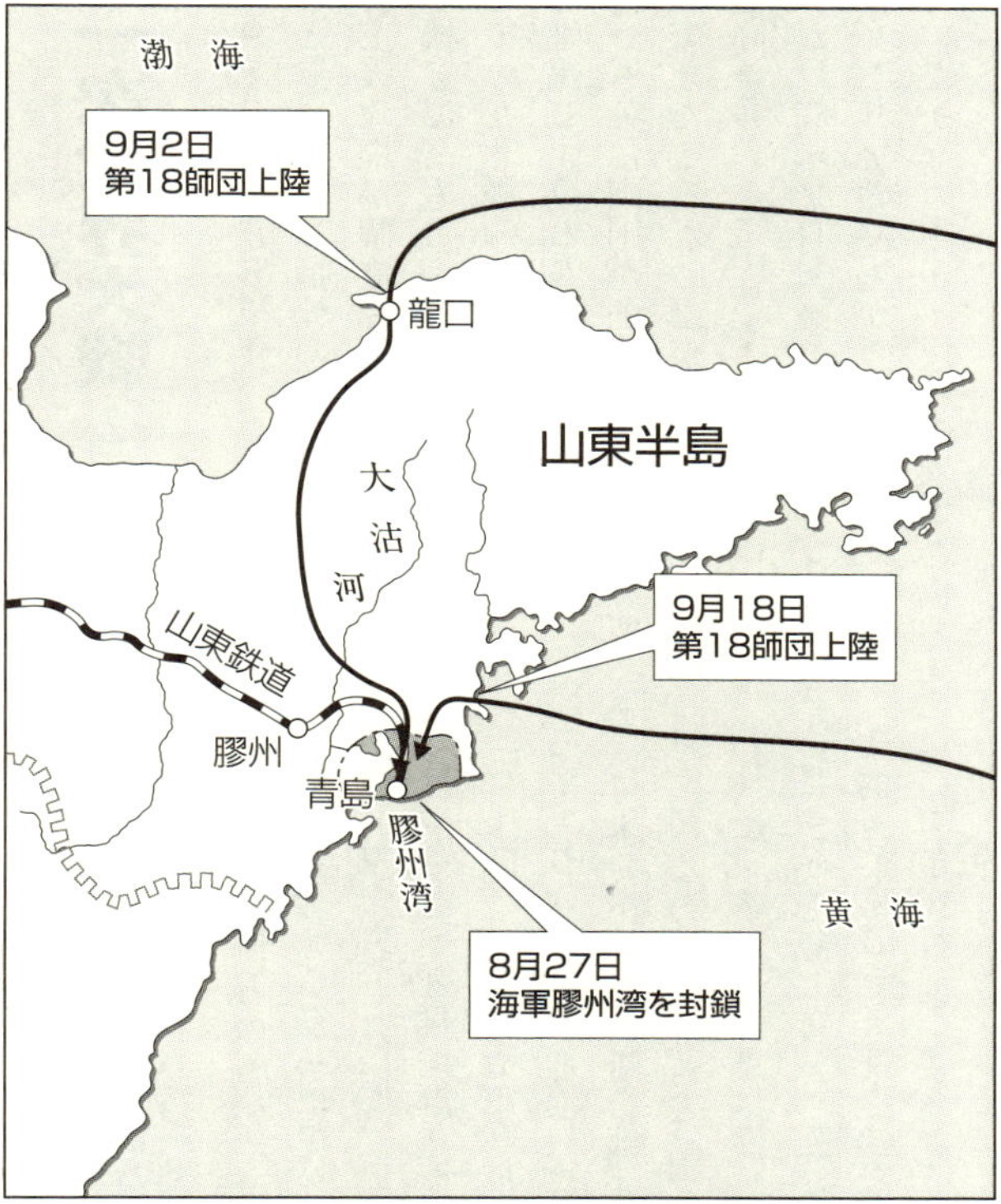
渤　海
9月2日
第18師団上陸
龍口
山東半島
大
沽
河
山東鉄道
膠州
青島
9月18日
第18師団上陸
膠
州
湾
黄　海
8月27日
海軍膠州湾を封鎖

『日本の近代4 「国際化」の中の帝国日本 1905～1924』有馬学（中央公論新社）をもとに作成

ココがポイント!

アジア進出の機会をうかがっていた日本にとって第一次大戦の参戦は絶好の機会だった！

第一次世界大戦②シベリア出兵（1917年）

シベリア鉄道に沿って進軍した日本の思惑

1917（大正6）年、ロシアで革命が起き、レーニン指導のもと、世界初の社会主義政権が確立された。日本政府はこの機会に、もともとロシアが権益を押さえていた北満州、さらに東部シベリアまで進出しようとした。

折しも英仏両国が強く日本に出兵を要請してきたころだったが、日本はアメリカの同意なしに出兵することには慎重だった。同年7月、革命前に反ドイツ・オーストリアの立場からロシア軍に参加していたチェコ軍が、反革命勢力と協力して、革命側との戦いをはじめていた。これを援護するためにアメリカが出兵を決意、日本もそれに協調することになる。

日本軍は、8月12日にウラジオストックに上陸、アメリカ軍、反革命軍と協力して、シベリア鉄道沿いに進軍し、9月には東シベリア一帯をほぼ制圧する。11月に、この大戦は連合国側の勝利で終わった。アメリカ軍は撤兵、日本軍はそのまま冬を越して残ったが、列国から領土的野心ありと非難を浴び、1922（大正11）年10月、ようやく撤兵を完了した。

― 東シベリア一帯に進出する日本軍 ―

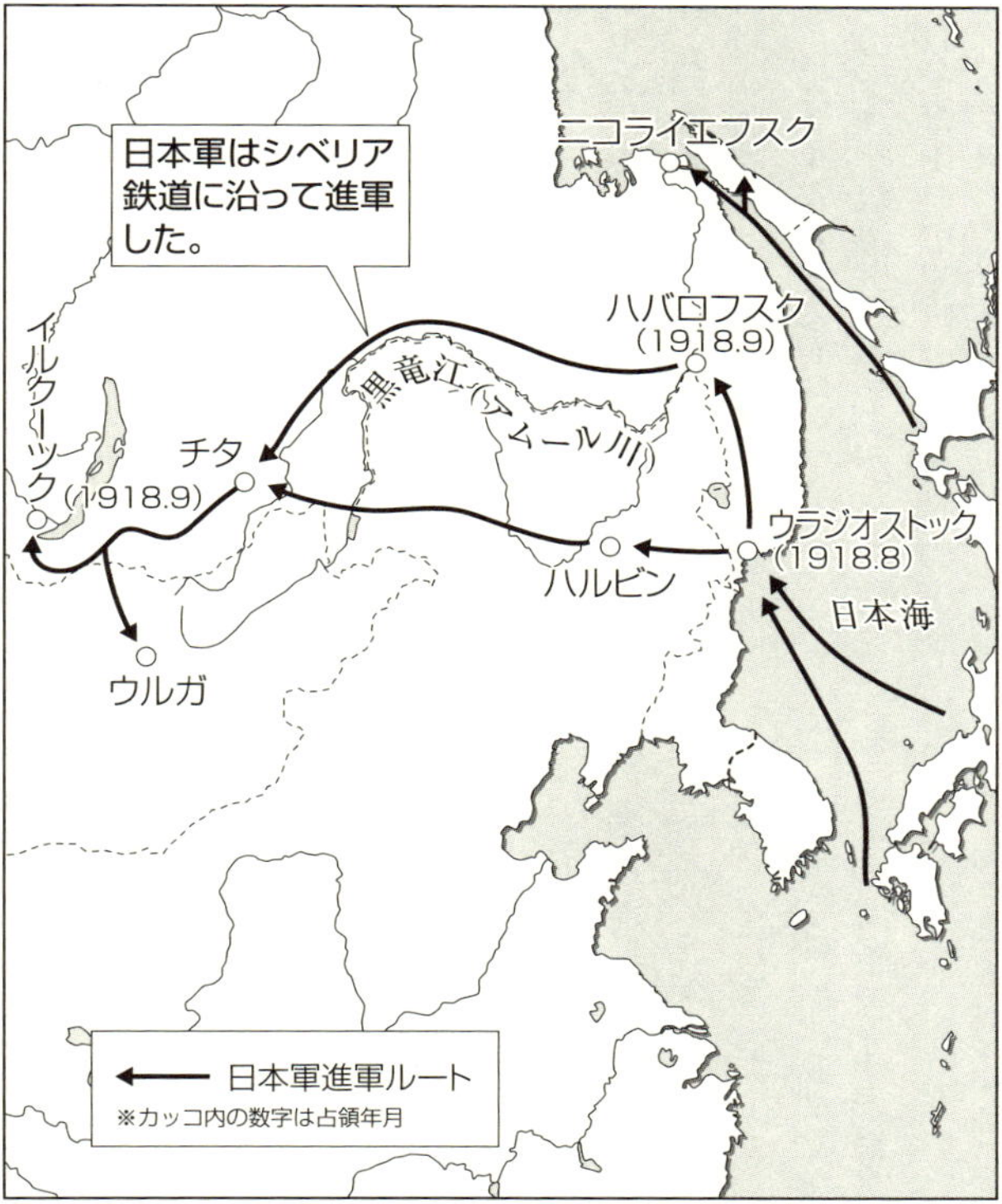
日本軍はシベリア鉄道に沿って進軍した。
ニコライエフスク
ハバロフスク
(1918.9)
黒竜江(アムール川)
イルクーツク
チタ
(1918.9)
ウラジオストック
(1918.8)
ハルビン
日本海
ウルガ
日本軍進軍ルート
※カッコ内の数字は占領年月

『日本の近代4「国際化」の中の帝国日本1905～1924』有馬学(中央公論新社)をもとに作成

ココがポイント!

チェコ軍援軍の目的で限定出兵を要請されていた日本だったが、はじめからシベリア進出を狙っていた！

米騒動（1918年）

〝大戦景気〟で、米の価格は1年で2倍に！

大戦景気はインフレーションを引き起こし、物価が高騰、とくに米価は著しく暴騰した。

米価が高騰した原因は、都市人口の増加により、米が高値で売れる都会へ流出する一方、米の生産量は横ばいのままで、米が不足していたことだ。さらにロシア革命に絡んだシベリア出兵を見越した買い占めなどもあり、米価は、1年間でほぼ2倍に値上がりする有様だった。

このような状況に、1918（大正7）年8月、富山県魚津町・東水橋町の主婦が怒り、資産家や米屋に押し掛け、米の県外移出をやめ、安売りするように要求した。

この騒動が「越中女一揆」と報道されるや否や、同様の騒ぎがまたたく間に全国に広がった。東京、名古屋、京都、大阪、神戸などの都市部だけでなく、農村から炭坑にまで及び、1道3府38県を巻き込むことになった。

この間、政府は新聞記事を発禁、警察や軍隊を出動させて、必死に鎮圧にあたった。

― 暴動は富山県から全国に波及 ―

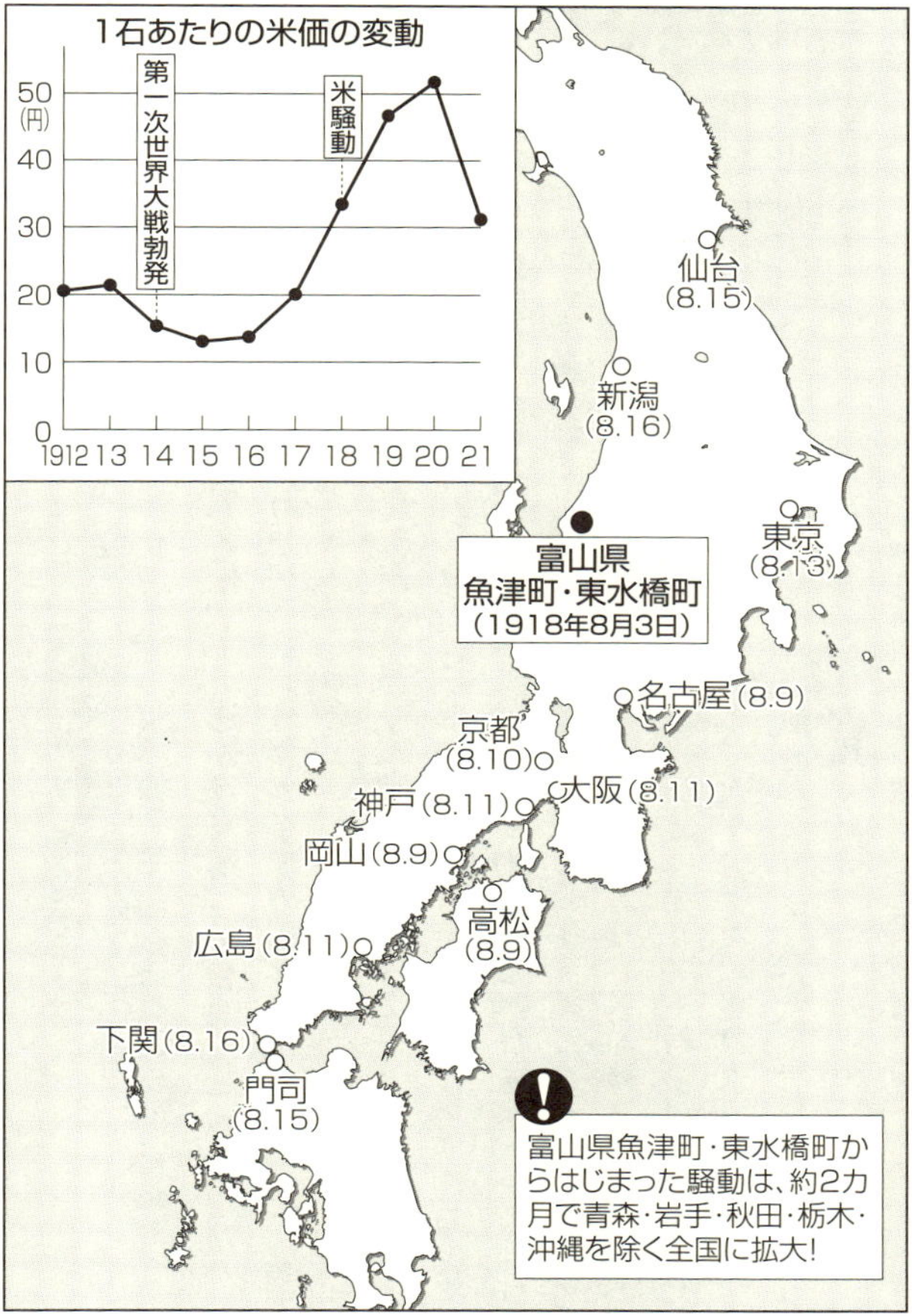
1石あたりの米価の変動
50
(円)
40
30
20
10
0
1912
13
14
15
16
17
18
19
20
21
第一次世界大戦勃発
米騒動
仙台(8.15)
新潟(8.16)
富山県
魚津町・東水橋町
(1918年8月3日)
東京(8.13)
名古屋(8.9)
京都(8.10)
大阪(8.11)
神戸(8.11)
岡山(8.9)
高松(8.9)
広島(8.11)
下関(8.16)
門司(8.15)
富山県魚津町・東水橋町からはじまった騒動は、約2カ月で青森・岩手・秋田・栃木・沖縄を除く全国に拡大!

三・一独立運動（1919年）

朝鮮全土に広がった「民族自決」の独立運動

第一次世界大戦が終わると、世界各地の植民地で民族自決の機運が高まり、民衆運動が盛んに行なわれた。

韓国併合以来、日本の植民地と化した朝鮮でも1919（大正8）年3月、ソウルをはじめとする朝鮮の主要都市で独立宣言が発表され、「大韓独立万歳！」と叫びながらのデモが行なわれた。

この独立宣言の発表は、独立を強く望む朝鮮人民の共感を呼んだ。独立示威運動は朝鮮全土に拡大、各地で独立宣言や檄文《げきぶん》が発表された。

運動は当初、平和的なものだったが、日本軍が強硬な弾圧をはじめると、鎌、すき、こん棒などを持った武力抵抗に変わり、激化していった。

そのため、日本政府は、無抵抗の民衆に対し、武力による鎮圧を図った。京畿道の水原郡で日本人巡査2名が殺されると、日本軍は800名を検挙。数百戸の民家を焼き、キリスト教会に25名を閉じこめて火をつけた。4月末に蜂起は鎮圧されたが、朝鮮人民の犠牲者は7000人以上となった。

― 万歳事件をきっかけに朝鮮全土で蜂起が勃発 ―

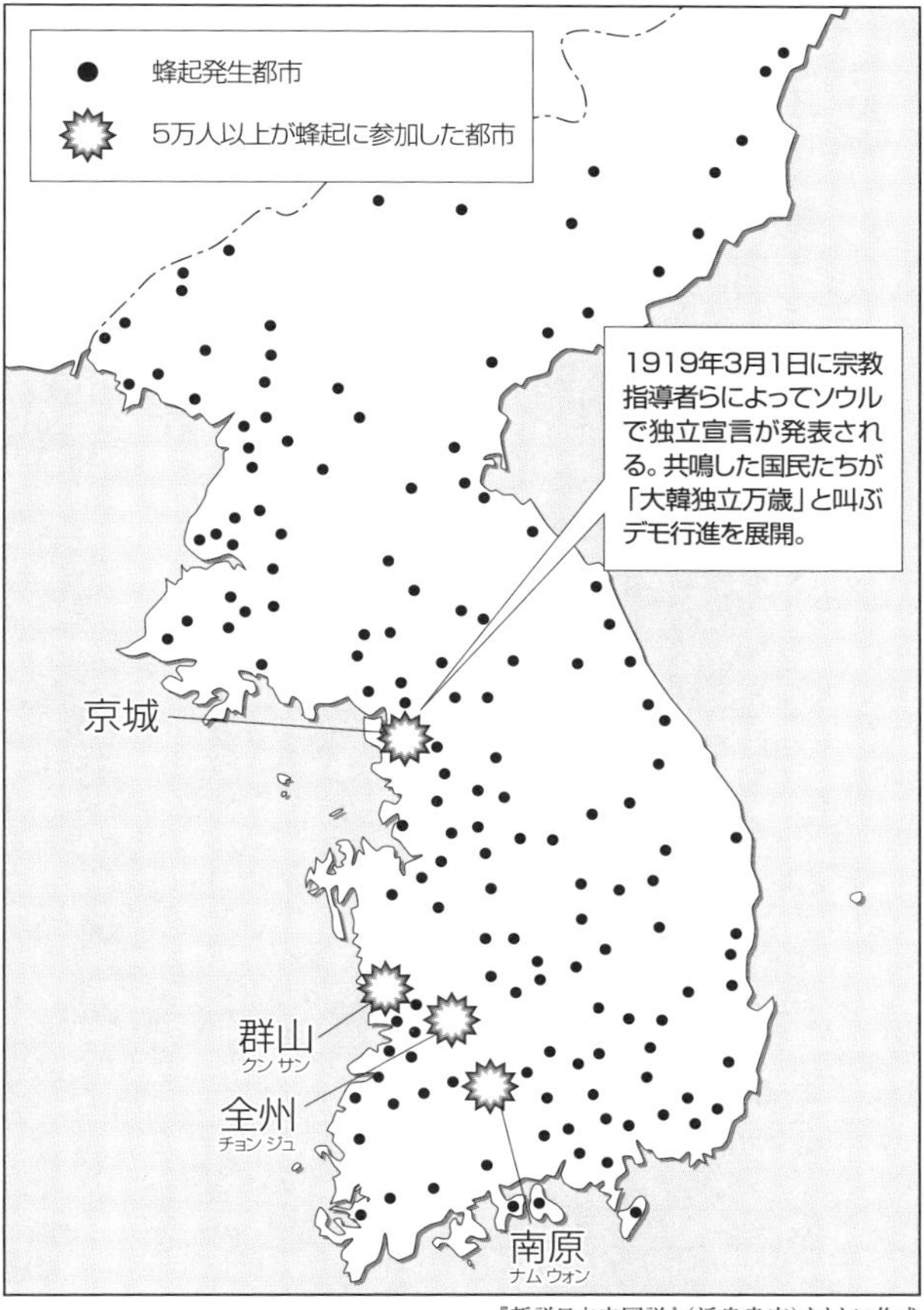
蜂起発生都市
5万人以上が蜂起に参加した都市
1919年3月1日に宗教指導者らによってソウルで独立宣言が発表される。共鳴した国民たちが「大韓独立万歳」と叫ぶデモ行進を展開。
京城
群山《クン サン》
全州《チョン ジュ》
南原《ナム ウォン》

『新詳日本史図説』（浜島書店）をもとに作成

関東大震災（1923年）

東京が近代都市へと発展する契機？

1923（大正12）年9月1日午前11時58分、関東全域、静岡、山梨地域をマグニチュード7・9の大地震が襲った。とくに東京、神奈川、千葉南部の被害が大きかった。

死者・行方不明者数約14万人、家屋の全壊約13万戸、全焼約45万戸に及んだ。ちょうど昼食準備中で、火の始末をせずに逃げ出したため出火し、強風と重なって、大火災を引き起こした。本所の被服廠跡地では、避難している約4万人のうち3万8000人が火災による旋風で焼死したり、窒息死したりするなどの大惨事となった。

この混乱のなか、震災直後から「朝鮮人が暴動を起こした」といったデマが飛び交い、被害者をパニックに陥れた。罪もない多数の朝鮮人や中国人が武装した民間の自警団や警察により虐殺された。

一方で、震災は東京が生まれ変わる転機ともなった。道路は広くまっすぐ舗装され、環状線などの幹線道路が整備された。また、耐震耐火に優れた鉄筋コンクリートのビルも次々と建てられた。

― 震災による被害区域と被害状況 ―

浦和
八王子
東京
千葉
東京湾
九十九里浜
横浜
横須賀
鎌倉
木更津
沼津
相模灘
館山
震源地
三原山
大島
烈震区域
津波

被害統計

死者	約10万人	家屋全壊	約13万戸
行方不明	約4万人	半壊	約13万戸
負傷者	約10万人	焼失	約45万戸
朝鮮人虐殺者	約6,000人	津波による流出	約900戸

出典:『日本生活文化史』(河出書房新社)

ココがポイント! 関東大震災により、複雑に入り組んだ道路などの防災対策のあまい街づくりの見直しが迫られた!

山東出兵（1927〜1929年）

「蔣介石の中国統一」の阻止計画

1927（昭和2）年、蔣介石《しょうかいせき》の国民革命軍が華北を占領すると、日本政府は山東出兵を強行した。青島・済南がある山東省には、日本の工場が進出し、約2万人の在留邦人がいたのだ。

出兵は、在留邦人の生命財産の保護を目的にしたが、真の狙いは革命が華北・満州に及ぶのを阻止することだった。山東出兵は、1927年の第1次出兵、1928年4月の第2次出兵、1928年5月の第3次出兵の3回にわたった。

第3次出兵のきっかけは、5月3日に起こった済南事件だった。済南で日本軍と国民革命軍の市街戦がはじまり、在留邦人に10名以上の犠牲者が出たのを口実に総攻撃を開始、済南城を占領した。これを機に、内地から増兵し、約1万5000の兵力で山東省を占領する。

済南事件の1カ月後、当時北京を支配していた奉天軍閥の張作霖《ちょうさくりん》を乗せた列車が爆破された「張作霖爆殺事件」が起こる。その混乱に乗じて、中国の東北地方の満州に日本寄りの政権をつくろうと計画したが、失敗に終わった。

― 北伐を阻止しようとする日本軍 ―

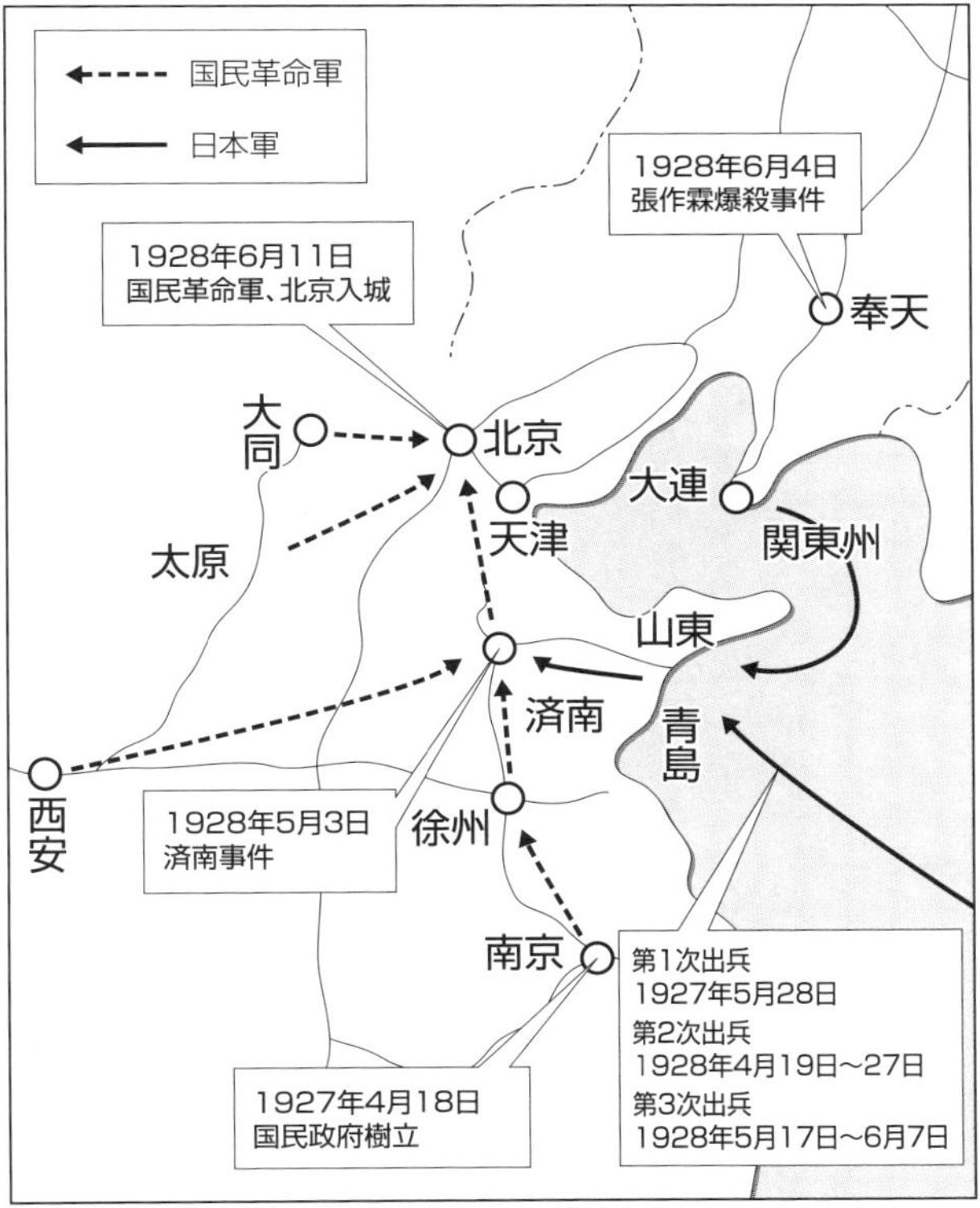
国民革命軍
日本軍
1928年6月4日
張作霖爆殺事件
1928年6月11日
国民革命軍、北京入城
奉天
大同
北京
大連
天津
関東州
太原
山東
済南
青島
西安
徐州
1928年5月3日
済南事件
南京
第1次出兵
1927年5月28日
第2次出兵
1928年4月19日～27日
第3次出兵
1928年5月17日～6月7日
1927年4月18日
国民政府樹立

ひとくちメモ

張作霖爆殺事件の首謀者・河本大作の考えと、政府・軍中枢部の考えは一致していなかったといわれる。

満州事変（1931年）

満州国を建国、日本はますます国際社会から孤立する

1931（昭和6）年9月、奉天郊外の柳条湖《りゅうじょうこ》付近で、南満州鉄道の線路が爆破される「柳条湖事件」が起こる。これは、現場近くに駐留する中国軍兵士の仕業に見せかけて日本が軍事行動を起こすための関東軍の謀略だった。

関東軍は、奉天をはじめ南満州の主要都市を占領した。国内では若槻内閣が不拡大方針を決めるものの関東軍の軍事行動は反対にますます拡大し、ハルビンなど満州各地を占領した。さらに清朝最後の皇帝だった溥儀《ふぎ》を執政にした満州国を建国する。

中国政府は満州国を認めず、日本の侵略として国際連盟に提訴、列国も日本への不信感を深めた。連盟は、リットンを代表とする調査団を派遣して、調査にあたらせ、日本の独占的な満州支配を否定し、中国主権の自治政府設立を提案した。

1933（昭和8）年2月、スイスのジュネーブで開催された臨時総会で日本軍撤退を勧告する決議案が可決された。日本は国際連盟を脱退し、国際社会から孤立していく。

― 約半年で満州全域に侵攻する日本軍 ―

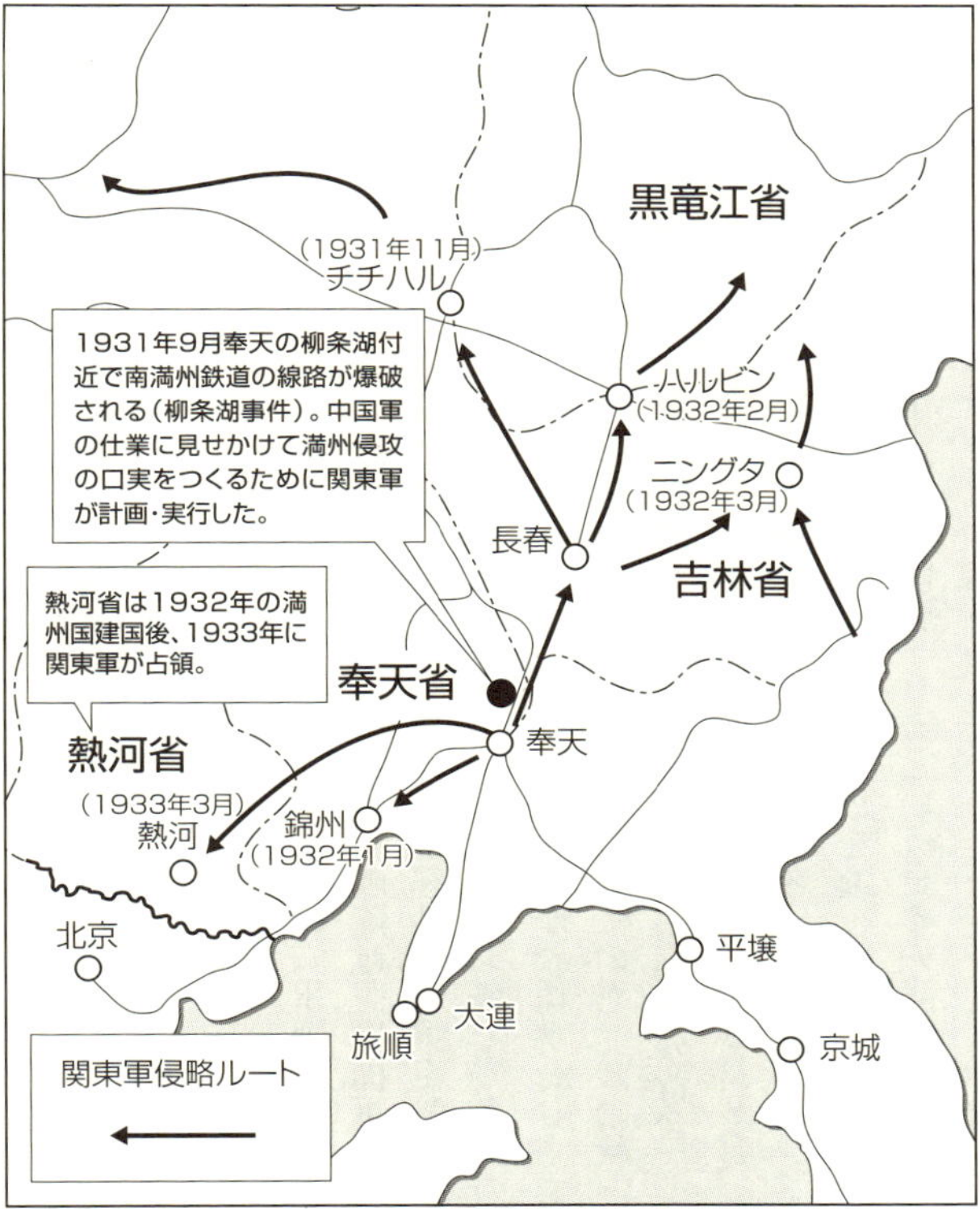
黒竜江省
(1931年11月)
チチハル
1931年9月奉天の柳条湖付近で南満州鉄道の線路が爆破される（柳条湖事件）。中国軍の仕業に見せかけて満州侵攻の口実をつくるために関東軍が計画・実行した。
ハルビン
(1932年2月)
ニングタ
(1932年3月)
長春
吉林省
熱河省は1932年の満州国建国後、1933年に関東軍が占領。
奉天省
奉天
熱河省
(1933年3月)
熱河
錦州
(1932年1月)
北京
平壌
大連
旅順
京城
関東軍侵略ルート

ひとくちメモ

満州の実力者は東条英機・星野直樹・松岡洋右・岸信介・鮎川義介。5人合わせて「ニキ三スケ」といわれた。

上海事変（1932年）

その目的は「満州事変から列強の目を逸らす」こと

満州事変が起きると、中国各地で抗日運動が高まった。とくに、中国第一の商工業都市・上海では、学生や市民、労働者らが抗日運動を盛んに繰り広げ、日本人居留兵や海軍陸戦隊との間に不穏な空気が流れていた。

そして1932（昭和7）年1月18日、日本人僧侶が中国人に殺傷された。これは、関東軍参謀・板垣征四郎大佐と、上海駐在公使館付陸軍武官補佐官・田中隆吉少佐の謀略だった。関東軍がでっちあげた事件をきっかけに、日本海軍は陸戦隊を上海に派遣し、28日ついに日中両軍が戦闘を開始、上海事変が勃発する。

海軍陸戦隊は、中国軍の激しい抵抗を受け、予想外の苦戦を強いられた。上海の抗日運動の影響で、多数の中国人の労働者や学生が義勇兵として参加し、日本軍を苦しめたのだ。この状況に驚いた陸軍は増兵し、中国軍の背後に上陸してやっと戦況を打開し、3月3日、停戦する。

上海事変は失敗だったが、その間に列国の目を逸らし、満州占領を確実に進めるという日本の謀略は成功した。

― でっちあげ事件をつくり上海に侵攻する日本軍 ―

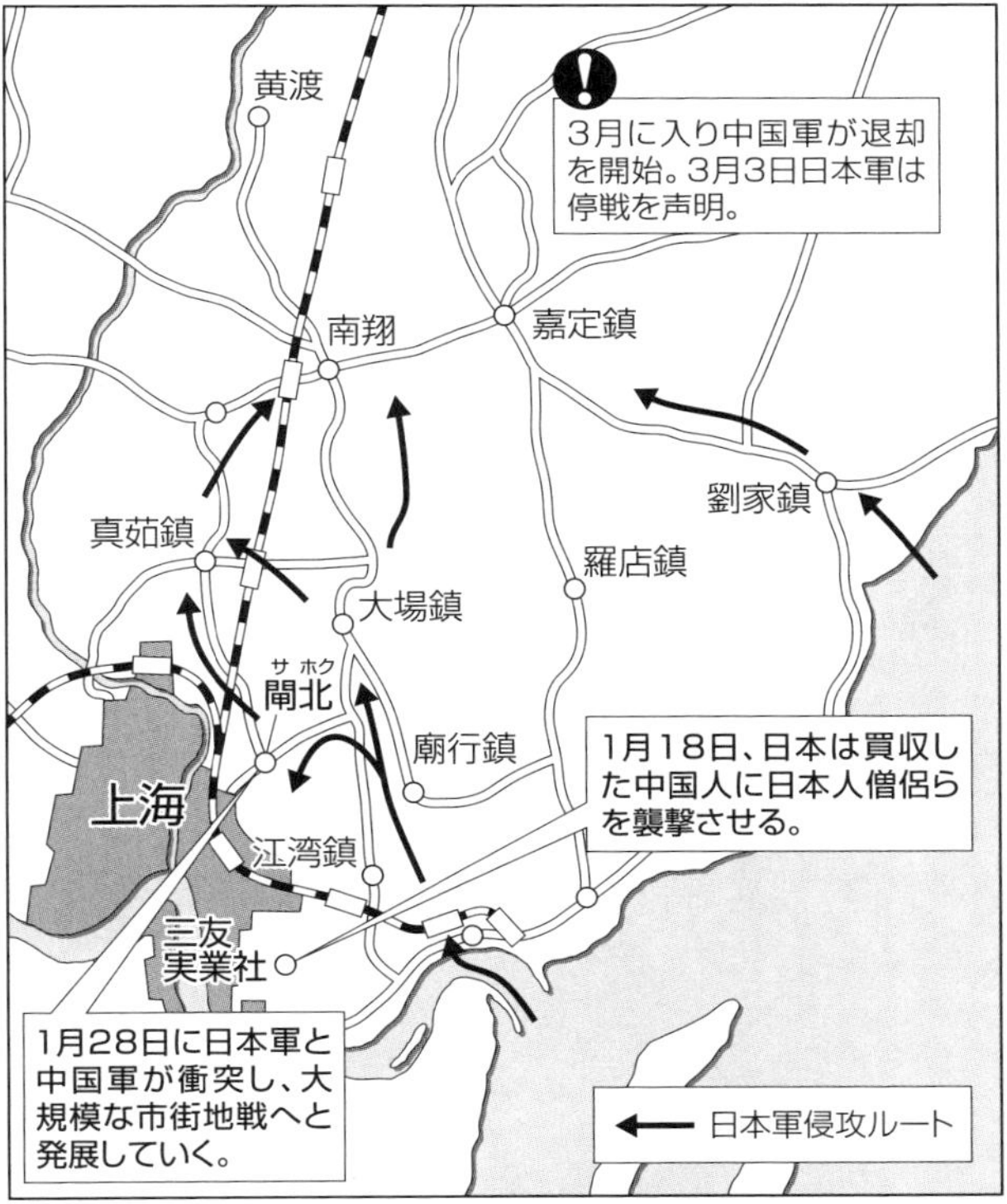
黄渡
3月に入り中国軍が退却を開始。3月3日日本軍は停戦を声明。
南翔
嘉定鎮
劉家鎮
真茹鎮
羅店鎮
大場鎮
閘北《サホク》
廟行鎮
1月18日、日本は買収した中国人に日本人僧侶らを襲撃させる。
上海
江湾鎮
三友実業社
1月28日に日本軍と中国軍が衝突し、大規模な市街地戦へと発展していく。
日本軍侵攻ルート

『日本史年表・地図』児玉幸多編（吉川弘文館）をもとに作成

ココがポイント! 日本が上海事変を引き起こしたのは3月1日に建国した満州国への世界の批判の目を逸らせるため！

二・二六事件（1936年）

5時間で9カ所を襲撃！陸軍青年将校によるクーデター

1936（昭和11）年2月26日、陸軍青年将校による「二・二六事件」が発生した。軍上層部の政府に対する方針に不満を持ち、軍事力をもって国家改造を断行すべきとする皇道派の青年将校らが、部下1400名の下士官兵を集めて決行したのだ。

首相官邸など東京市内の要所を襲い、斎藤実《まこと》内大臣、高橋是清蔵相、渡辺錠太郎陸軍教育総監を殺害、鈴木貫太郎侍従長に重傷を負わせた。

その目的は、皇道派による軍部独裁政権を樹立し、「昭和維新」を断行することだった。そして、昭和天皇の鎮圧命令が出されると、29日に反乱部隊は全員捕らえられた。

陸軍首脳部は、この事件への対処を巡って大きく動揺した。反対に渡辺、斎藤、鈴木の海軍3長老を殺傷された海軍は、反乱を起こした青年将校らを全員捕縛する意思を表明していた。

「二・二六事件」後、軍による政治への脅威が高まり、軍の発言力は飛躍的に増大、政治に影響を与えることになる。

― 皇居周辺の官邸を襲撃するクーデター軍 ―

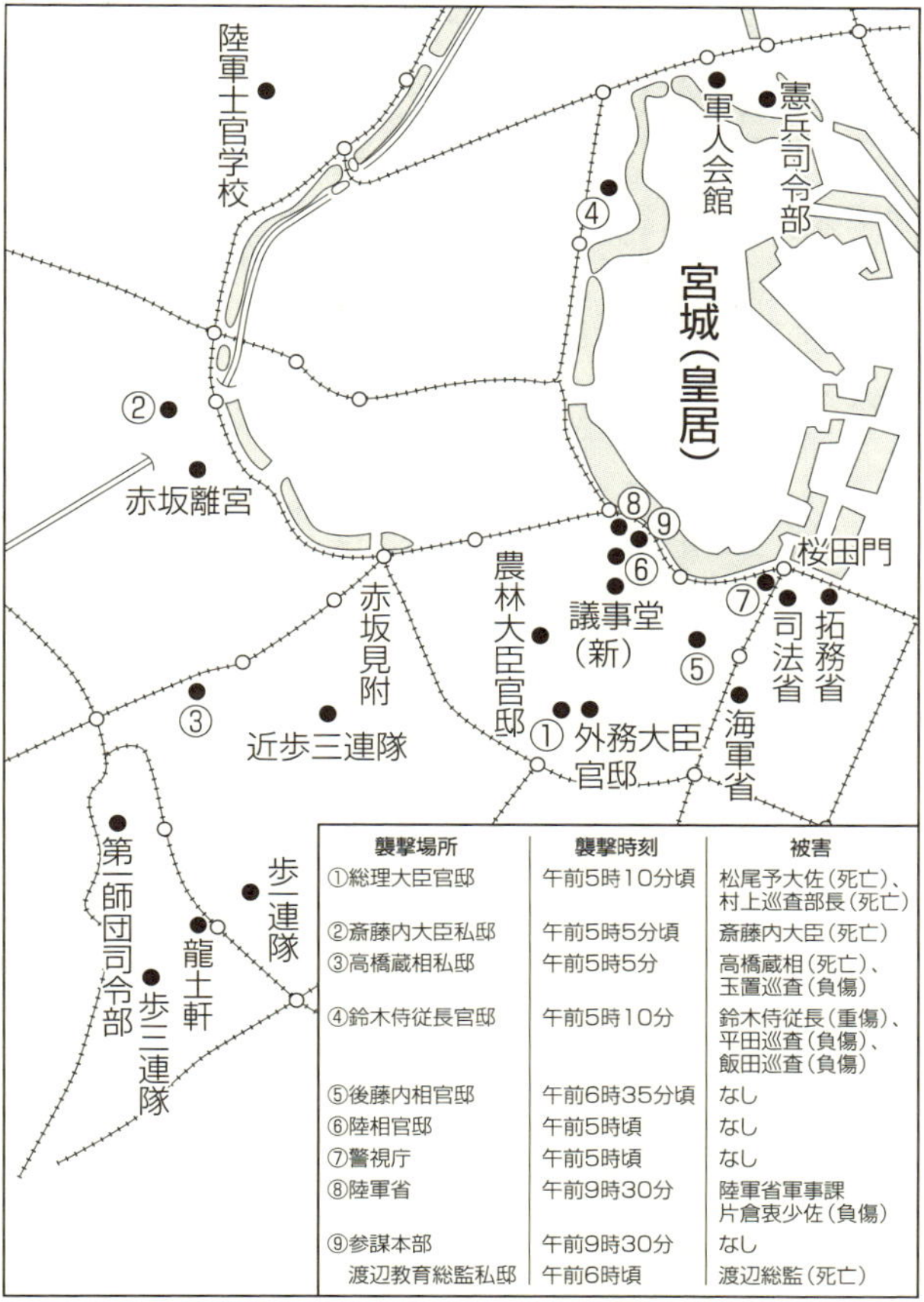

襲撃場所	襲撃時刻	被害
①総理大臣官邸	午前5時10分頃	松尾予大佐(死亡)、村上巡査部長(死亡)
②斎藤内大臣私邸	午前5時5分頃	斎藤内大臣(死亡)
③高橋蔵相私邸	午前5時5分	高橋蔵相(死亡)、玉置巡査(負傷)
④鈴木侍従長官邸	午前5時10分	鈴木侍従長(重傷)、平田巡査(負傷)、飯田巡査(負傷)
⑤後藤内相官邸	午前6時35分頃	なし
⑥陸相官邸	午前5時頃	なし
⑦警視庁	午前5時頃	なし
⑧陸軍省	午前9時30分	陸軍省軍事課 片倉衷少佐(負傷)
⑨参謀本部	午前9時30分	なし
渡辺教育総監私邸	午前6時頃	渡辺総監(死亡)

『二・二六事件とその時代―昭和期日本の構造』筒井清忠(筑摩書房)をもとに作成

日中戦争（1937年）

盧溝橋事件をきっかけに、日中〝全面〟戦争に突入！

　1937（昭和12）年7月7日、北京郊外の盧溝橋《ろこうきょう》付近で日本軍と中国軍が衝突した。この盧溝橋事件の報告を受けた日本政府は、最初、事件不拡大の方針をとっていたが、陸軍や政府内の強硬派に押され、強硬方針を打ち出した。

　陸軍は華北での軍事行動を拡大し、海軍も8月に上海で起きた中国側による大山勇夫大尉殺害事件をきっかけに、強硬姿勢をとった。日本本土から出撃した海軍航空部隊は中国の首都・南京を爆撃、日本は中国と日中戦争に突入した。

　日本の軍首脳は短期間で中国を制圧できると考えていたが、中国側の抵抗によりその予想は外れ、大部隊を増軍させることになる。日本軍は12月に南京を占領すると、中国人の憤怒を買うことになり、列国からも激しい非難を浴びる。

　日本政府は中国との和平を進めていたが決裂し、1938（昭和13）年1月10日、広東、武漢を占領する。しかし、アメリカ、イギリス、ソ連などの援助を得た中国軍に苦戦、戦いは泥沼にはまり込んでいく。

― 戦線が拡大し長期戦へ突入 ―

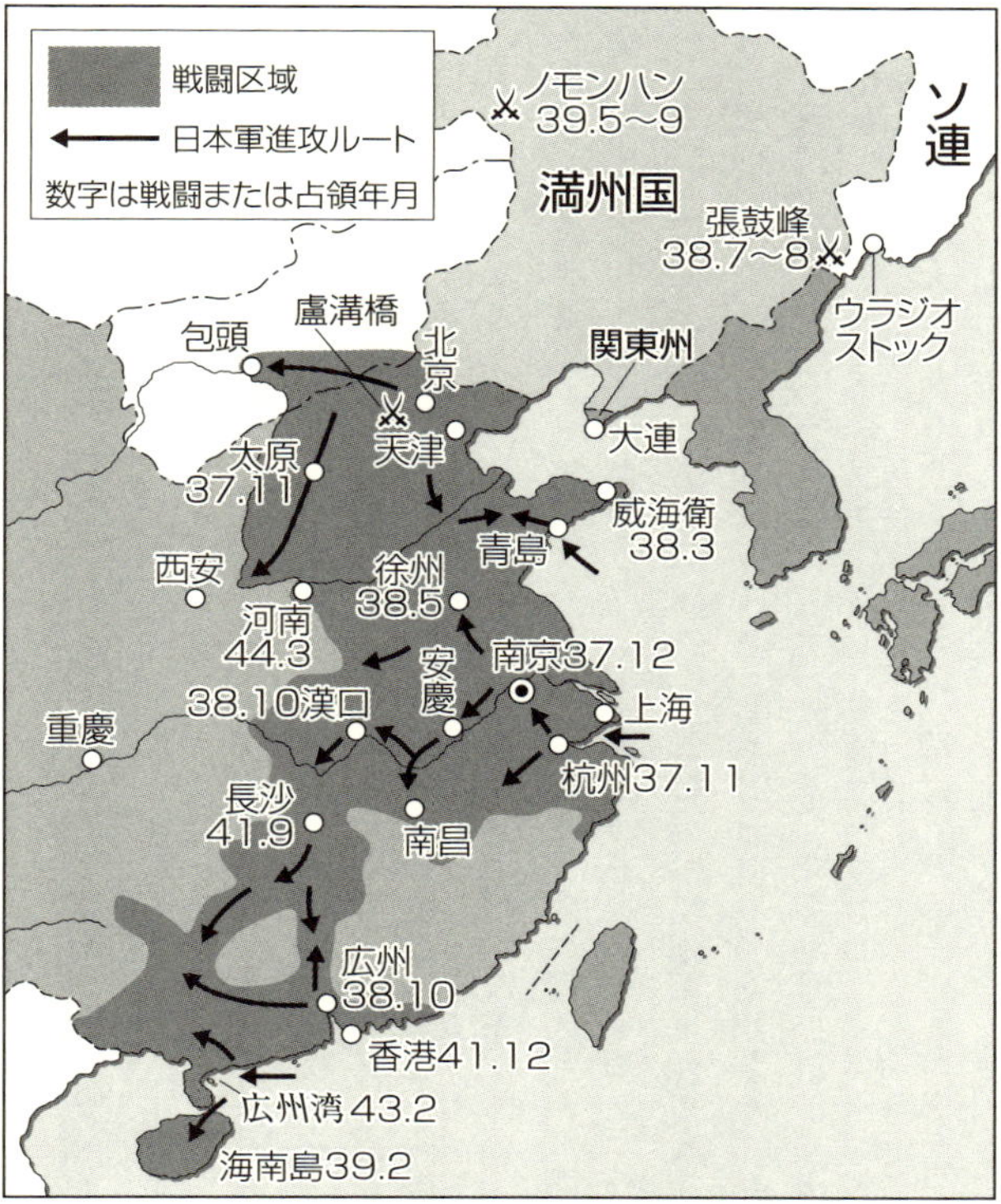
戦闘区域
日本軍進攻ルート
数字は戦闘または占領年月
ノモンハン 39.5～9
ソ連
満州国
張鼓峰 38.7～8
ウラジオストック
盧溝橋
包頭
北京
関東州
大連
天津
太原 37.11
威海衛 38.3
青島
西安
徐州 38.5
河南 44.3
安慶
南京37.12
38.10漢口
上海
重慶
杭州37.11
長沙 41.9
南昌
広州 38.10
香港41.12
広州湾 43.2
海南島39.2

『詳説 日本史研究』五味文彦ほか編（山川出版社）をもとに作成

ココがポイント! アメリカやイギリスの援助を受けた国民政府は日本軍に激しく抗戦したため戦線が拡大し、戦争は泥沼化していく！

ノモンハン事件（1939年）

モンゴルと満州国の「国境」をめぐるソ連との争い

もともと、満州国の西側、モンゴルとの国境線ははっきりしていなかった。満州国とそれを保護する関東軍はハルハ川を国境線としていたが、モンゴルとソ連は川の東方13キロメートルのフロン山とハルハ廟を結ぶ線としていたため、双方が不法侵入を主張し、小衝突を繰り返していた。

そしてついに1939（昭和14）年5月、関東軍が攻撃を開始。これは、ノモンハン事件と呼ばれた。日本は強力な火力を持つソ連軍に大敗し、死者159名、行方不明者12名を出して撤退した。

しかし、関東軍はなんとかソ連軍に一撃を与えようと、再度攻撃を仕掛けるが、またもや敗北する。8月20日、空軍によるソ連軍の猛攻撃にあい、続けてソ連軍の陸上部隊に侵入され、関東軍はモンゴル側の主張するラインの外へ逃げた。

結局、日本軍は死者8400名、負傷者8800名を出し、大打撃を受ける。

そして、9月15日に、モスクワで停戦協定が結ばれ、満州国とモンゴルとの国境はソ連の主張するとおりに確定された。

― 満州・モンゴル間の国境で対立する日本とソ連 ―

日本軍が主張する国境線
ソ連軍が主張する国境線
ボイル湖
ハルハ廟
ハルハ川を国境線と主張する日本に対し、ロシアは川から東方13kmを通るラインを主張。
オボー
ノモンハン
ハルハ川
モンゴル人民共和国
満州国
ソビエト連邦
ノモンハン
モンゴル人民共和国（外蒙古）
満州国
中華民国

ひとくちメモ

1940年7月、ロシア側の主張が通り、東方13kmのラインで国境が確定する。

真珠湾攻撃（1941年）

「トラ、トラ、トラ」は、何を意味している？

1941（昭和16）年12月7日（日本時間8日）、日曜日の早朝、日本軍がハワイの島々に襲いかかった。

その数日前の12月2日午後8時、連合艦隊司令部から空母「赤城」に「ニイタカヤマノボレ1208」の暗号電話が入り、攻撃隊は「赤城」を発艦。零戦、水平爆撃隊、急降下爆撃隊など、約200機の戦闘機がオアフ島を目指した。

真珠湾には、アメリカ太平洋艦隊の主力艦全兵力がいた。攻撃隊指揮官の淵田中佐は、オアフ島西側を迂回して、岬の上空にさしかかったが、対空砲火もなければ邀撃《ようげき》機も上がってこない。奇襲作戦成功とみた淵田中佐は「トラ、トラ、トラ」（ワレ奇襲ニ成功セリ）と艦隊に発信した。

ヒッカム海軍航空基地に爆煙が上がり、続いてフォード海軍航空基地にも上がった。

日本軍の攻撃は約2時間あまり続き、真珠湾に停泊していた8つの主力艦を含むアメリカの太平洋艦隊に大打撃を与え、太平洋戦争に突入した。

― 米軍基地を襲撃しながら真珠湾に向かう日本軍 ―

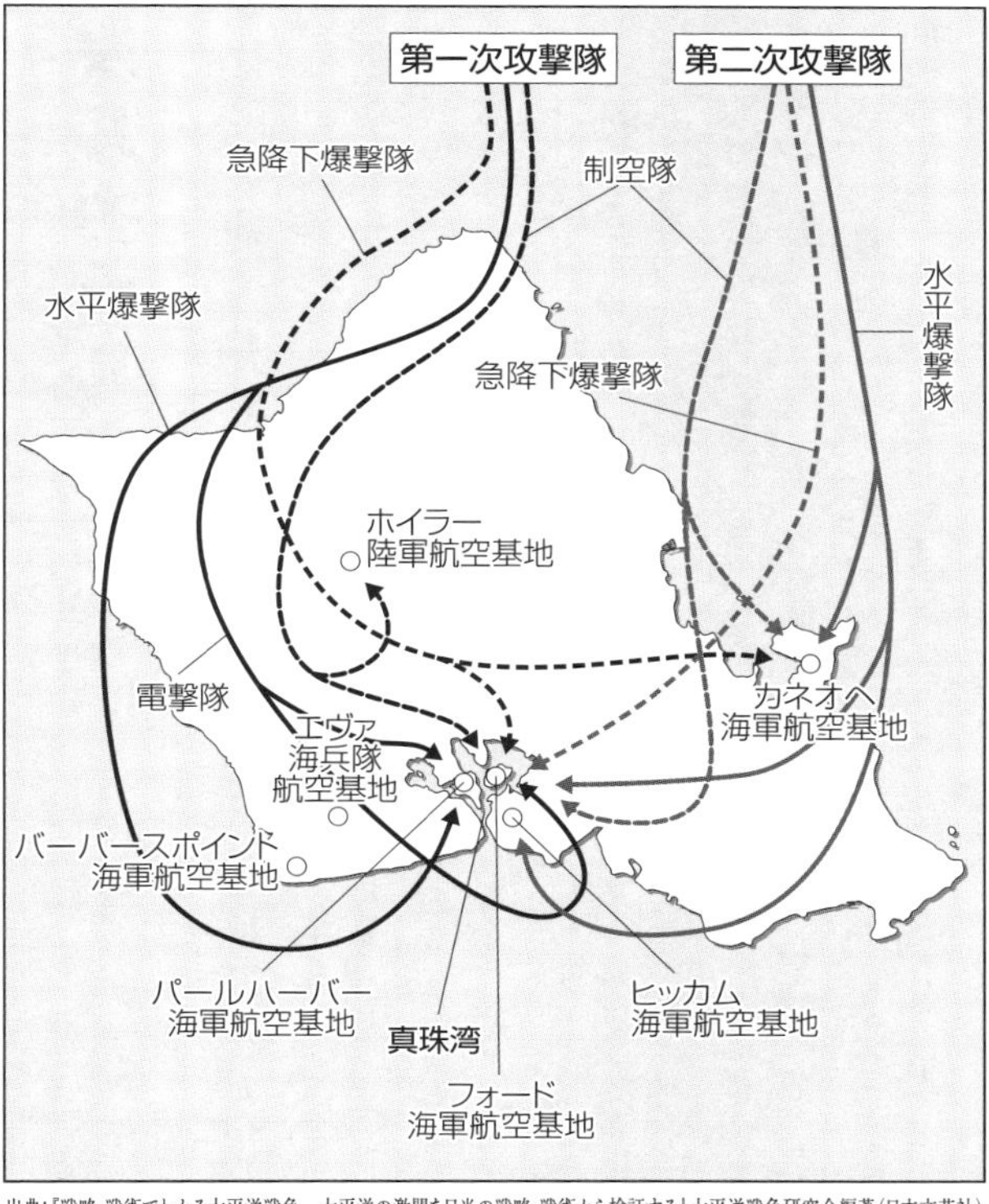
第一次攻撃隊
第二次攻撃隊
急降下爆撃隊
制空隊
水平爆撃隊
水平爆撃隊
急降下爆撃隊
ホイラー
陸軍航空基地
カネオヘ
海軍航空基地
雷撃隊
エヴァ
海兵隊
航空基地
バーバースポイント
海軍航空基地
パールハーバー
海軍航空基地
真珠湾
ヒッカム
海軍航空基地
フォード
海軍航空基地

出典:『戦略・戦術でわかる太平洋戦争　太平洋の激闘を日米の戦略・戦術から検証する』太平洋戦争研究会編著(日本文芸社)

ひとくちメモ

米軍の死亡者は2300人以上に達し、戦艦は4隻が撃沈、4隻が損傷。真珠湾の基地に停まっていた飛行機も約200機がダメージを受けた。

ガダルカナル島の戦い（1942年）

約3万人の日本兵が命を落とした島

1942（昭和17）年8月、米軍が突如ガダルカナル島に上陸した。ガダルカナル島には、日本軍が7月から飛行場を設営するため、部隊を送り込んでいた。上陸した米軍1万人に対して、日本軍は陸戦隊150人、設営部隊2500人余りの兵力に過ぎず、飛行場は、あっけなく米軍の手に渡る。

この知らせはすぐに大本営に届き、7000人を投入してガダルカナル島奪回にあたった。しかし米軍の重火砲、戦車に包囲攻撃され、上陸した翌日に全滅する。日本軍はその後も相次いで兵力を投入するものの、米軍の前には太刀打ちできなかった。

11月には、ガダルカナル島付近の制空・制海権は完全にアメリカのものになる。日本軍は、人員、物資の輸送ができず、駆逐艦や潜水艦による夜間輸送が行なわれた。運んだ食糧や弾薬は、一夜明けると米軍に攻撃され、焼失したり、海に沈んだりした。補給を断たれた約3万人の日本兵は、ジャングルで、餓えとマラリアや赤痢に苦しみ、命を落としていった。

― 米軍陣地を目指し進軍する日本軍 ―

日本軍進行ルート
日本軍上陸ルート
フロリダ島
ツラギ島
カブツ島
サボ島
エスペランス岬
タサファロング
ルンガ岬
テナル
タシンポコ
タイポ岬
米軍陣地
（ヘンダーソン飛行場）
ガダルカナル島
ハンター岬

ひとくちメモ

日本軍の死亡者の半分以上が、飢えと病死によるものだった。

沖縄戦（1945年）

戦力の差は歴然……3カ月で全土が占領される！

1945（昭和20）年4月1日、米軍の沖縄上陸がはじまる。連合国軍が沖縄に送り込んだ兵力は約54万人、対して日本軍は陸・海軍合わせて約10万人だ。日本軍は特攻隊や人間魚雷の「回天」、戦艦「大和」を沖縄に出航させるが、大和は2日目に九州の南方沖で撃沈する。

制海権も制空権も失った沖縄は、孤立無援の状態で、アメリカの猛攻撃を受ける。ロケット弾やナパーム弾が投下されて、岩は砕け、大木は裂け、沖縄の風景は一変する。

沖縄戦は県民をも巻き込んだ。消耗戦となったが、各部隊には、県民男子約2万5000人が防衛隊や義勇隊として駆り出されていた。そのなかには、中学校上級生、師範学校生徒を中心とした鉄血勤皇隊1685名も含まれる。女学校の生徒を中心としたひめゆり部隊543名も前線に置かれた。

日本軍と米軍の戦力の差は歴然としており、図のように、アメリカ軍上陸からわずか2週間で北部が占領され、約3カ月で全土が占領された。

― 約3カ月で沖縄全土に進軍するアメリカ軍 ―

辺戸
4月13日占領
4月20日占領
備瀬
本部半島
名護
金武湾
嘉手納飛行場
渡具知
4月1日軍上陸
中城湾
首里
6月23日
日本軍司令官自決
摩文仁
沖縄戦は女性や学生も武器を持って戦う総力戦となる。しかし、アメリカ軍との戦力の差は歴然としており、沖縄県民は集団自決へと追い込まれていった。
4月3日の米第10軍占領地域

『総史沖縄戦』大田昌秀編著（岩波書店）をもとに作成

原爆投下（1945年）

その一瞬の犠牲者は20万人に達した

1945（昭和20）年7月、アメリカ、ニューメキシコ州の砂漠で最初の原子爆弾実験が行なわれ、成功した。

この後、連合国の米英ソ首脳は、ベルリン郊外のポツダムで、ヨーロッパの戦後に関して会談を行ない、ここで、日本に対して無条件降伏を勧告するポツダム宣言を発表した。しかし、日本政府は正式に回答せず、鈴木貫太郎首相が「黙殺する」と述べただけだった。

8月6日、B29エノラ・ゲイから広島市上空に投下された原爆は、午前8時15分に炸裂。閃光と熱線が人々を襲い、衝撃波と爆風が街中を駆け巡り、一瞬にして広島市は壊滅した。その死者は20万人に達したといわれる。

続いて8月9日午前11時2分、B29ボックス・カー号から、長崎市浦上地区に原爆が投下される。約7万人が死亡し、浦上地区は瓦礫と化した。

同日、ソ連軍が満州国に侵入、日本の戦意は一挙に打ち砕かれた。すぐに日本はポツダム宣言を受諾、8月15日に戦争が終結した。

爆心地から3000m以上の範囲に及んだ原爆の被害 ―

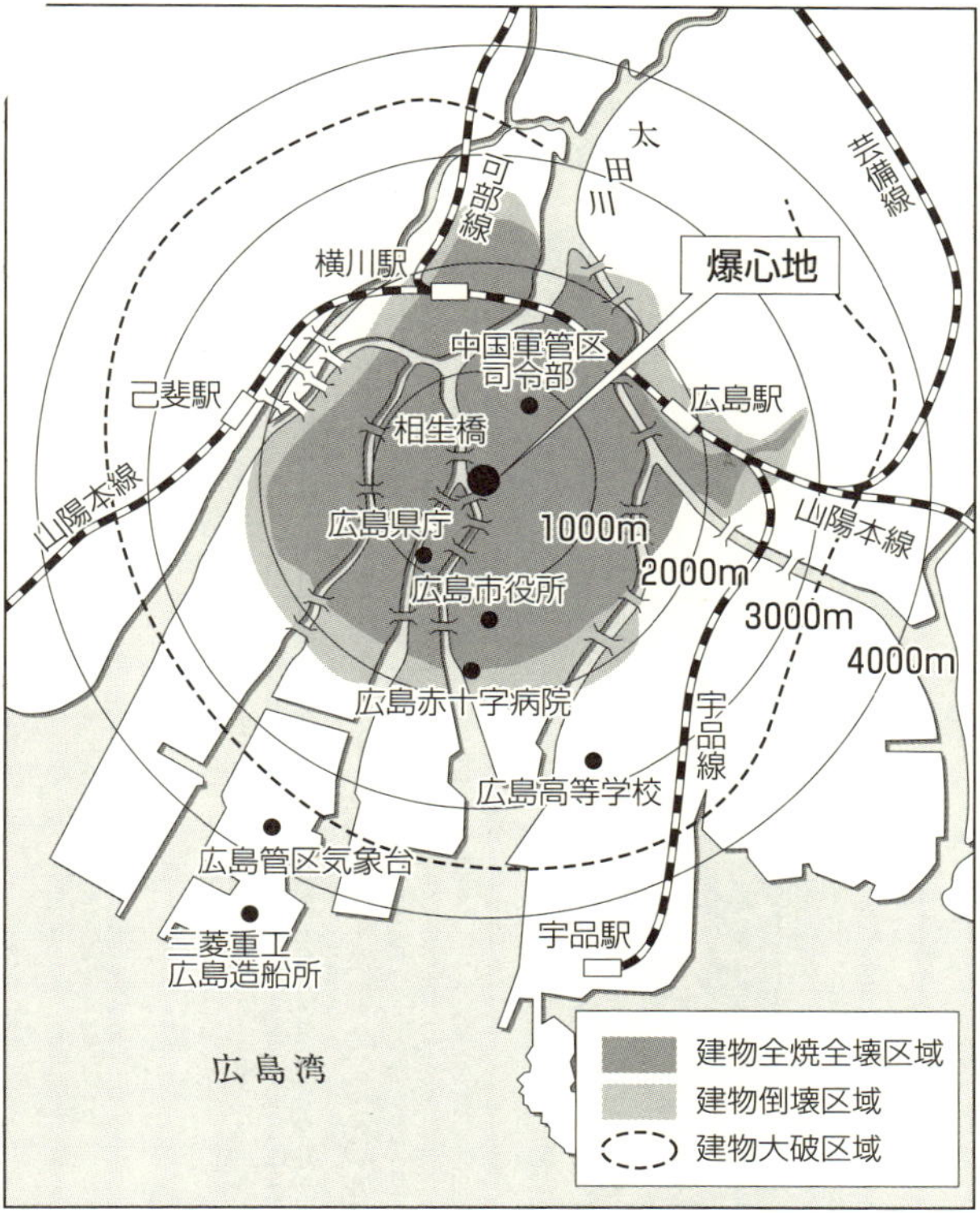
太田川
芸備線
可部線
横川駅
爆心地
中国軍管区司令部
己斐駅
広島駅
相生橋
山陽本線
山陽本線
広島県庁
1000m
2000m
広島市役所
3000m
4000m
広島赤十字病院
宇品線
広島高等学校
広島管区気象台
三菱重工広島造船所
宇品駅
広島湾
建物全焼全壊区域
建物倒壊区域
建物大破区域

ココがポイント!

広島の原爆による死者数は約20万人。6万戸以上の建物が全焼・全壊した。

参考文献

※左記の文献を参考にさせていただきました。

『日本の近代5 政党から軍部へ 1921―1941』北岡伸一、『島原の乱』神田千里、『日露戦争史 20世紀最初の大国間戦争』横手慎二、『日本の歴史20 明治維新』井上清、『日本の歴史19 開国と攘夷』小西四郎（以上、中央公論新社）／『日本百合戦』中山良昭、『朝日クロニクル第4巻 20世紀 日米開戦と破局 昭和16年―25年』、『地域からの世界史18 日本』大江一道、『朝日クロニクル20世紀 第3巻 1930―40』、『見る・読む・わかる 日本の歴史 原始・古代から近代・現代まで』大江一道（以上、朝日新聞社）／『大系日本の歴史7 戦国大名』脇田晴子、『大系日本の歴史12 開国と維新』石井寛治、『ビジュアル・ワイド 明治時代館』、『ビジュアル・ワイド 江戸時代館』（以上、小学館）／『日本の歴史4 平城京と木簡の世紀』渡辺晃宏、『謎とき本能寺の変』藤田達生、『日本全史（ジャパン・クロニック）』宇野俊一ほか編（以上、講談社）／『Ｓｔｏｒｙ 日本の歴史 古代・中世・近世史編』日本史教育研究会編、『詳説 日本史研究』五味文彦ほか編、『新版 世界各国史1 日本史』宮地正人編（以上、山川出版社）／『日本の歴史4 武士の時代』五味文彦、『日本近代史Ⅰ』遠山茂樹、『日本近代史Ⅱ』今井清一、『日本近代史Ⅲ』藤原彰（以上、岩波書店）／『新装改訂 日本の歴史5』家永三郎編（ほるぷ出版）／『ビクトリアル西郷隆盛／大久保利通1 幕末維新の風雲』、『「歴史群像」太平洋シリーズ①奇襲ハワイ作戦』、『知れば知るほど面白い人物歴史丸ごとガイド 幕末新詳解事典』脇坂昌宏、『新装版 図解ひと目でわかる！太平洋戦争』太平洋戦争研究会編（以上、学習研究社）／『戦乱の日本史〔合戦と人物〕11 覇者の条件』、『戦乱の日本史〔合戦と人物〕12 幕末維新の争乱』安田元久監（第一法規出版）／『日本の歴史⑳ アジア・太平洋戦争』森武麿、『日本の歴史⑮ 開国と倒幕』田中彰、『日本の歴史⑰ 日本近代の出発』佐々木克（以上、集英社）／『日本歴史展望第11巻 明治国家の明暗』（旺文社）／『図説古代史の舞台裏』瀧音能之、『日本史の全貌』武光誠（以上、青春出版社）／『ニッポン海戦史』宇田川武久、（実業之日本社）／『謎の日本史 原始・奈良・平安』樋口清之監、『日本史・疑惑の重大事件100 殺人・迷宮・陰謀』（新人物往来社）／『日本の歴史が動いた20の大転機』武光誠、『図説 西郷隆盛と大久保利通』芳即正・毛利敏彦編著、『図説 忠臣蔵』西山松之助、『図説 太平洋戦争』池田清編、太平洋戦争研究会著（以上、河出書房新社）／『早わかりキリスト教』宮越俊光、『早わかり鎌倉・室町時代』、『早わかり日本史』河合敦（以上、日本実業出版社）／『目からウロコの古代史』、『藩と日本人 現代に生きる〈お国柄〉』武光誠、『「図解」古事記と日本書紀』瀧音能之（以上、ＰＨＰ研究所）／『日本史総覧』金箱芳明ほか編著（東京法令出版）／『3時間で頭に入る日本の歴史』小和田哲男（三笠書房）／『日本の合戦ものしり事典 戦場に渦巻く策謀のドラマ』奈良本辰也監（主婦と生活社）／『完全制覇 鎌倉幕府』鈴木亨（立風書房）／『太平記おもしろ紀行』村松定孝（大陸書房）／『教育社歴史新書〈日本史〉101島原の乱』煎本増夫（ニュートンプレス）／『日本の合戦 こうすれば勝てた』柘植久慶（原書房）／『幕末維新の個性4 西郷隆盛と士族』落合弘樹（吉川弘文館）／『下野の戊辰戦争』大嶽浩良（下野新聞社）『国民の歴史20 日清・日露戦争』藤井松一（文英堂）／『新選組 知られざる隊士の真影』相川司（新紀元社）／『新選組 将軍警護の最後の武士団』ロミュラス・ヒルズボロウ著・正木恵美訳（バベルプレス）／『忠臣蔵 時代を動かした男たち』飯尾精（神戸新聞総合出版センター）／『歴史地図シリーズ 古地図と年表で見る諸国の合戦争乱地図 西日本編』谷口研語監（人文社）／『日本史重要人物101』五味文彦編（新書館）／『1冊でわかる日本現代史』毛利和夫（ダブリュネット）／『決定版 昭和史 第12巻』（毎日新聞社）／『教養の日本史〔第2版〕』竹内誠ほか編（東京大学出版会）／『大正時代を訪ねてみた 平成日本の原景』皿木喜久（産経新聞ニュースサービス）／『大江戸まるわかり事典』大石学編（時事通信社）／『この人物・この事件 よくわかる日本史』中山良昭監（明日香出版社））／『大津事件 露国ニコライ皇太子の来日』野村義文（葦書房）／『名城と合戦の日本史』小和田哲男（新潮社）／『地図で読む日本古代戦史』武光誠（平凡社）

本書は、本文庫のために書き下ろされたものです。

「歴史ミステリー」倶楽部（れきしみすてりー・くらぶ）
日本史・世界史について、学会で確定している「事実」だけにとらわれず、伝承・伝説など幅広いフィールドからも情報を集め、見解をまとめて発表している企画制作グループ。歴史上のミステリアスな事象や、その因果関係を追究することに関して定評がある。
著書に『世界遺産・古代文明「不思議」ものしり雑学』『日本史の謎がおもしろいほどわかる本』『世界史の謎がおもしろいほどわかる本』『意外な意外な「日本史」』（以上、三笠書房《王様文庫》）などがある。

知的生きかた文庫

地図《ちず》で読《よ》む日本《にほん》の歴史《れきし》

著　者　「歴史《れきし》ミステリー」倶楽部《くらぶ》
発行者　押鐘太陽
発行所　株式会社三笠書房
〒一〇二-〇〇七二　東京都千代田区飯田橋三-三-一
電話〇三-五二二六-五七三四〈営業部〉
〇三-五二二六-五七三一〈編集部〉
http://www.mikasashobo.co.jp
印刷　誠宏印刷
製本　若林製本工場

ISBN978-4-8379-7746-9 C0130

知的生きかた文庫

地図で読む世界史の謎50
「歴史ミステリー」倶楽部

テンプル騎士団、邪馬台国……「伝説」の意外な真相とは⁉ 地図で見るからスッキリわかる。あなたを夢中にさせる知的な「歴史ミステリー」の決定版！

地図で読む日本の古代史
「歴史ミステリー」倶楽部

日本に人類が住み始めた数万年前から、平安京に遷都するまでの日本の古代史を、関連する地図を読み解きながら解説。謎と波乱の古代日本をリアルに検証！

地図で読む戦国時代
「歴史ミステリー」倶楽部

関東の争乱、応仁の乱から大坂夏の陣まで、日本史上最も人気の戦乱の時代を、豊富な地図情報・合戦布陣図満載でわかりやすく解説！

地図で読む日本の近現代史
「歴史ミステリー」倶楽部

なぜ日本は領土問題を多く抱えているのか？ なぜ日本国憲法は戦争を放棄したのか？——日本の近現代史を知れば、ニュースがより深く理解できる！

地図で読む幕末・維新
「歴史ミステリー」倶楽部

教科書では絶対に伝わらない、最高に熱く濃密な「この時代」の魅力を、地図情報とチャートで多角的に再現！ こんなにもわかりやすい「幕末・維新」！

C50250